유니티 기초와 응용

유니티 기초와 응용

발 행 | 2023년 12월 13일

저 자 | 김정훈

펴낸이 | 한건희

펴낸곳 | 주식회사 부크크

출판사등록 | 2014.07.15(제2014-16호)

주 소 | 서울특별시 금천구 가산디지털1로 119 SK트윈타워 A동 305호

전 화 | 1670-8316

이메일 | info@bookk.co.kr

ISBN | 979-11-410-5930-9

www.bookk.co.kr

유니티 기초와 응용

김정훈 지음

목차

4

머리말

2005년 유니티가 시장에 나온지 꽤 많은 시간이 흘렀습니다. 그동안 유니티 관련 책은 많이 출시되었고 더 전문화되었습니다. 서점에 나가보면 유니티 관련 도서는 백과사전처럼 두껍고 어렵게 보여 초급자들이 쉽게 접근할 수 없어 보입니다.

필자는 대학에서 유니티 과목을 강의하고 있습니다. 대상 학생 대부분은 C나 자바언어를 조금 알고 있는 상태입니다. 이런 학생들을 대상으로 강의할 적합한 유니티 도서가 없어 자체 제작한 파워포인트 문서를 가지고 강의를 진행했습니다. 이때 사용한 자료를 모아 이 책을 집필하게 되었습니다. 초급자를 위한 책이기 때문에 어렵고 두꺼운 책은 이 책을 공부한 다음 단계에서 선택하면 될 것입니다.

이 책은 유니티의 어려운 부분은 될 수 있으면 덜어내고 쉽게 학습할 수 있게 집필됐습니다. 유니티가 어려운 이유는 프로그래밍을 해야 하기 때문입니다. 게임 객체들을 움직이기 위해서는 프로그래밍이 필요합니다. 프로그래밍을 위해 C#이나 자바스크립트를 사용하는데, 개발 현장에서는 C#을 많이 사용하고 있습니다. 초급자는 C#을 자세히 배울 필요는 없고, 객체의 움직임을 제어할 수 있는 정도까지 배우면 충분할 것입니다.

책의 앞부분에서는 간단한 C# 언어와 디버깅 과정을 기술해 놓고 있습니다. 클래스, 변수, 함수, 제어문 등의 기본 개념을 이해할 수 있게 설명했고, 에러를 제거할 수 있는 디버깅 과정도 설명해 놓았습니다. 그리고 매터리얼, 트랜스폼, 충돌, 카메라, 스카이박스, 파티클, 오디오, 인공지능, 지형 등을 학습하게 될 것입니다.

아무쪼록 본 도서를 통해 유니티 게임 엔진의 기본을 파악할 수 있었으면 좋겠습니다. 감사합니다.

2023.12.11
김정훈

1장. 유니티 설치와 기본 조작

1.1 유니티 개요

유니티(Unity)는 3D 비디오 게임, 건축물의 시각화, 3D 애니메이션 등을 제작하기 위한 통합 저작 도구이다. 유니티는 주로 Windows와 Mac OS 상에서 실행되며, 유니티를 이용하면 Windows나 Mac, Wii, 안드로이드, 아이패드, 아이폰 등에서 동작하는 콘텐츠를 쉽게 만들 수 있다. 유니티 웹 플레이어 플러그인을 이용하는 웹 브라우저 게임도 쉽게 제작할 수 있다.

유니티는 2005년 6월에 처음 발표됐다. 처음에는 Windows, Mac OS 같은 PC 기반 플랫폼만 지원했으나, 2010년 Unity 3부터는 기존의 PC 플랫폼뿐만 아니라 안드로이드, 아이폰과 같은 모바일 플랫폼, PS3, XBOX 360, Wii 같은 콘솔 게임기 등의 다양한 플랫폼을 지원하였다.

2012년 Unity 4가 발표된 이후 유니티 엔진을 사용하는 게임들이 급격하게 늘어났다. 2015년 경쟁 게임 엔진인 언리얼 엔진이 무료화를 선언할 때, 유니티도 Unity 5를 발표하면서 개인용은 무료로 사용할 수 있게 하였다.

지금까지 설명한 유니티 히스토리를 정리하면 다음과 같다.

연도	내용
2005년	Unity 게임 엔진 처음 발표, Windows, Mac OS 같은 PC 기반 플랫폼 지원
2010년	Unity 3 발표, 기존의 PC 플랫폼뿐만 아니라 안드로이드, 아이폰과 같은 모바일 플랫폼, PS3, XBOX 360, Wii 같은 콘솔 게임기 등의 다양한 플랫폼 지원
2012년	Unity 4 버전 발표
2015년	Unity 5 버전 발표
2017년	Unity 2017.x 발표
2018년	Unity 2018.x 발표

2019년	Unity 2019.x 발표
2020년	Unity 2020.x 발표
2021년	Unity 2021.x 발표
2022년	Unity 2022.x 발표
2023년	Unity 2023.x 발표

2023년 12월 현재 2023.2.3 버전까지 출시되었다. 유니티는 이전 버전도 쉽게 다운로드 받을 수 있는데 아래 그림은 이전 버전을 다운로드 받을 수 있는 유니티 다운로드 아카이브이다. 이 책에서는 Unity 2022.1.20 버전을 다운로드 받아 설치 및 실습할 것이다.

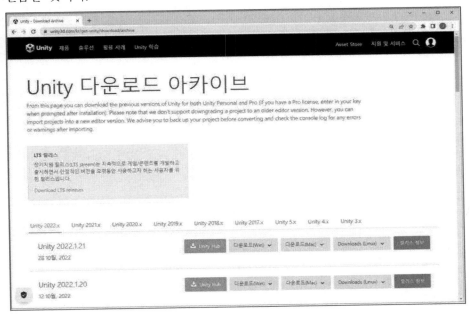

유니티가 크게 확산될 수 있었던 이유로 쉬운 접근과 다양한 플랫폼 지원, 그리고 에셋 스토어의 활성화 등을 들 수 있다.

유니티의 사용자 인터페이스는 상당히 쉬운 편이다. 쉬운 인터페이스 때문에 초급 개발자도 유니티에 쉽게 접근할 수 있다. 그리고 원소스 멀티유즈(One Source Multi

Use) 지원이 거의 완벽하다. 콘텐츠 하나를 만들면 다양한 플랫폼에서 동작하는 콘텐츠를 쉽게 얻을 수 있다. 단지 빌드만 다시하면 된다. 아래 그림은 유니티를 통해 빌드할 수 있는 다양한 플랫폼을 나열한 것이다.

소규모 개발 업체나 개인 개발자의 경우 콘텐츠를 개발하는 데 있어 리소스 제작은 쉽지 않은 일이다. 유니티에서는 에셋 스토어를 통해 콘텐츠 제작에 필요한 리소스를 쉽게 구할 수 있다. 개발자는 에셋 스토어를 통해 콘텐츠 제작에 필요한 이미지나 사운드 등을 무료 또는 유료로 다운로드하여 사용할 수 있다. 이러한 유니티의 장점으로 인해 콘텐츠 개발에 유니티를 사용하는 사례가 많아졌다.

유니티와 경쟁관계에 있던 언리얼 엔진은 버전 5를 출시하면서 사용자 인터페이스를 직관적으로 바꾸고, 유니티와 마찬가지로 다양한 플랫폼을 지원할 수 있도록 기능을 업그레이드했다. 그리고 언리얼 마켓 플레이스라는 유니티의 에셋 스토어와 비슷한 시스템을 서비스하고 있다.

유니티는 크게 개인, 팀즈, 기업 버전, 세 가지 라이선스를 제공한다. 학생이나 개인은 무료로 사용할 수 있다. 개인 버전은 무료이지만 매출 또는 자본금이 10만불 이하일 경우만 해당된다. 팀즈 버전은 Pro와 Plus 버전으로 세분화된다.

매출 또는 자본금 규모에 따라 개인, 팀즈, 기업 버전으로 나누는데 해당 금액을 연단위로 결제한다.

1.2 다운로드와 설치

네이버에서 "유니티코리아"를 입력하고 검색한다. 검색 결과인 유니티코리아 사이트에 접속한다. 주소는 https://unitysquare.co.kr/ 이다. 유니티를 다운로드하고 설치하기 위해 유니티 홈페이지 상단의 [Unity 시작하기] 버튼을 클릭한다.

화면을 마우스로 스크롤해서 하단으로 이동한다. 다운로드 카테고리 내의 [다운로드 아카이브] 링크를 클릭한다.

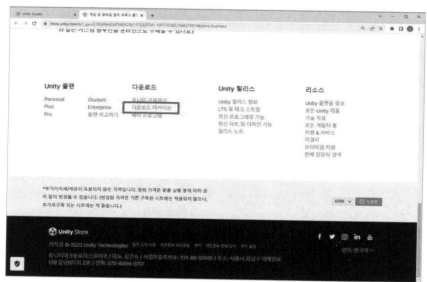

상단의 Unity 2022.x 카테고리 내의 Unity 2022.1.20의 다운로드(Win) 클릭한 후 Unity 설치 프로그램 부분을 클릭한다.

사용하는 웹브라우저가 크롬일 경우 크롬 하단에 아래 그림처럼 다운로드 받은 파일이 보인다. 다운로드 받은 파일을 클릭한다. 파일 이름은 UnityDownloadAssistant-2022.1.20f1.exe이다.

유니티 설치가 시작됐다. [Next] 버튼을 클릭한다.

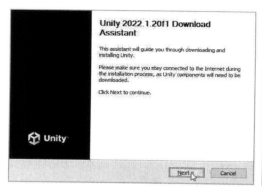 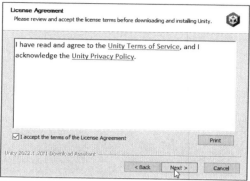

라이선스 동의 부분에 체크하고 [Next] 버튼을 클릭한다. 필요한 컴포넌트를 선택하는 화면이다. 여기서는 유니티만 설치하기로 하고 [Next] 버튼을 클릭한다.

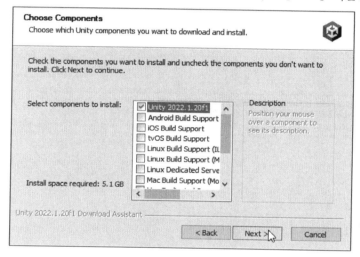

설치할 폴더를 지정한다. 필자는 아래 그림과 같이 공간이 넉넉한 D 드라이브에 Unity 2022.1.20f1 폴더를 선택했다. 독자들도 용량이 넉넉한 드라이브를 선택해 설치하면 된다. [Next] 버튼을 클릭하면 설치가 시작된다.

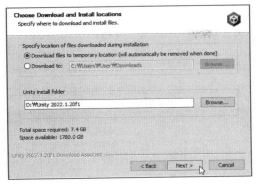 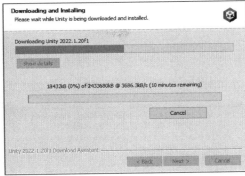

설치가 완료되면 [Finish] 버튼을 클릭한다.

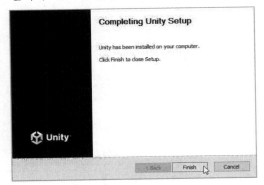

이번에는 유니티 허브를 설치해보자. https://unity3d.com/get-unity/download를 방문하여 [Download Unity Hub]를 클릭한다.

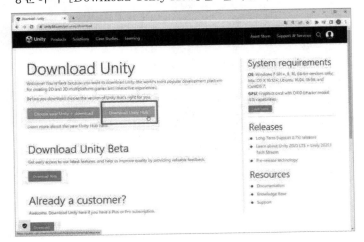

다운로드 받은 파일을 클릭하여 유니티 허브 설치를 시작한다.

바탕화면에 설치된 유니티 허브 아이콘을 실행한다. 유니티 허브에서 에디터 버전(2022.1.20), 템플릿(3D)을 확인한다. 프로젝트 이름과 위치도 입력하고 마지막으로 [프로젝트 생성] 버튼을 클릭한다. 필자는 D 드라이브에 Unity Project 폴더를 생성하고 위치를 설정했다. 프로젝트 이름은 My Project로 했다.

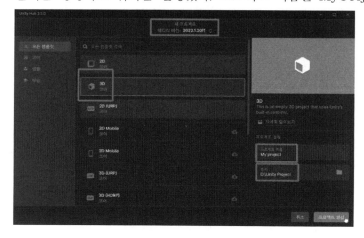

다음은 유니티가 최초로 실행된 화면이다.

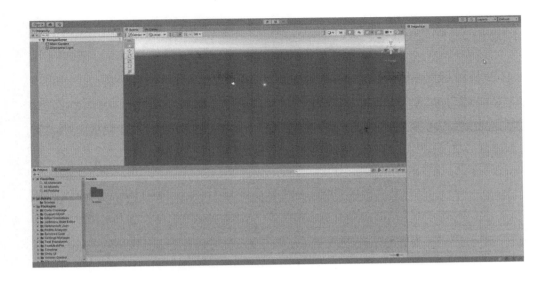

유니티를 사용하기 위해서는 유니티 계정이 있어야 한다. 계정이 없다면 유니티 허브에서 계정 생성 메뉴를 선택해 계정을 만들어야 한다.

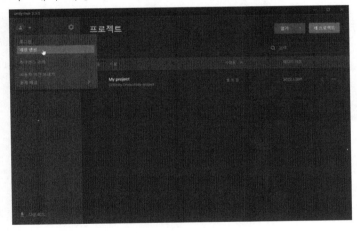

계정 생성화면이 나타나면 이메일, 암호, 사용자 이름, 성명 등을 입력하고 [Unity ID 만들기] 버튼을 클릭한다.

계정이 성공적으로 만들어지면 유니티 허브에서 로그인을 한다.

나타나는 화면에서 이메일과 암호를 입력하고 [로그인] 버튼을 클릭한다.

로그인이 성공적으로 이루어지면 유니티 허브 왼쪽 상단에 로그인 상태가 표시된다.

1.3 유니티 허브

유니티 5.x 부터는 하위 호환이 되지 않는다. 따라서 유니티 5.x에서 만든 프로젝트는
유니티 4.x에서 열 수 없다. 그러나 하위 버전에서 제작한 프로그램은 상위 버전에서
열 수 있다.

유니티 허브는 다양한 버전의 유니티를 설치하고 관리할 수 있게 만들어진 독립형
애플리케이션이다. PC에 설치해 놓은 유니티 버전이 있다면 유니티 허브에 해당
버전을 추가할 수 있다. 유니티 허브를 이용하면 다음과 같은 작업을 할 수 있다.

- 유니티 계정 및 라이선스를 관리

- 여러 버전의 유니티 설치 및 관리

- 선호하는 유니티 버전을 설정할 수 있고 프로젝트 보기에서 다른 버전으로 쉽게 시작할 수 있다.

- 두 가지 버전의 유니티를 동시에 실행할 수 있다. 다만 로컬 충돌 및 기타 예기치 않은 오류를 방지하기 위해 한 프로젝트를 두 개의 편집기에서 열면 안 된다.

- 프로젝트 템플릿을 사용하여 프로젝트를 생성할 수 있다. 유니티 허브에서 에디터 버전을 선택하고 [프로젝트 / 새 프로젝트 / 템플릿] 순으로 선택하면 된다.

• 유니티 허브에서 다른 버전의 유니티를 설치하는 방법은 다음과 같다.

유니티 허브를 실행한 후 왼쪽 메뉴에서 [설치]를 클릭한다. 오른쪽 상단의 [에디터 설치] 버튼을 클릭하여 다른 버전의 유니티를 설치하면 된다.

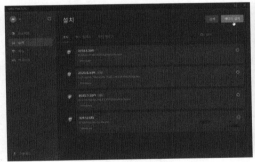

1.4 유니티 화면 구성

아래 화면은 처음으로 실행된 유니티 화면이다.

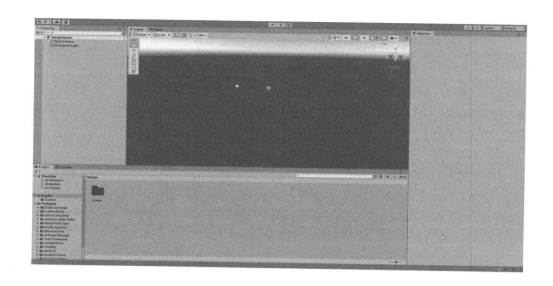

아래 그림처럼 유니티의 [GameObject / 3D Object / Cube] 메뉴를 순서대로 선택해 보자.

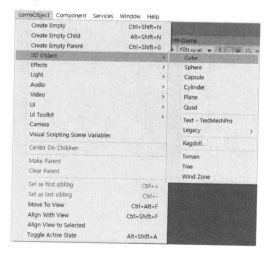

메뉴를 선택하면 화면 가운데에 정육면체가 하나 그려진다. 이 정육면체를 큐브(Cube)라고 한다. 이제 유니티 화면을 하나하나 자세히 살펴보자.

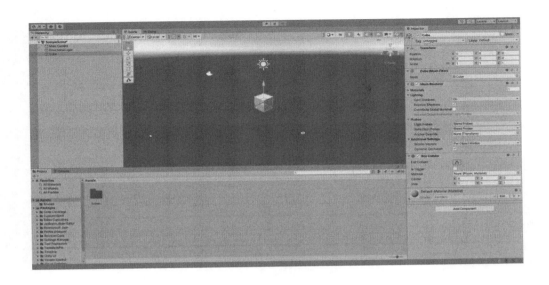

1.4.1 하이어라키 뷰(Hierarchy View)

하이어라키 뷰는 보통 유니티 화면의 왼쪽에 있다. 추가한 객체들을 표시하는 공간을 하이어라키 뷰라고 한다. 프로젝트를 새로 생성하면 Main Camera와 Directional Light가 하이어라키 뷰에 기본으로 추가된다. 위의 그림을 보면 방금 추가한 Cube 객체도 있다.

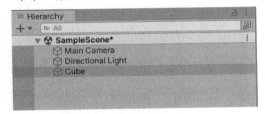

1.4.2 씬 뷰(Scene View)

씬 뷰는 유니티 프로그래머가 작업하는 공간이다. 씬 뷰에서는 객체를 원하는 위치에 배치할 수 있으며, 단축키나 툴을 이용해 객체를 수정할 수도 있다. 작업의 편의성을 높이기 위해 원하는 방향에서 작업할 수 있다. 작업의 편의성을 위해 X 축의 양의 방향을 화면 오른쪽이나 왼쪽에 둘 수 있는데 보통은 화면 오른쪽에 둔다.

씬 뷰에서 마우스 휠을 위로 움직이면 씬 뷰가 줌 인(확대)되고, 아래로 움직이면 줌 아웃(축소)된다. 게임 화면의 객체를 사용자가 볼 수 있게 배치하는 뷰는 씬 뷰이고, 추가된 객체들의 리스트를 보여주는 것은 하이어라키 뷰이다. 아래 그림은 씬 뷰만을 따로 뽑아낸 것이다.

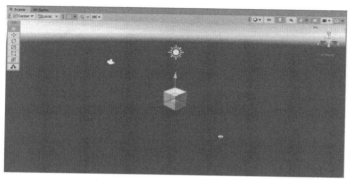

1.4.3 게임 뷰(Game View)

실제로 사용자에게 보여지는 화면은 게임 뷰이다. 게임 뷰를 보기 위해서는 아래 그림에서 Scene 탭 옆의 Game 탭을 클릭하면 된다. 다시 씬 뷰를 보기 위해서는 Scene 탭을 클릭하면 된다. 게임 뷰에서는 X 축의 양의 방향이 화면 오른쪽이고, Z 축의 양의 방향은 모니터 속으로 들어가는 방향이다. 물론 메인 카메라의 위치를 변경하여 사용자에게 보여지는 뷰를 다르게 할 수 있다. 반면에 씬 뷰에서는 X 축의 양의 방향을 화면 왼쪽, 오른쪽 편리한 곳에 마음대로 둘 수 있다.

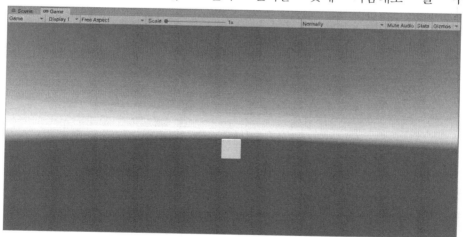

1.4.4 인스펙터 뷰(Inspector View)

인스펙터 뷰를 보기 위해서는 유니티 오른쪽에 있는 Inspector 탭을 클릭하면 된다.
인스펙터 뷰는 보통 화면 오른쪽에 있고 하이어라키 뷰에서 선택한 객체의 속성을
보여준다. 하이어라키 뷰에서 Cube 객체를 선택하고, 인스펙터 뷰를 보면 Cube의
속성을 볼 수 있다.

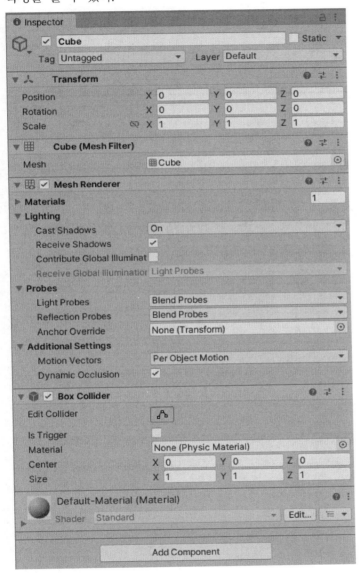

하나의 객체는 몇 개의 컴포넌트로 구성된다. 위 Cube 객체는 Transform, Cube(Mesh Filter), Mesh Renderer, Box Collider, Default-Material 등의 컴포넌트로 구성되어 있다. Transform 컴포넌트에서는 해당 객체의 위치와 회전, 확대 축소를 지정할 수 있다. 현재 Cube 객체의 위치는 3D 공간 상에서 (0, 0, 0)에 있고 X, Y, Z 축 방향으로 회전하지 않은 상태이다. 그리고 Scale 값이 모두 1이므로 확대 축소를 하지 않은 상태이다.

1.4.5 프로젝트 뷰(Project View)

프로젝트 뷰는 화면 아래쪽에 있고, 작업하고 있는 프로젝트의 Assets을 보여준다. Assets의 사전적 의미는 자산이다. 게임에서 자산이라고 할 수 있는 것은 이미지, 매터리얼, 사운드, 프로그램 소스 코드 등이 될 것이다.

프로젝트 뷰의 왼쪽에 보면 [+] 버튼이 있다. 이 버튼을 클릭하면 아래의 메뉴가 나타나는데, 여기에 보이는 메뉴 항목을 Assets 폴더에 만들 수 있다. 대표적인 것으로 폴더, C# 스크립트, 씬, 프리팹, 매터리얼, 애니메이션, 물리 매터리얼 등이 있다.

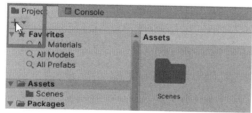

[+]를 클릭하면 아래의 메뉴가 보여진다.

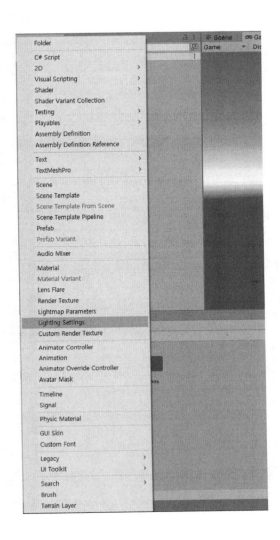

1.4.6 레이아웃

유니티 오른쪽 상단에 Layout 버튼이 있다. Layout 버튼을 클릭하면 2 by 3, 4 Split, Default, Tall, Wide 등의 메뉴가 나타난다. 유니티 레이아웃은 위에서 살펴본 하이어라키 뷰, 씬 뷰, 게임 뷰, 인스펙터 뷰, 프로젝트 뷰 등을 재배치해 사용자가 편리하게 작업할 수 있도록 도와준다.

유니티 레이아웃 메뉴를 하나하나 클릭해보자.

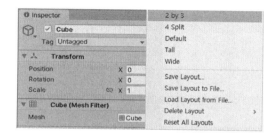

□ 2 by 3

씬 뷰와 게임 뷰를 왼쪽으로 배치하고, 하이어라키 뷰와 프로젝트 뷰, 인스펙터 뷰를 오른쪽에 배치한다.

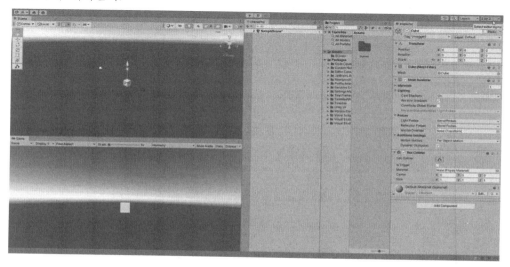

□ 4 Split

씬 뷰를 4개의 화면으로 보여준다. Y 축 양의 방향에서 바라본 뷰, Z 축 양의 방향에서 바라본 뷰, X 축 양의 방향에서 바라본 뷰, 그리고 Perspective 뷰를 보여준다. 오른쪽에 하이어라키 뷰, 프로젝트 뷰, 인스펙터 뷰를 보여준다.

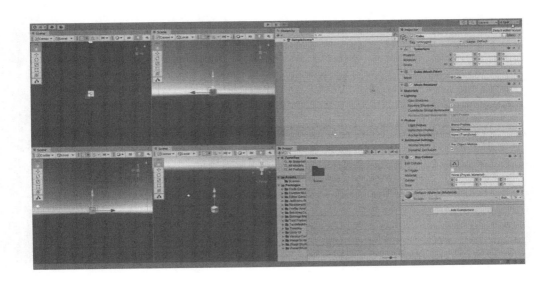

☐ Default

씬 뷰를 가운데 배치하고 왼쪽에 하이어라키 뷰, 오른쪽에 인스펙터 뷰를 배치한다. 하단에 프로젝트 뷰를 배치한다. 가장 많이 사용하는 레이아웃이다.

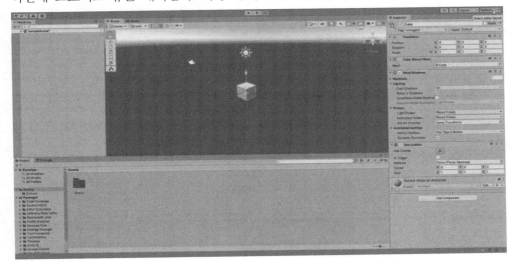

☐ Tall

왼쪽에 씬 뷰를 길게 배치하고 오른쪽에 하이어라키 뷰, 프로젝트 뷰, 인스펙터 뷰를 배치한다.

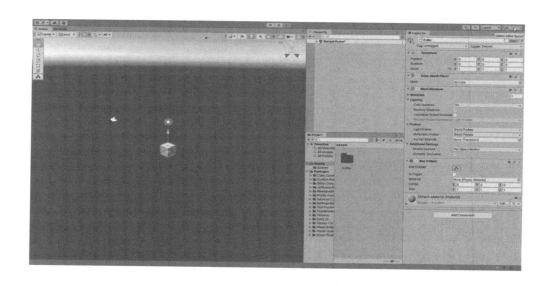

□ Wide

씬 뷰를 가장 크게 배치하고 하단에 하이어라키 뷰, 프로젝트 뷰를 배치한다. 오른쪽에
인스펙터 뷰를 배치한다.

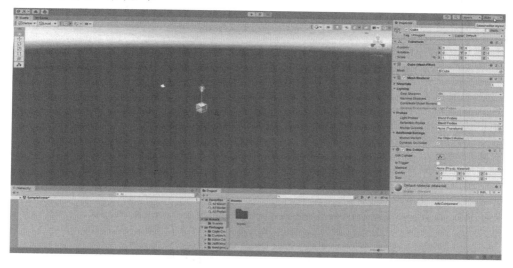

다시 Default 레이아웃을 선택해보자. 씬 뷰 옆에 있는 Game 탭을 아래 그림처럼
마우스로 드래그 앤드 드롭해서 씬 뷰 오른쪽에 끌어다 놓는다. 하이어라키 뷰의 폭을
조금 줄이고 프로젝트 뷰의 높이도 조금 줄여 씬 뷰와 게임 뷰를 크게 한다.

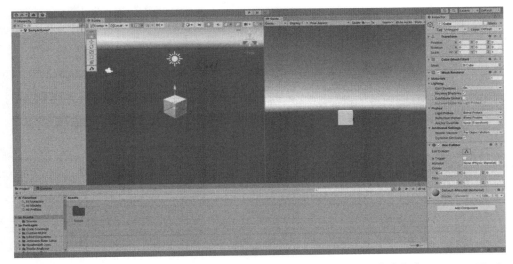

레이아웃 버튼을 다시 클릭해서 [Save Layout...] 메뉴를 선택한다. Save Window
Layout 창에 "2View" 라고 입력한 후 [Save] 버튼을 클릭한다.

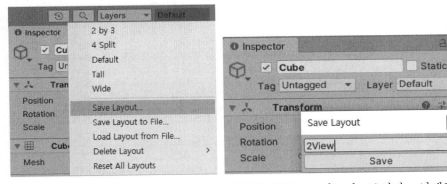

레이아웃 버튼을 클릭해보면 방금 저장한 2View 메뉴가 보인다. 언제든지 2View
메뉴를 선택해서 유니티의 모양을 우리가 설정한 레이아웃으로 변경할 수 있다.

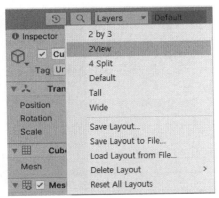

1.4.7 트랜스폼 툴 (Transform Tool)

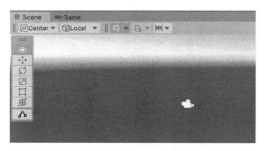

트랜스폼 툴은 씬 뷰 위에 있다. 현재 총 7개로 구성되어 있다. 각각의 툴은 뷰 툴(View Tool), 이동 툴(Move Tool), 회전 툴(Rotate Tool), 스케일 툴(Scale Tool), 렉 툴(Rect Tool), 트랜스폼 툴(Transform Tool) 등이다. 툴을 마우스로 클릭해도 되지만 키보드 왼쪽 상단에 있는 Q, W, E, R, T, Y 키를 눌러도 된다. Q, W, E, R, T, Y 키가 각 툴의 단축키 역할을 한다.

□ 뷰 툴(View Tool)

씬 뷰의 가상 카메라를 이동시켜 작업 화면을 움직일 수 있게 한다. 단축키 Q를 이용해 바로 뷰 툴을 선택할 수 있다. 뷰 툴이 선택된 상태에서 마우스 왼쪽 버튼을 누르고 움직이면 씬 뷰가 움직인다. 씬 뷰의 화면 위치는 바뀌지만 게임 뷰에서의 위치는 변하지 않는다. 즉 게임 객체들의 좌표가 변하는 것은 아니다.

뷰 툴에서 Alt 키를 누르면 아래와 같이 아이콘이 손 모양에서 눈 모양으로 변한다. Alt 키와 마우스의 왼쪽 버튼을 누른 상태에서 마우스를 움직이면 씬 뷰의 화면이 회전한다.

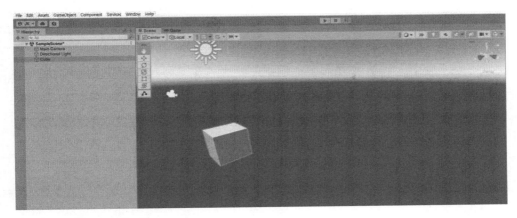

□ 이동 툴(Move Tool)

이동 툴이 눌러져 있을 때에는 씬 뷰에 보이는 객체를 이동할 수 있다. 씬 뷰에서 객체를 선택하고 이동하면 객체의 좌표도 변경된다. 단축키 W를 이용해 바로 변환 툴을 선택할 수도 있다. 이동 툴이 선택된 상태에서 마우스를 이용하여 Cube 객체를 움직이면 오른쪽 Transform 컴포넌트의 위치가 변화된다.

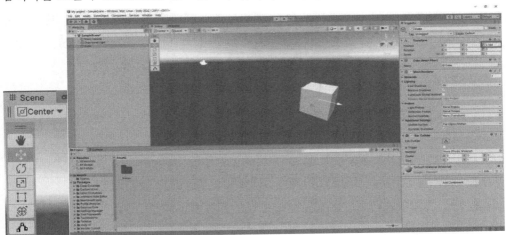

□ 회전 툴(Rotate Tool)

선택한 객체를 회전할 때 사용한다. 단축키 E를 이용해 바로 회전 툴을 선택할 수도 있다. 회전 툴이 선택된 상태에서 마우스를 이용하여 Cube 객체를 회전하면 오른쪽 Transform 컴포넌트의 Rotation의 값이 변한다.

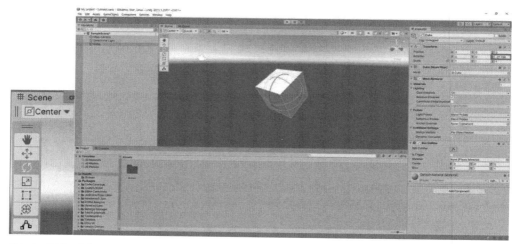

□ 스케일 툴(Scale Tool)

선택한 객체의 크기를 변경할 때 사용한다. 단축키 R을 이용해 바로 스케일 툴을 선택할 수도 있다. 스케일 툴이 선택된 상태에서 마우스를 이용하여 Cube 객체를 늘리면 오른쪽 Transform 컴포넌트의 Scale의 값이 변한다.

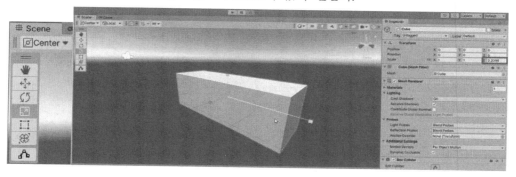

□ 렉 툴(Rect Tool)

UI 혹은 2D 특성(features)의 크기와 회전, 좌표를 변경할 때 사용한다. 단축키 T를 이용해 바로 선택할 수도 있다.

1.4.8 씬 기즈모(Scene Gizmo)

Gizmo의 사전적 의미는 쓸모있는 간단한 장치를 의미한다. 유니티에서 가장 처음 만나볼 기즈모는 씬 기즈모이다. 씬 기즈모는 씬 뷰 오른쪽 상단에 있다.

씬 기즈모는 씬 카메라의 현재 회전 상태를 나타내는데, 사용자가 원하는 방식으로 변환해 작업할 수 있다. 씬 기즈모에는 총 6개의 원뿔이 있다. 각 원뿔을 클릭하면 그 축에서 바라보는 화면으로 전환된다. 각 원뿔이 나타내는 의미는 다음과 같다.

X 축 : 색상은 빨강이며 + 방향은 Right, - 방향은 Left로 표시된다.
Y 축 : 색상은 녹색이며 + 방향은 Top, - 방향은 Bottom으로 표시된다.
Z 축 : 색상은 파랑이며 + 방향은 Front, - 방향은 Back으로 표시된다.

하이어라키 뷰에서 하나의 객체를 선택하면 씬 뷰의 객체에 X, Y, Z 축이 그려진다. 이것을 객체의 기즈모라고 한다. 이동 툴이 선택되어 있을 때 객체 기즈모 가운데를 클릭하면 쉽게 객체를 이동할 수 있다. 아래는 Cube 객체가 선택되어 있는 그림이다. Cube 객체의 가운데 작은 육각형을 클릭하고 움직이면 원하는 위치로 객체를 이동할 수 있다.

1.5 유니티 기본 조작

1.5.1 씬 만들기

[File / New Scenen] 메뉴를 순서대로 선택하면 새로운 씬을 만들 수 있다.

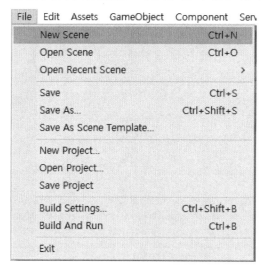

씬 템플릿을 선택하는 화면이 나타나는데 Basic(Built-in)을 선택하고 [Create] 버튼을
클릭한다.

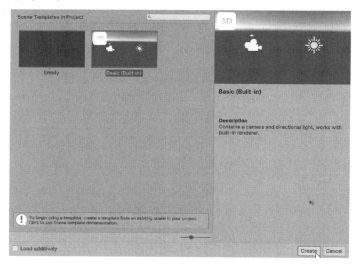

현재 저장하지 않은 내용이 있다면 저장할 것인가를 묻는 대화상자가 나온다. 저장하기 위해서는 [Save] 버튼을, 저장하지 않으려면 [Don't Save] 버튼을 클릭한다.

[File / New Scenen] 메뉴를 순서대로 선택하면 새로운 씬이 만들어진다. 유니티에서는 X 축의 양의 방향이 오른편에 있는 것이 작업하기 편리하다. Alt 키와 마우스 왼쪽 버튼을 클릭한 채 왼쪽에서 오른쪽으로 드래그하면 화면이 Y 축을 기준으로 회전한다. 지금부터 이 책의 모든 내용은 X 축의 양의 방향을 오른쪽으로 만들어 작업을 할 것이다.

Alt 키와 마우스 왼쪽 버튼을 누른채 왼쪽에서 오른쪽으로 드래그하면 화면이 Y 축을 기준으로 회전하며, 씬 기즈모는 아래와 같이 변한다. 새 프로젝트를 만들 때마다 별도의 언급이 없더라도 X 축의 양의 방향을 오른쪽으로 만들어 작업하기로 한다.

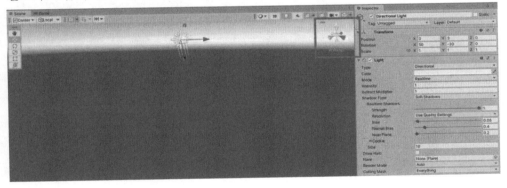

1.5.2 게임 객체 추가

유니티에서 기본적으로 추가할 수 있는 3D 객체는 Cube, Sphere, Capsule, Cylinder, Plane 등이다. 이들 객체를 씬 뷰에 순서대로 추가해보자.

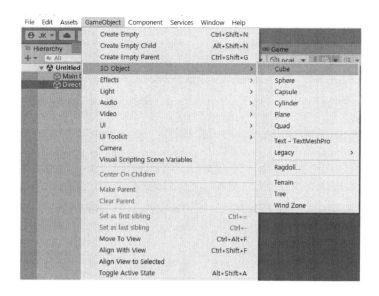

3D 객체를 추가하면 하이어라키 뷰에 추가한 객체가 보인다. 추가된 객체는 3D 공간상에서 (0, 0, 0) 위치에 표시되기 때문에 여러 개의 객체를 추가하면 서로 겹쳐 보인다.

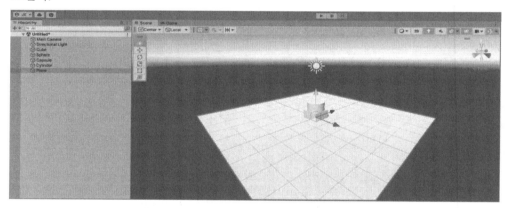

Cube, Sphere, Capsule, Cylinder 객체의 위치를 아래와 같이 수정해보자. 먼저 하이어라키 뷰에서 Cube 객체를 선택하고(마우스로 클릭하고), 인스펙터 뷰의 Transform의 Position을 (-3, 1, 0)으로 수정한다. 그러면 Cube 객체가 왼쪽으로 조금 이동하고 위로 약간 뜬 상태가 된다. X 값이 -3이어서 왼쪽으로 3만큼 이동하고, Y

값이 1이어서 1만큼 위로 뜬 상태가 된 것이다.

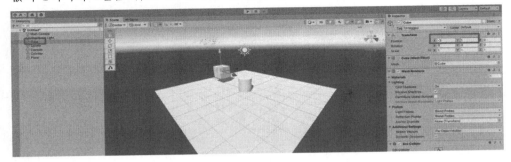

이번에는 하이어라키 뷰에서 Shpere 객체를 선택하고, 인스펙터 뷰에서 Transform의
Position을 (0, 2, 0)으로 수정한다.

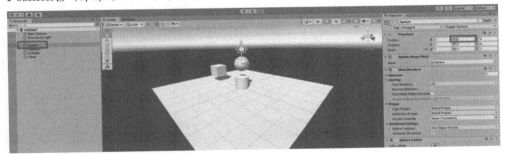

나머지 Capsule, Cylinder 객체의 위치도 각각 (1, 2, 0)과 (3, 2, 0)으로 수정하면 아래
그림처럼 씬 뷰가 보여진다.

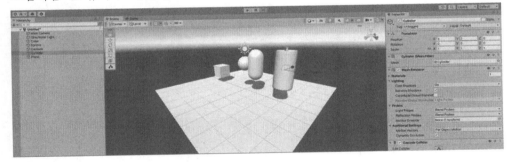

1.5.3 조명

[GameObject / Light] 메뉴를 순서대로 선택하면 유니티에서 제공하는 기본
조명(Light)을 확인할 수 있다. 유니티에서 기본으로 제공하는 조명은 Directional

Light, Point Light, Spotlight, Area Light 등이다.

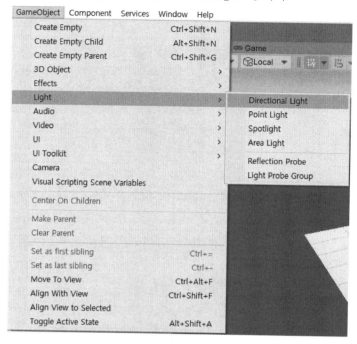

각 조명들에 대해 자세히 알아보면 아래와 같다.

□ Directional Light
광원 위치에 상관없이 같은 방향, 같은 세기로 내리쬐는 조명이며, 태양 빛과 비슷하다.
Directional Light가 위치에 상관없는 이유는 무한히 멀리 있는 광원에서 빛이 오기
때문이다.

하이어라키 뷰에서 Directional Light를 선택하고 인스펙터 뷰의 Transform을 살펴보자.
Position은 (0, 3, 0)에 있다. 씬 뷰에서 Directional Light를 선택하고(마우스로 클릭)
위치를 변경해도 화면의 밝기와 그림자 방향은 바뀌지 않는다. 그러나 Rotation 값을
변경하면 게임 객체들의 그림자 방향이 바뀌게 된다.

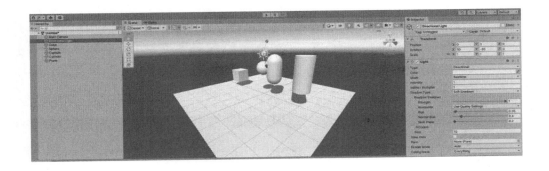

Directional Light의 Rotation을 (50, -30, 0)에서 (150, -30, 0)으로 수정하면 아래 그림과 같이 그림자의 방향이 달라진다.

Directional Light 위치에 따라 밝기나 그림자의 방향이 달라지지 않으므로(게임 내용이 동일) Directional Light를 화면 한쪽으로 이동하면 작업을 편리하게 할 수 있다. 아래 그림에서는 Directional Light를 왼쪽 상단으로 이동하여 다른 객체들을 조작할 때 방해가 되지 않게 했다.

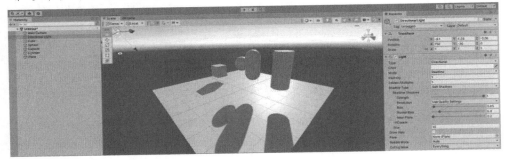

□ Point Light

하이어라키 뷰에서 Directional Light를 선택하고 인스펙터 뷰의 Directional Light 앞의 체크박스에 체크표시 하지 않는다.

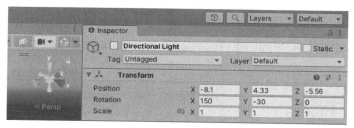

체크하지 않는다는 의미는 Directional Light를 더는 사용하지 않겠다는 의미이다. 물론 체크 표시를 다시 하면 언제든지 Directional Light를 다시 사용할 수 있다. Directional Light의 조명이 꺼졌으므로 씬 화면이 전체적으로 어두워진다.

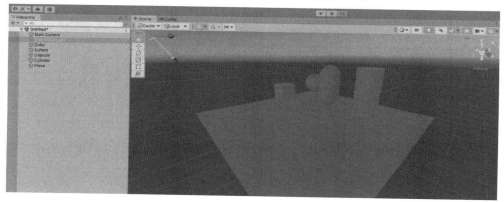

[GameObject / Light / Point Light] 메뉴를 순서대로 선택해 Point Light를 씬에 추가한다. Point Light는 전구의 빛처럼 빛이 사방으로 고르게 퍼지는 효과를 나타내며, 거리에 따라 밝기가 달라진다.

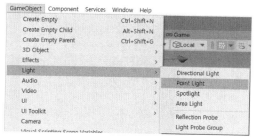

Point Light의 Position을 (0, 4, 0)으로 수정한다. Light 컴포넌트의 Intensity 속성을 3으로 수정하고, Shadow Type을 Soft Shadows으로 수정하면 아래와 같은 효과를 낼 수 있다. Intensity 속성은 조명의 세기를 나타낸다. Intensity 값이 커지면 밝아진다.

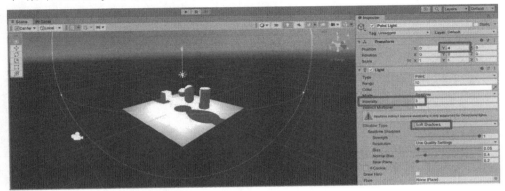

□ Spot Light

한 지역을 집중해서 빛을 비추는 조명이다. 이번에는 Point Light 조명을 비활성화(체크표시 해제) 시키고 [GameObject / Light / Spot Light] 메뉴를 순서대로 선택해 Spot Light를 씬에 추가한다. Position을 (0, 4, 0)으로 수정하고 Light 컴포넌트의 Intensity 속성을 5로 하면 아래와 같은 화면을 확인할 수 있다.

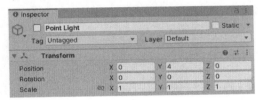

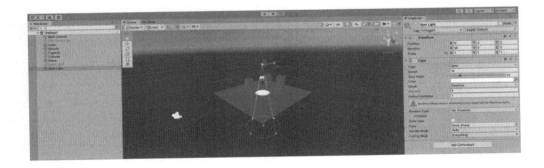

Spot Light를 끄고(체크표시 해제) Directional Light를 다시 켠 상태에서 지금까지 작업한 내용을 저장해보자. 씬 저장은 [File / Save Scene as...] 메뉴를 선택하면 된다. 파일 이름 칸에 FirstScene이라고 입력하고 [저장] 버튼을 클릭한다.

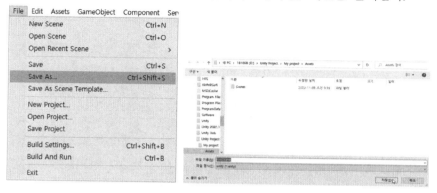

저장될 때의 파일 이름은 FirstScene.unity이다. 씬을 저장할 때는 확장자가 unity가 되고 아이콘은 아래 그림처럼 표시된다.

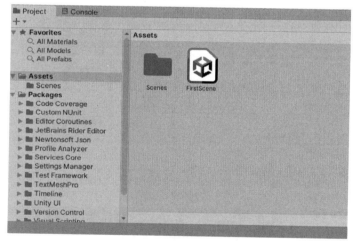

2장. 디버깅

디버깅(debugging)이란 버그를 제거하는 것을 의미한다. 버그는 컴파일을 수행하면 쉽게 발견할 수 있다. 그러나 컴파일할 때 발견하지 못했던 버그가 실행 시에 나타나는 경우가 있다. 실행 시 나타나는 버그는 매우 찾기 힘들다. 사실 프로그래머는 버그 찾는데, 즉 디버깅하면서 대부분의 시간을 보낸다고 해도 과언이 아니다. 디버깅은 프로그래머에게 그만큼 중요한 일이다. 이번 장에서는 프로그램 내의 버그를 찾아내 수정하는 방법에 대해 알아보자.

2.1 비주얼 스튜디오(Visual Studio) 설치

유니티 2018.1부터 비주얼 스튜디오를 기본 C# 스크립트 편집기로 사용하며, 비주얼 스튜디오는 유니티 다운로드 도우미와 유니티 허브 설치 도구에 포함되어 있다. 비주얼 스튜디오가 제대로 연결돼 있지 않으면 C# 소스를 더블클릭할 때 편집기가 실행되지 않을 수 있다. 유니티에서 C# 스크립트 편집기로 비주얼 스튜디오가 설정되어 있는지는 다음 순으로 확인할 수 있다.

[Edit / Preferences...] 메뉴를 순서대로 선택한다.

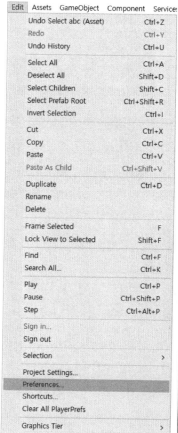

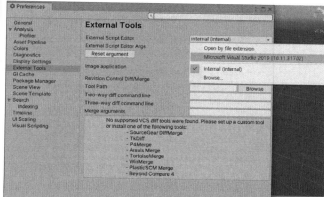

설정 대화상자의 왼쪽에서 External Tools을 클릭한다. 오른쪽에서 External Script Editor 목록에서 Microsoft Visual Studio를 선택한다.

외부 편집기로 비주얼 스튜디오를 설정한 후 [General / Load Previous Project on Startup]이 체크되어 있는지 확인한다.

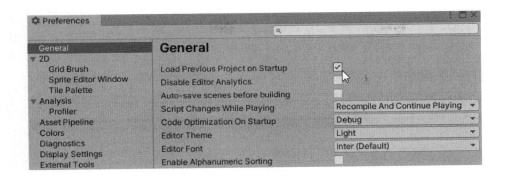

비주얼 스튜디오가 유니티의 외부 스크립트 편집기로 설정되면 유니티 편집기에서 스크립트를 열 때 비주얼 스튜디오가 자동으로 시작된다. 유니티 프로젝트에서 비주얼 스튜디오를 실행시키는 방법은 C# 스크립트를 더블 클릭하거나 [Assets / Open C# Project] 메뉴를 순서대로 선택하면 된다. [Open C# Project] 메뉴를 선택하면 스크립트가 없는 상태로 비주얼 스튜디오를 열 수도 있다.

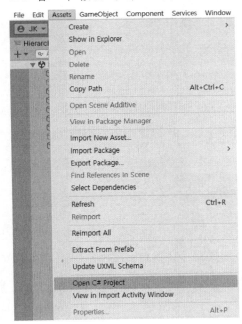

2.2 Debug.Log

프로그램이 실행될 때 프로그래머의 의도대로 변숫값이 저장되는지 확인하는 간단한 방법은 Debug.Log 메서드를 이용하는 것이다. 실습을 하기 위해 프로젝트 이름이 Debugging인 새 프로젝트를 만들어 보자.

유니티 허브를 실행시키고 왼편의 [프로젝트] 부분을 클릭한다. 오른쪽의 [새 프로젝트] 버튼을 클릭한다.

템플릿 창에서 [3D]가 선택되어 있는지 확인하고 프로젝트 이름 칸에 Debugging이라고 입력한다. 저장 위치를 설정한다. 교재에서는 D:\Unity\Project로 설정했다. 입력이 완료되면 [프로젝트 생성] 버튼을 클릭한다.

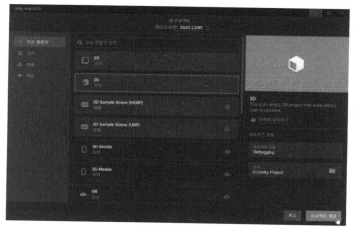

유니티 메뉴에서 [GameObject / 3D Object / Plane] 메뉴를 순서대로 선택해서 바닥 객체를 추가한다. 그리고 프로젝트 뷰에서 C# 스크립트를 생성하여 이름을 Debugging이라고 입력한다.

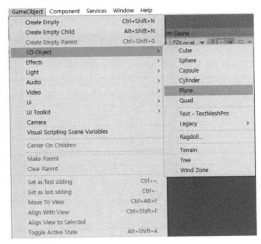

프로그램 실행 시 대부분의 변숫값은 변하기 마련이다. 그런데 변숫값이 프로그래머가 의도한 대로 변하지 않아 에러가 발생하는 경우가 많다. Debug.Log() 함수는 실행 시 디버깅할 수 있는 가장 간단하고 편리한 방법이다.

프로젝트 뷰에 있는 Debugging 스크립트 파일을 Plane 객체에 드래그 앤드 드롭한다.

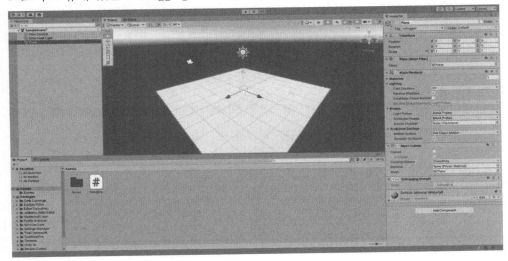

프로젝트 뷰에 있는 Debugging 스크립트 파일을 더블클릭해 비주얼 스튜디오를 실행시킨다. 비주얼 스튜디오에서 Debugging 소스를 아래와 같이 수정한다.

```
public class Debugging : MonoBehaviour {
    int score;

    // Use this for initialization
    void Start () {
        score = 0;
    }

    // Update is called once per frame
    void Update () {

    }

    void OnMouseDown(){
        score = score + 1;
        Debug.Log ("마우스를 클릭했습니다 : " + score);
    }
}
```

프로그래밍이 끝나면 Ctrl+S 키를 눌러 저장한다. 프로젝트 뷰에 있는 Debugging 스크립트가 Plane 객체에 드래그 앤드 드롭되어 있는지 다시 한번 확인한다.

플레이 버튼을 클릭해 게임을 시작해보자. 최초 프로그램이 실행되면서 Start() 함수에 의해 score 변숫값이 0으로 설정된다. 이후 Plane 객체를 마우스로 클릭하면 score 변숫값이 1씩 증가한다. Debug.Log() 함수에 의해 score 변숫값이 콘솔 창에 출력된다.

Debug.Log() 함수의 파라미터로 보통 스트링 형태의 데이터를 넣는다. 그러나 숫자를 넣더라도 자동으로 문자열로 변환된다. 숫자(정수, 실수) 변수를 확인하고 싶으면 아래와 같이 문자열과 숫자 변수를 더하기(+) 부호를 이용하여 출력하면 된다.

Debug.Log ("마우스를 클릭했습니다 : " + score);

문자열 "마우스를 클릭했습니다 : "와 정수 변수인 score가 연결되어 한 문자열로 변환돼서 콘솔 창에 출력된다. 이렇게 간단한 변숫값을 확인하는 정도는 Debug.Log() 함수를 이용하면 된다. 그러나 더 복잡한 에러는 Debug.Log() 함수로 찾아낼 수 없는 경우도 많다.

2.3 중단점을 이용한 디버깅

복잡한 에러를 다루기 위해서는 다른 방식의 디버깅을 수행한다. 프로그래머가 원하는 대로 코딩했는지 프로그램 소스 한 줄 한 줄 쫓아가면서 확인하는 방식이 있다. 프로그램 소스 한 줄 한 줄 실행하면서 디버깅하기 위해서는 몇 가지 절차를 거쳐야 한다. 먼저 비주얼 스튜디오에서 상단의 [Unity에 연결] 버튼을 클릭한다.

이 과정을 거치면 비주얼 스튜디오와 유니티가 서로 연결된다. 비주얼 스튜디오와 유니티가 서로 연결되면 유니티 게임을 비주얼 스튜디오에서 한 줄 한 줄 확인하면서 실행할 수 있다. 프로그램이 실행되다가 프로그래머가 원하는 특정 지점에서 실행을 멈추게 할 수 있는데, 이 지점을 중단점(breakoint)이라고 한다.

중단점을 설정하는 방법은 비주얼 스튜디오에서 아래 그림과 같이 원하는 줄 왼쪽에 마우스를 클릭하면 된다. 중단점이 설정되면 해당 소스라인의 배경색이 변한다. 다시 중단점을 클릭하면 중단점이 제거된다. 마우스를 클릭할 때마다 중단점은 토글(toggle)된다.

```
Debugging.cs    ☐ ×
Assembly-CSharp                                                                    Debugging
    4
              ⚡Unity 스크립트 | 참조 0개
    5    public class Debugging : MonoBehaviour
    6    {
    7        int score;
    8
    9        // Use this for initialization
              ⚡Unity 메시지 | 참조 0개
   10        void Start()
   11        {
● 12            score = 0;
   13        }
   14
   15        // Update is called once per frame
              ⚡Unity 메시지 | 참조 0개
   16        void Update()
   17        {
   18
   19        }
   20
              ⚡Unity 메시지 | 참조 0개
   21        void OnMouseDown()
   22        {
   23            score = score + 1;
● 24            Debug.Log("마우스를 클릭했습니다 : " + score);
   25        }
   26    }
   27
```

유니티에서 플레이 버튼을 클릭해 게임을 시작해보자. 게임이 시작되면 Start() 함수가 실행되고, 위의 그림에서 12번째 라인에 중단점이 설정되어 있기 때문에 더는 실행되지 않고 멈춘다. 동작 그만 상태가 된 것이다. 중단점에 멈출 때는 노란 색 커서가 표시된다.

```csharp
Debugging.cs ⊕ ×
Assembly-CSharp                                              ▾  🔧 Debugging
       4
          @Unity 스크립트 | 참조 0개
       5   public class Debugging : MonoBehaviour
       6   {
       7       int score;
       8
       9       // Use this for initialization
          @Unity 메시지 | 참조 0개
      10      void Start()
      11      {
      12          score = 0;
      13      }
      14
      15      // Update is called once per frame
          @Unity 메시지 | 참조 0개
      16      void Update()
      17      {
      18
      19      }
      20
          @Unity 메시지 | 참조 0개
      21      void OnMouseDown()
      22      {
      23          score = score + 1;
      24          Debug.Log("마우스를 클릭했습니다 : " + score);
      25      }
      26   }
      27
```

한 줄 한 줄 실행하기 위해서는 단축키 F10 키를 눌러주면 된다. 또는 비주얼 스튜디오의 [디버그 / 프로시저 단위 실행] 메뉴를 선택해도 된다.

먼저 단축키 F10 키를 눌러보자.

실행 지점(노란 커서)이 다음 줄인 13번째 라인으로 이동된다. 즉 한 줄 실행한 것이다.

현재 24 번째 라인에도 중단점이 설정되어 있다. 물론 디버깅 중이라도 언제든지 중단점을 설정하고 해제할 수 있다. 24번째 라인에 중단점을 설정하고 단축키 F5 키를 누른다. F5 키는 다음 중단점이 있는 곳까지 프로그램을 실행하라는 의미이다. 24번째 라인에서 실행이 멈추기 위해서는 사용자가 유니티 게임에서 Plane 객체를 마우스로 클릭해야 한다. 디버깅하는 스크립트가 추가된 객체, 즉 Plane 객체에서 마우스를 클릭해야 한다. 유니티에서 Plane 객체를 마우스 왼쪽 버튼으로 클릭해보자.

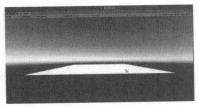

Plane 객체를 마우스 왼쪽 버튼으로 클릭하면 OnMouseDown() 함수가 호출된다. 그런데 OnMouseDown() 함수 내에 중단점이 설정되어 있기 때문에 해당 중단점에서 실행이 멈춘다.

```csharp
public class Debugging : MonoBehaviour
{
    int score;

    // Use this for initialization
    void Start()
    {
        score = 0;
    }

    // Update is called once per frame
    void Update()
    {

    }

    void OnMouseDown()
    {
        score = score + 1;
        Debug.Log("마우스를 클릭했습니다 : " + score);
    }
}
```

이 상태에서 score의 변숫값을 확인해보자. 비주얼 스튜디오 하단에 조사식1 창이 보이고 score 변숫값을 입력하고 확인할 수 있다. 현재 score의 값은 1이다.

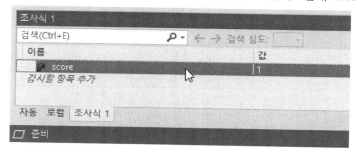

변숫값을 확인하기 위해 사용하는 조사식 창이 보이지 않는다면 [디버그 / 창 / 조사식 / 조사식 1(1)] 메뉴를 순서대로 선택해서 나타나게 한다.

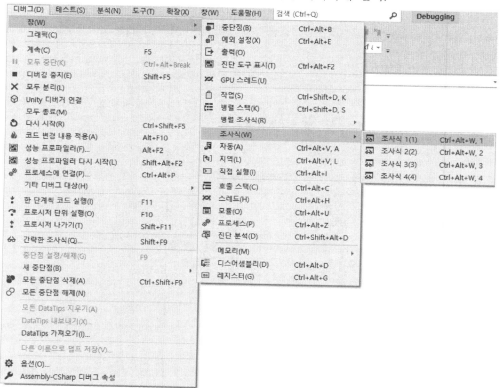

비주얼 스튜디오 하단에 조사식 창이 나타나는데 이름 아래 부분을 마우스로 클릭하고

확인하고 싶은 변수를 입력한다. 변수 이름을 입력하고 엔터키를 치면 해당 변숫값을 확인할 수 있다. 여기서는 score라고 입력했다.

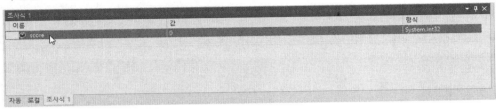

비주얼 스튜디오에서 F5 키를 누른다. F10 키를 누르면 한 줄 실행하는 것이고, F5 키를 누르면 다음 중단점까지 실행이 이어진다. 다시 유니티에서 Plane 객체를 마우스로 클릭한다. 마우스로 클릭하면 다시 중단점에서 멈춘다. 이번에는 score의 값이 2로 변해 있다. F10 키를 눌러(한 줄 실행시켜) 다음 줄로 이동하는지 확인해보자.

```csharp
public class Debugging : MonoBehaviour
{
    int score;

    // Use this for initialization
    void Start()
    {
        score = 0;
    }

    // Update is called once per frame
    void Update()
    {

    }

    void OnMouseDown()
    {
        score = score + 1;
        Debug.Log("마우스를 클릭했습니다 : " + score);
    }
}
```

F5 키를 눌러 프로그램을 다시 실행한다. 위와 같은 방법으로 프로그램 소스가 원하는 대로 실행하는지 확인할 수 있다. 디버깅을 중지하기 위해서는 비주얼 스튜디오에서 중지 버튼을 클릭하거나, 바로 가기 키 Shift+F5를 사용한다.

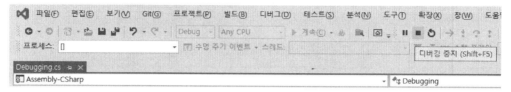

유니티의 플레이 버튼을 클릭해 게임을 중지시킨다. 지금까지 작업한 내용을 모두 저장한다. 저장하기 위해 유니티에서 [File / Save Scene as...] 메뉴를 순서대로 선택한다. 파일 이름 칸에 Debugging을 입력하면 Debugging.unity로 저장된다.

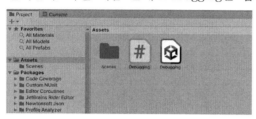

2.4 유니티와 비주얼 스튜디오

비주얼 스튜디오에서 유니티 C# 코딩을 할 때 자주 사용하는 유용한 기능은 아래와 같다.

▪ 유니티 설명서 실행하기
비주얼 스튜디오에서 유니티 스크립팅 설명서를 실행할 수 있다. 비주얼 스튜디오에서 알아보려는 유니티 API 위로 커서를 가져간 다음, Ctrl+Alt+M 누른 다음 다시 Ctrl+H를 누른다.

▪ 유니티 API 메시지에 대한 IntelliSense
Intellisense 코드 완성을 사용하면 MonoBehaviour 스크립트에서 유니티 API

메시지를 쉽게 구현할 수 있다. 유니티 메시지에 대해 IntelliSense를 사용하는 방법은
다음과 같다.

1) MonoBehaviour에서 파생된 클래스 본문 안에서 새 줄에 커서를 놓는다.

2) OnMouseEnter와 같은 유니티 메서드 이름을 입력하기 위해 글자 "onmouse"를
입력하면 IntelliSense 제안 목록이 나타난다.

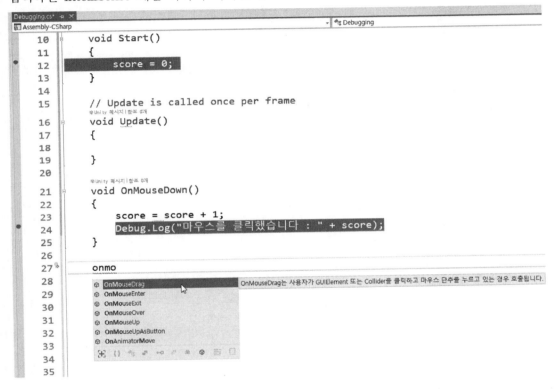

세 가지 방법으로 목록의 선택 항목을 변경할 수 있다.

첫째, 위아래 화살표 키를 사용한다.
둘째, 원하는 항목을 마우스로 클릭한다.
셋째, 원하는 항목의 이름을 계속 입력한다.

▪ 유니티 MonoBehavior 스크립팅 마법사

MonoBehavior 마법사를 사용하면 유니티 API 메서드의 목록을 보고 필요한 메서드를 빠르고 쉽게 입력할 수 있다. 비주얼 스튜디오에서 메서드를 삽입할 위치에 커서를 놓고, Ctrl+Shift+M을 눌러 MonoBehavior 마법사를 시작한다.

유니티 메시지 구현 창에서 추가하려는 각 메서드 이름 옆의 체크박스에 체크표시를 한다. 기본적으로 메서드는 커서의 위치에 삽입된다. 또는 삽입 지점 드롭다운의 값을 원하는 위치로 변경하여 클래스에 이미 구현된 메서드 뒤에 삽입할 수도 있다.

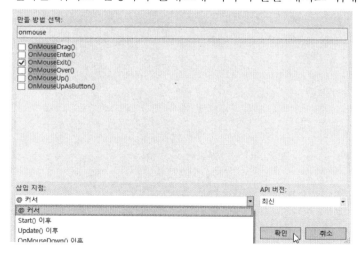

추가되는 메서드에 대한 주석을 생성하려면 메서드 주석 생성 확인란에 체크 표시한다. 이때 생성되는 주석은 해당 메서드의 역할이 무엇인지 설명한다. [확인] 버튼을 클릭하면 선택된 메서드가 소스에 추가된다.

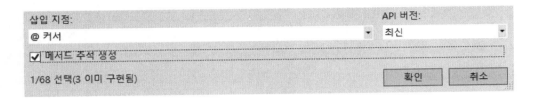

```
Debugging.cs* ⊕ ✕
Assembly-CSharp                                                    ▼  ⚡ Debugging
    10          void Start()
    11          {
  ● 12              score = 0;
    13          }
    14
    15          // Update is called once per frame
               ⊕Unity 메시지 | 참조 0개
    16          void Update()
    17          {
    18
    19          }
    20
               ⊕Unity 메시지 | 참조 0개
    21          void OnMouseDown()
    22          {
    23              score = score + 1;
  ● 24              Debug.Log("마우스를 클릭했습니다 : " + score);
    25          }
    26
    27          // OnMouseExit는 마우스로 GUIElement 또는 Collider를 더 이상 가리키지 읁
               ⊕Unity 메시지 | 참조 0개
    28          private void OnMouseExit()
    29          {
    30
    31          }
    32
    33
    34
    35
74 %    ◇ 문제가 검색되지 않음   ◆ ▼
```

▪ Unity 프로젝트 탐색기

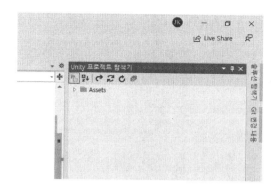

Unity 프로젝트 탐색기를 보기 위해서는 비주얼 스튜디오 메뉴에서 [보기 / Unity 프로젝트 탐색기]를 선택한다. 단축키는 Alt+Shift+E 이다.

3장. C# 언어

3.1 C# 언어 개요

유니티에서는 C# 언어를 이용하여 프로그래밍 한다. C#은 2000년 7월 마이크로소프트에서 개발한 객체 지향 프로그래밍 언어로, '시샵'이라고 읽는다. C++, 자바의 영향을 받았으며, 마이크로소프트의 닷넷(.NET) 플랫폼을 위해 개발되었다.

SUN이 개발한 자바 언어는 기존의 C나 C++보다 많은 장점을 가지고 있었다. 이에 마이크로소프트에서도 SUN과 제휴를 통해 라이선스를 맺은 뒤, 자바 확장인 비주얼 J++를 개발하였다. 그러나 이후 J++는 SUN과 특허권 소송 때문에 더는 사용할 수 없게 되었다. 이에 마이크로소프트는 기존의 J++를 대체하기 위해 C#을 개발하게 되었다.

실질적으로 C# 언어의 구조를 보면 기본 구조가 자바 언어와 비슷하다. C++의 형식과 자바의 기본 내용이 합쳐진 구조이며 양쪽의 장점만을 흡수했다는 평가를 받는다.

자바가 버추얼머신이 필요하듯이 C#은 닷넷 프레임워크가 필요하다. 최초 개발된 자바가 단일 언어 다중 플랫폼(Windows, 리눅스, 유닉스 등)이라면, .NET 프레임워크는 다중 언어(VB, C++, C#, J# 등) 단일 플랫폼이었다. 지금은 계속된 버전업을 통해 둘 다 다중 언어 다중 플랫폼이다.

C#을 사용하면서 자주하는 실수는 아래와 같다.

- C# 스크립트 파일을 만들 때 C# 클래스 이름과 C# 파일 이름(.cs를 뺀 파일 이름)은 같아야 한다. 만약 같지 않으면 실행시 에러가 발생된다.

- C# 파일 이름은 프로젝트 내에서 유일해야 한다. 같은 이름의 C# 파일이 한 프로젝트 내에 또 있다면 에러가 발생된다. 특히 대소문자를 구분하니 주의해야 한다. Abc와 abc는 서로 다른 이름으로 인식한다.

일반적으로 C# 프로그램에서는 .NET Framework의 런타임 라이브러리에서 제공되는 입출력 서비스를 사용한다. System.Console.WriteLine("Hello World!"); 에서 사용한 WriteLine() 메서드는 런타임 라이브러리에 있는 Console 클래스의 메서드 중 하나다. 이 메서드는 문자열 매개 변수를 화면에 표시하고 새 줄을 표시(줄을 바꾸는)하는 역학을 한다. 프로그램 시작 부분에 using System; 지시문을 포함하면 System 클래스 및 메서드를 정확하게 명시하지 않아도 된다. 만약 프로그램 시작 부분에 using System; 지시문을 포함하면 System.Console.WriteLine 대신 Console.WriteLine으로 사용해도 된다는 말이다. 풀 네임을 쓰지 않아도 되기 때문에 타이핑해야 할 양이 많이 줄어든다.

```
using System;
Console.WriteLine("Hello World!");
```

3.2 클래스

클래스는 유사한 성질의 객체들을 하나로 그룹화한 것이다. 클래스는 메서드와 속성을 공유하는데, 조금 더 쉽게 설명하면 클래스는 서로 연관있는 메서드와 변수를 모아 놓은 덩어리라고 할 수 있다.

예를 들어 보자. 호랑이, 사자, 토끼 등은 모두 동물이다. 이들은 나이가 있고 크기가 있으며 암수의 구분이 있다. 또한, 먹이를 먹고, 잠을 자고, 배변 활동을 한다. 따라서 호랑이, 사자, 토끼 등을 비슷한 객체로 보고 이들을 Animal이라는 클래스로 그룹 지을 수 있다. 나이, 크기, 암수 등은 속성(변수)이 되고, 먹이를 먹는다, 잠을 잔다,

배변 활동을 한다 등은 메서드가 될 수 있다.

3.2.1 클래스 선언

다음 예제와 같이 키워드 class를 사용하여 클래스를 선언한다.

```
public class Monster
{
}
```

class 키워드는 액세스 수준 뒤에 오고, 클래스 이름은 class 키워드 뒤에 온다. 액세스 수준이 public이면 누구나 이 클래스를 이용할 수 있지만, private이나 수준을 지정하지 않으면 외부에 클래스가 노출되지 않는다. {} 블록 내부는 클래스를 정의하는 부분인데, 메서드와 속성이 정의된다. {} 블록 내에 정의되는 클래스의 메서드와 속성을 클래스 멤버라고 한다.

클래스에서 메서드는 함수라고 부르기도 한다. 또한 속성은 필드, 변수 등으로도 불린다. 클래스에서 메서드는 특정 기능을 수행하는 모듈이다. 보통 함수라고 부르는데, Object Oriented Programming에서는 함수를 특별히 메서드라고 한다. 이 책에서는 Object Oriented Programming 개념을 설명하는 부분이 아니라면 메서드 대신 일반적으로 많이 사용하는 함수라는 용어를 사용하겠다.

3.2.2 객체 만들기

클래스와 객체는 서로 다른 용어이며 혼용해서 사용하면 안 된다. 클래스는 객체의 형식을 정의하지만 객체 자체는 아니다. 객체는 클래스에 기반을 둔 것이며, 클래스의 인스턴스라고도 한다. 붕어빵을 찍어내는 틀을 생각하면 좀 더 쉽게 이해될 것이다. 붕어빵을 찍어내는 틀은 클래스에 해당하고, 붕어빵 자체는 객체, 즉 인스턴스에 해당한다. 하나의 클래스로 여러 개의 객체를 만들어 낼 수 있다.

객체를 만들려면 다음과 같이 new 키워드 뒤에 객체의 기반이 되는 클래스의 이름을 사용한다. 아래 소스는 Monster라는 클래스 이용해 객체를 2개 만든다. 클래스는 하나이지만 그 클래스를 기반으로 여러 개의 인스턴스를 만들어 낼 수 있다.

```
Monster mon1 = new Monster ();
Monster mon2 = new Monster ();
```

클래스 인스턴스가 만들어질 때 만들어진 객체에 접근할 수 있는 참조가 mon1 변수, mon2 변수에 저장된다. 프로그래머가 mon1 변수, mon2 변수를 이용하면 다양한 기능을 구현할 수 있다.

변수가 선언되면 변수에 메인 메모리 공간이 할당된다. 변수에 할당된 메인 메모리 공간에 접근하기 위해서는 메인 메모리 공간의 주소가 필요하다. 선언된 변수에 접근한다는 것은 이 메모리 공간의 주소에 접근하는 것이다. 이렇게 메모리 공간의 주소에 접근하는 것을 참조(reference)라고 한다.

다음과 같이 객체(mon4)에 또 다른 객체(mon3)를 할당하여 객체를 참조하는 참조를 만들 수도 있다. 아래 mon3, mon4는 참조이다. 즉 mon3이 참조인데 mon3을 참조하는 mon4 참조를 만든 것이다.

```
Monster mon3 = new Monster ();
Monster mon4 = mon3;
```

위 코드에서는 같은 객체를 참조하는 두 개의 객체 참조를 만들고 있다. 따라서 mon4를 통해 객체의 내용을 변경한다면 이후 mon3 사용 시 변경된 내용이 반영된다.

3.2.3 클래스 상속

상속받는 클래스를 파생 또는 자식 클래스라고 한다. 다음과 같이 파생(자식) 클래스 이름 뒤에 콜론과 기본(부모) 클래스 이름을 사용한다. 기본 클래스는 부모 클래스라고도 한다. 아래 소스의 파생 클래스인 Tiger 클래스는 부모 클래스인 Animal 클래스로부터 모든 내용을 상속받는다.

```
public class Tiger : Animal
{
}
```

파생 클래스는 생성자를 제외하고 기본 클래스의 모든 멤버를 상속한다. C++와 달리 C#의 클래스는 하나의 기본 클래스에서만 직접 상속받을 수 있다. 그러나 기본 클래스 자체는 다른 클래스에서 상속될 수 있으므로 한 클래스는 여러 기본 클래스부터 간접적으로 상속받을 수 있다.

유니티 C#에서 기본으로 생성되는 소스를 보면 아래와 같다.

```
public class NewBehaviourScript : MonoBehaviour
{
    // Start is called before the first frame update
    void Start()
    {

    }

    // Update is called once per frame
    void Update()
    {

    }
```

}

NewBehaviourScript 클래스가 지금 작성하려는 클래스이면서 파생 클래스가 된다. MonoBehaviour 클래스는 부모 클래스이면서 기본 클래스이다. NewBehaviourScript 클래스는 MonoBehaviour 클래스로부터 메서드나 속성을 상속받기 때문에 자동으로 호출되는 Start() 메서드나 Update() 메서드도 상속받는다. 유니티에서 자동으로 생성해주는 클래스의 템플릿을 살펴보자.

유니티를 실행시켜 [File / New Project...] 메뉴를 선택한다.

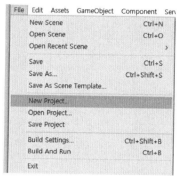

Project name 칸에 ClassTest라고 입력한 후 [프로젝트 생성] 버튼을 클릭한다.

프로젝트 뷰의 Assets 폴더를 마우스 오른쪽 버튼으로 클릭한다. 나타나는 메뉴에서 [Create / C# Script] 메뉴를 순서대로 선택한다. 또는 프로젝트 뷰의 [+] 버튼을 클릭해도 같은 메뉴를 선택할 수 있다.

Assets 폴더에 스크립트 아이콘이 보이는데 이름을 ClassTest라고 변경한다.

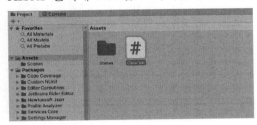

ClassTest 아이콘을 더블클릭한다. 더블클릭하면 방금 설정한 비주얼 스튜디오가 실행된다. 비주얼 스튜디오가 자동으로 생성한 소스는 아래와 같다.

```
using System.Collections;
using System.Collections.Generic;
using UnityEngine;

public class ClassTest : MonoBehaviour {

    // Use this for initialization
    void Start () {

    }

    // Update is called once per frame
    void Update () {

    }
}
```

자동으로 생성된 소스를 분석해보자.

using System.Collections;

네임스페이스라고 하는데 프로그래머가 사용하는 다양한 함수들이 정의되어 있는 곳이다. System.Collections 클래스 내에는 사용할 수 있는 많은 메서드가 준비되어 있다.

public class ClassTest : MonoBehaviour

ClassTest는 파생 클래스 또는 자식 클래스라고 하고, MonoBehaviour 클래스는 기본 클래스 또는 부모 클래스라고 한다. ClassTest 클래스는 MonoBehaviour 클래스에서 정의한 속성이나 메서드를 상속받아 사용할 수 있다. 상속 관계는 ":" (콜론)으로 나타낸다.

void Start ()

게임 시작시 자동으로 실행되는 함수이다. 보통 변수들의 초깃값을 지정할 때 많이 사용한다.

void Update ()

매 프레임마다 반복 실행되는 함수로 스마트폰의 성능과 연관이 있다. 초당 100 프레임을 그릴 수 있는 스마트폰이라면 Update() 함수가 초당 100번 호출된다. 성능이 낮은 스마트폰일 경우 Update() 함수가 그보다 적게 호출된다.

3.3 변수

변수는 데이터를 저장하기 위한 공간으로 메인 메모리에 할당된다. 이름에서 알 수 있듯이 프로그램 진행 중에 값이 변할 수 있다. 플레이어의 이름, 점수, 아이템, HP, 위치 등의 많은 정보를 처리할 때 변수가 필요하다. 변수에 저장되는 형태는 문자열, 숫자(정수, 실수), 불리안(true or false) 등 다양하다.

3.3.1 변수 선언

변수는 아래와 같이 선언하면 된다.

```
public class ClassTest : MonoBehaviour {
    int score;

    // Use this for initialization
    void Start () {

    }

    // Update is called once per frame
    void Update () {

    }
}
```

```
int score;
```

int는 데이터 타입이고, score는 변수이다. 데이터 타입과 변수 이름 사이에는 반드시 빈칸이 있어야 한다. int는 정수형 타입으로 정수형 데이터만 저장할 수 있다. 만약 정수 변수에 실수 값을 저장하려고 하면 에러가 발생한다.

score가 정수 변수라면 score = 7; 은 허용되나 score = 7.1; 은 허용되지 않는다.

변수 이름을 정하는 것은 프로그래머의 자유이지만 지켜야 할 규칙이 있다. 중요한 규칙 몇 가지를 열거하면 아래와 같다.

- 변수는 영문과 숫자를 이용해 작성해야 하고, 숫자로 시작하는 변수명은 사용할 수 없다.
- 공백이나 특수 문자는 사용할 수 없지만, 언더바(_)는 사용할 수 있다.
- 유니티 C# 키워드를 변수로 사용할 수 없고, 이미 선언한 변수명을 다시 선언할 수 없다.

3.3.2 C#의 데이터 타입

C#의 데이터 타입 중 자주 사용하는 것은 아래와 같다.

```
int score;
float height;
bool yesno;
string str;
```

- int   정수가 저장된다.
- float   실수가 저장된다.
- bool   불리안형(참이면 1이 저장, 거짓이면 0이 저장)이 저장된다.
- string   문자열이 저장된다.

선언된 변수 타입에 따라 어떤 데이터가 저장될지 결정된다. 선언된 변수의 데이터 타입과 다른 값을 변수에 저장하려고 하면 에러가 발생된다. 유니티에서 자주 사용하는 변수 타입은 몇 가지 안 되므로 암기해두면 좋겠다.

실제 데이터는 아래와 같이 선언된 변수에 저장하면 된다. 각 변수 타입에 맞는 데이터 값을 저장한다.

```
public class ClassTest : MonoBehaviour {
    int score;
    float height;
    bool yesno;
    string str;

    // Use this for initialization
    void Start () {
        score = 90;
        height = 178.5f;
        yesno = true;;
        str="자료형 테스트입니다";
    }

    // Update is called once per frame
    void Update () {

    }
}
```

C#에서 많이 사용하는 데이터 타입 이외에도 유니티에서만 사용하는 데이터 타입도 있다. 자주 사용하는 유니티만의 데이터 타입은 아래와 같다.

- GameObject   게임 객체를 저장한다.
- Transform   객체의 위치, 회전, 크기 정보를 저장한다.
- Rigidbody   객체의 물리엔진 정보를 저장한다.
- Collider   객체의 충돌체 정보를 저장한다.

3.3.3 public과 private

private로 선언한 변수는 작성된 클래스에서만 사용할 수 있다. 그러나 클래스 밖에서 변수를 참조하거나 값을 변경해야 하는 경우도 있다. 이런 경우 변수를 public으로 선언하면 인스펙터 뷰의 스크립트 컴포넌트에 public으로 선언한 변수가 표시되고, 그 변수의 값을 변경할 수 있다. 인스펙터 뷰에서 변경한 값은 스크립트 내에서 할당한 값보다 더 높은 우선순위를 가진다.

public과 private 실습을 하기 위해 유니티 화면에 바닥으로 사용할 Plane 객체를 하나 추가한다. Plane 객체를 추가하기 위해서는 [GameObject / 3D Object / Plane] 메뉴를 순서대로 선택하면 된다.

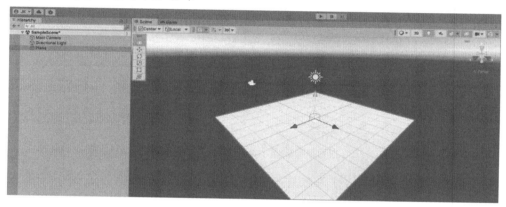

비주얼 스튜디오에서 ClassTest 스크립트를 아래와 같이 수정한다.

```
public class ClassTest : MonoBehaviour {
    public int score;
    public float height;
    bool yesno;
    string str;

    // Use this for initialization
```

```
void Start () {
    score = 90;
    height = 178.5f;
    yesno = true;;
    str = "자료형 테스트입니다";

    print ("score : " + score);
    print ("height : " + height);
    print ("yesno : " + yesno);
    print ("str : " + str);
}

// Update is called once per frame
void Update () {

}
}
```

score와 height 변수는 pulic 형태로 바꿨다. Ctrl+S 키를 눌러 저장한다. 유니티에서 프로젝트 뷰 Assets 폴더의 ClassTest 스크립트 아이콘을 선택해서 씬 뷰의 Plane 객체에 드래그 앤드 드롭한다. 스크립트 컴포넌트를 특정 객체에 적용시키는 방법은 다양하다. 여러 가지 방법 중 편리한 방법을 선택하면 된다.

- ClassTest 스크립트 아이콘을 하이어라키 뷰의 Plane 객체에 드래그 앤드 드롭한다.
- ClassTest 스크립트 아이콘을 씬 뷰의 Plane 객체에 드래그 앤드 드롭한다.
- ClassTest 스크립트 아이콘을 Plane 객체의 인스펙터 뷰의 아래 부분 빈 공간에 드래그 앤드 드롭한다.

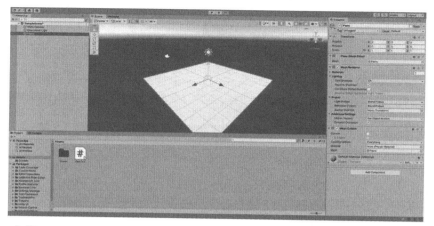

아래는 ClassTest 스크립트 컴포넌트가 Plane 객체에 적용된 그림이다.

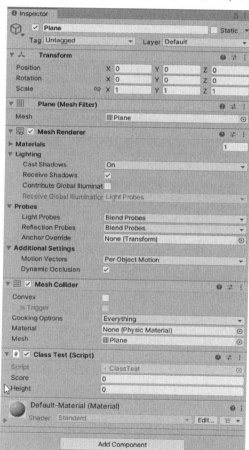

현재 score와 height 변수는 public 형태로 바꿨고, yesno, str 변수는 그대로이다. 변수 선언 앞에 public이 명시되어 있지 않으면 모두 private 선언으로 인식된다. 인스펙터 뷰를 보면 public으로 바꾼 score와 height 변수가 외부에 노출되어 보인다. 이렇게 외부에 노출된 변수에 대해서는 값을 변경할 수 있다.

현재 변수의 값을 출력하는 부분은 Start() 함수이다. 유니티에서 플레이 버튼을 클릭해 게임을 시작해보자. 게임을 중지하기 위해서는 플레이 버튼을 다시 클릭하면 된다. 콘솔 창을 보면 4개의 변숫값이 출력된 것을 확인할 수 있다.

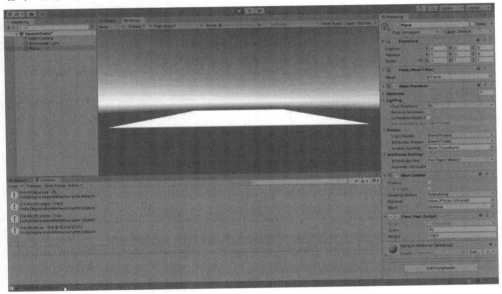

특히 유니티 제일 하단에는 콘솔 창에 표시된 마지막 메시지가 한 줄로 보인다. 인스펙터 뷰의 ClassTest 컴포넌트를 보면 public으로 선언한 두 개의 변수가 보인다. 유니티의 플레이 버튼을 다시 클릭해 게임을 중지해보자.

비주얼 스튜디오에서 프로그램 소스를 조금 더 수정하자. 이번에는 Start() 함수에 있던 출력 실행문을 Update() 함수로 옮긴다. 이렇게 하면 매 프레임마다 print 문을 실행하기 때문에 콘솔 창에 변숫값이 계속해서 출력될 것이다.

```
public class ClassTest : MonoBehaviour {
    public int score;
    public float height;
    bool yesno;
    string str;

    // Use this for initialization
    void Start () {
        score = 90;
        height = 178.5f;
        yesno = true;;
        str="자료형 테스트입니다";
    }

    // Update is called once per frame
    void Update () {
        print ("score : " + score);
        print ("height : " + height);
        print ("yesno : " + yesno);
        print ("str : " + str);
    }
}
```

그리고 플레이 버튼을 다시 클릭해서 게임을 시작한다. 게임이 시작되면 네 개의 문장이 계속해서 출력된다.

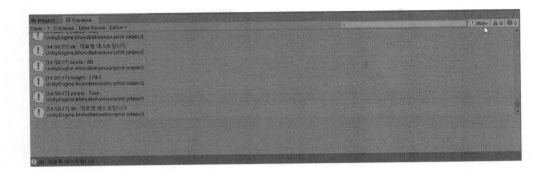

인스펙터 뷰의 Score와 Height 변숫값은 초깃값으로 90과 178.5가 설정되어 있다. 인스펙터 뷰의 Score와 Height 변숫값을 각각 80과 190으로 변경해보자.

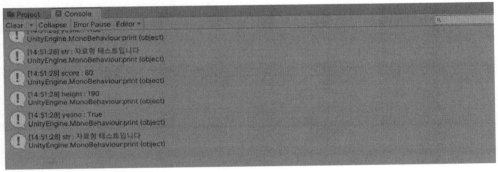

바뀐 값이 콘솔창에 프린트된다. 이렇게 변수를 선언할 때 public 형태로 하면 스크립트 외부에서 변숫값을 수정할 수 있다.

게임 플레이를 중지하고 지금까지 작업한 내용을 저장한다. 씬 내용을 저장하기 위해서는 [File / Save Scene as...] 메뉴를 순서대로 선택하면 된다.

파일 이름을 ClassTest라고 입력하고 [저장] 버튼을 클릭한다. 씬 뷰의 내용이 저장되는데, 확장자는 .unity이다.

저장 후 프로젝트 뷰를 보면 ClassTest 씬의 아이콘이 보인다.

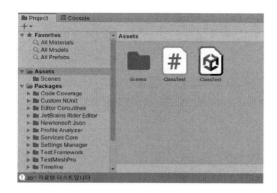

3.4 함수

보통 하나의 기능을 하는 여러 줄의 소스를 함수라고 한다. 함수는 이름이 있다. 프로그래머는 이 함수 이름을 호출하여 원하는 기능을 구현한다. 함수는 코드 재사용 측면에서 매우 효율적인 방법이다. 보통 함수를 호출하여 호출된 함수가 실행되면 그 결괏값이 호출한 부분으로 반환된다.

함수를 실습을 통해 이해해보자. 먼저 프로젝트 뷰에 새로운 C# 스크립트를 만들기 위해 프로젝트 뷰의 [+] 버튼을 클릭해 [C# Script] 메뉴를 선택한다.

파일 이름을 FunctionTest1로 변경하고 더블클릭하면 비주얼 스튜디오가 실행된다. 비주얼 스튜디오에서 FunctionTest1 스크립트를 아래와 같이 코딩한다.

유니티의 Start () 함수에 print() 함수를 사용했다. Hi, Hello, Nice to meet you! 문자열을 세 번 반복해서 출력한다.

```
public class FunctionTest1 : MonoBehaviour {

    // Use this for initialization
    void Start () {
        print ("Hi");
```

```
        print ("Hello");
        print ("Nice to meet you!");

        print ("Hi");
        print ("Hello");
        print ("Nice to meet you!");

        print ("Hi");
        print ("Hello");
        print ("Nice to meet you!");
    }

    // Update is called once per frame
    void Update () {

    }
}
```

프로젝트 뷰의 FunctionTest1 스크립트 아이콘을 Plane 객체에 드래그 앤드 드롭한다. 그리고 앞에서 실습한 ClassTest 스크립트를 제거한다. 추가된 컴포넌트를 제거하기 위해서는 해당 컴포넌트의 오른쪽 상단의 톱니바퀴 모양의 아이콘을 클릭하면 된다. 나타나는 메뉴에서 [Remove Component] 메뉴를 선택한다.

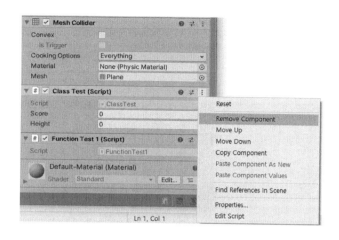

플레이 버튼을 클릭해 게임을 시작한다.

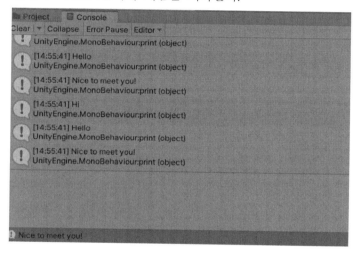

Hi, Hello, Nice to meet you! 문자열을 세 번 반복해서 출력한다. 이렇게 반복적으로 사용하는 경우라면 함수로 만드는 것이 더 효율적이다. 아래에서는 Niceto () 함수를 만들어 재사용했다.

```
public class FunctionTest2 : MonoBehaviour {

    // Use this for initialization
```

```
void Start () {
    Niceto();
    Niceto ();
    Niceto ();
}

void Niceto () {
    print ("Hi");
    print ("Hello");
    print ("Nice to meet you!");
}

// Update is called once per frame
void Update () {

}
}
```

반환 값이 없는 함수는 그 이름 앞에 void를 붙여준다. void의 사전적 의미는 빈 공간이다. Niceto() 함수는 3문장을 실행하고 결괏값을 반환하지 않는 함수이다. 이렇게 함수를 사용하면 코드의 재사용성을 크게 높일 수 있다.

이번에는 반환 값이 있는 함수에 대해 살펴보자. 게임 플레이를 중지하고 C# 스크립트를 만들기 위해 프로젝트 뷰의 [+] 버튼을 클릭해 [C# Script] 메뉴를 선택한다.

파일 이름을 FunctionTest3으로 변경하고 더블클릭하면 비주얼 스튜디오가 실행된다. 비주얼 스튜디오에서 FunctionTest3 스크립트를 아래와 같이 코딩한다.

```
public class FunctionTest3 : MonoBehaviour {

    // Use this for initialization
    void Start () {
        int score1, score2, score3;

        score1 = SumScore(10, 20);
        score2 = SumScore(5, 7);
        score3 = SumScore(12, 13);

        print ("score1 = " + score1);
        print ("score2 = " + score2);
        print ("score3 = " + score3);
    }

    int SumScore (int s1, int s2) {
        int score;
        score = s1+s2;

        return score;
    }

    // Update is called once per frame
    void Update () {

    }
}
```

Assets 폴더에 있는 FunctionTest3 스크립트 아이콘을 다시 Plane 객체에 드래그 앤드 드롭한다. 기존에 있던 FunctionTest1 스크립트는 제거한다.

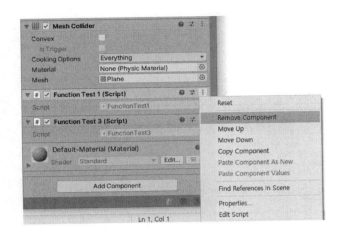

플레이 버튼을 클릭하고 게임을 시작해보자.

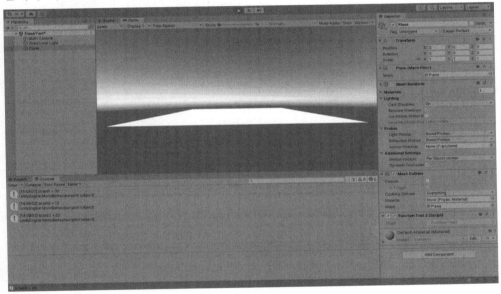

SumScore() 함수는 입력값으로 더할 두 수를 받고, 입력받은 두 수를 더한다. 더한 수를 결괏값으로 반환한다. SumScore() 함수를 호출한 곳에서는 score1, score2, score3 변수에 결괏값을 저장하여 필요한 때에 사용할 수 있다. 결괏값을 반환하는 함수에서는 return 키워드를 사용한다. SumScore () 함수가 정수 데이터를 반환하기 때문에 아래와 같이 함수 이름 앞에 int를 쓴다.

int SumScore (int s1, int s2)

그리고 함수 끝부분에 return 키워드를 사용해 정수 데이터를 반환한다.

return score;

지금까지 살펴본 함수는 프로그래머가 직접 정의해서 사용한 것이다. 프로그래머가 직접 함수를 구현하는 경우도 많지만, 많은 경우에 유니티에서 제공하는 내장 함수를 사용한다. 대부분의 내장 함수들은 MonoBehaviour 클래스에 이미 정의되어 있고, 프로그래머는 MonoBehaviour 클래스부터 내장 함수들을 상속받아 사용하면 된다.

유니티에 이미 정의된 함수 중 몇 가지를 살펴보자. 이번 예제에서는 Mouse 관련 함수들에 대해 살펴보겠다. 특히 함수나 변수 이름의 대소문자는 서로 구별되니 주의하기 바란다. OnMouseEnter() 함수와 OnmouseEnter() 함수는 서로 다른 함수이다.

□ OnMouseEnter()
마우스 커서가 게임 객체의 충돌체 안으로 들어오면 자동으로 실행하는(호출하는) 함수이다.

□ OnMouseExit()
마우스 커서가 게임 객체의 충돌체 안에서 밖으로 나갈 때 자동으로 실행하는 함수이다.

□ OnMouseDown()
충돌체가 있는 객체로 마우스 커서를 옮기고, 마우스 왼쪽 버튼을 누르면 자동으로 실행하는 함수이다.

□ OnMouseUp()

충돌체가 있는 객체로 마우스 커서를 옮기고, 마우스 왼쪽 버튼을 눌렀다 뗄 때 자동으로 실행하는 함수이다.

마우스 이벤트 함수를 직접 구현해보기로 하자. 먼저 프로젝트 뷰에 새로운 C# 스크립트를 만들기 위해 프로젝트 뷰의 [+] 버튼을 클릭해 [C# Script] 메뉴를 선택한다.

파일 이름을 MouseTest로 변경하고 더블클릭하면 비주얼 스튜디오가 실행된다. 비주얼 스튜디오에서 MouseTest 스크립트를 아래와 같이 코딩한다.

```csharp
public class MouseTest : MonoBehaviour {

    // Use this for initialization
    void Start () {

    }

    // Update is called once per frame
    void Update () {

    }

    void OnMouseEnter() {
        print ("마우스가 들어왔습니다");
    }
    void OnMouseExit() {
        print ("마우스가 나갔습니다");
    }
    void OnMouseDown() {
```

```
        print ("마우스 버튼을 클릭했습니다");
    }
    void OnMouseUp() {
        print ("마우스 버튼이 떨어졌습니다");
    }
}
```

씬 뷰에서 Plane 객체를 클릭하고 인스펙터의 FunctionTest3 스크립트 컴포넌트를 제거한다. 그리고 Assets 폴더의 MouseTest 스크립트를 드래그 앤드 드롭한다. 인스펙터 뷰에 MouseTest 스크립트가 추가된다.

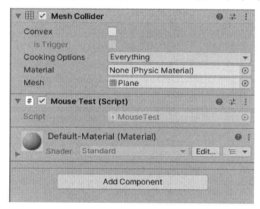

유니티 플레이 버튼을 클릭해 게임을 시작한다. 프로젝트 뷰의 콘솔 탭을 클릭해서 콘솔 창이 보이도록 한다. Game 탭을 클릭해 게임뷰를 활성화시킨다. 그리고 마우스를 Plane 객체 쪽으로 천천히 움직여 보자. 마우스 커서가 Plane 객체에 진입하자마자 콘솔 창에 아래의 메시지가 출력된다.

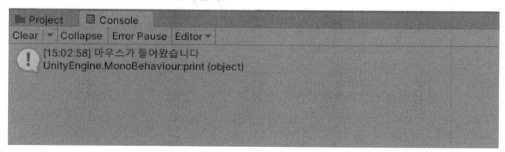

이번에는 마우스를 Plane 객체 밖으로 움직여보자. 또 Plane 객체 내에서 마우스 왼쪽 버튼을 클릭하고 1초 정도 시간이 흐른 뒤 떼어 보자. 마우스 왼쪽 버튼을 클릭하거나 마우스 커서를 특정 객체 내로 움직이는 행동들을 Windows에서는 이벤트라고 한다. 예제에서 마우스 관련 이벤트가 발생될 때마다 해당하는 메시지가 출력된 것이다.

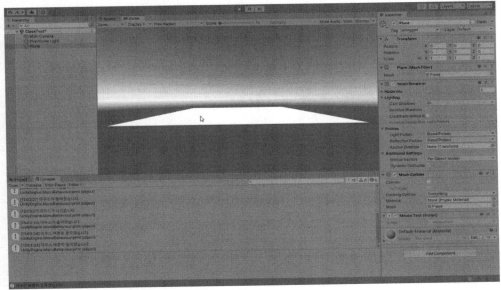

게임 플레이를 중지한다. 지금까지 작업한 내용을 [File / Save Scene as...] 메뉴를 순서대로 선택해 MouseTest.unity로 저장한다.

3.5 주석

주석은 프로그램 소스가 아니다. 따라서 주석은 없어도 프로그램 실행에 아무런 문제가 없다. 편의상 사람이 기억하기 좋게 메모해 놓은 것이다. 주석을 남겨 놓지 않으면 시간이 흐른 뒤 다시 소스를 볼 때 많은 궁금증이 생길 것이다. 누가 언제 코딩했으며, 왜 이렇게 코딩했는지에 대한 설명이 주석으로 남아 있지 않다면 프로그램 소스를 다시 이해하는데 많은 시간이 걸릴 것이다. 따라서 자신이 코딩하는 프로그램 소스에 주석을 남기는 것은 매우 중요한 일이다.

주석은 크게 2가지 방법으로 표현된다. 첫째 "//" (슬래시 기호 2번) 기호를 사용하는 경우이다. 한 줄을 주석으로 처리할 때 쉽게 사용하는 방법이다.

```
void OnMouseEnter() {
    //print ("마우스가 들어왔습니다");
}
```

```
//print ("마우스가 들어왔습니다");
```

이 문장은 더는 프로그램과는 상관없다. 다만 프로그래머의 편의를 위한 주석일 뿐이다.

여러 줄을 주석으로 처리해야 할 경우에는 "/* ~~ */"와 같이 표현하면 된다. "/*" 와 "*/" 사이에 있는 모든 문장은 주석으로 처리된다.

```
public class MouseTest : MonoBehaviour {

    // Use this for initialization
    void Start () {

    }

    // Update is called once per frame
    void Update () {
```

```
    }
    /*
    void OnMouseEnter() {
        print ("마우스가 들어왔습니다");
    }
    void OnMouseExit() {
        print ("마우스가 나갔습니다");
    }
    void OnMouseDown() {
        print ("마우스 버튼을 클릭했습니다");
    }
    void OnMouseUp() {
        print ("마우스 버튼이 떨어졌습니다");
    }
    */
}
```

위와 같이 주석 처리 하면 더는 마우스 동작에 대한 메시지가 출력되지 않는다.

3.6 열거형 자료구조

열거형 자료구조에서는 프로그래머가 변수에 값을 입력하지 않아도 자동으로 0, 1, 2, 3... 이 할당된다. 첫 값을 입력하면 그 후의 변수들은 자동으로 1씩 더한 수가 들어간다. 이렇게 변수를 열거형으로 선언하는 이유는 변수 간의 구별을 쉽게 하기 위해서이다.

프로그래머가 직접 값을 입력하면 실수의 가능성이 있다. 가장 대표적인 실수가 값을 중복해서 입력하는 경우이다. 열거형 자료구조를 사용하면 이러한 실수를 사전에 예방할 수 있다.

열거형을 사용하는 방법은 아래와 같이 열거형과 변수를 선언한 후 값을 할당하면 된다. 열거형 자료구조를 사용하면 프로그램 소스가 더 단순해 보이고 가독성이 좋아진다.

```
enum Direction { North, South, West, East };
Direction dir = Direction.East;
```

위 소스에서 North에는 0이 할당되고, South에는 1, West에는 2, East에는 3이 할당된다. 그리고 dir 변수에는 3이 저장된다.

```
enum Direction { North=1, South, West=11, East };
```

위와 같이 변수에 원하는 값을 할당할 수도 있다. 이 경우에는 North에 1이 할당되고, South에는 2, West에는 11, East에는 12가 할당된다.

3.7 제어문

유니티에서 자주 사용하는 제어문은 if, switch 등이다. 이 책에서는 if 문과 switch 문에 대해서만 간단히 살펴보겠다.

3.7.1 if

if 문장은 너무나도 자주 사용하는 제어문이다. 점수를 비교하는 다음과 같은 프로그램 소스를 생각해보자.

```
if (score >= 90) {
    print("90 점 이상입니다 ");
}
else if (score >= 80) {
```

```
        print("80 점 이상입니다");
}
else {
        print("80 점 미만입니다 ");
}
```

첫 문장에서 (score >= 90) 문장을 체크한다. score 변수의 값이 90보다 크거나 같으면
참이 되어 "90점 이상입니다"라는 메시지가 출력된다. 만약 (score >= 90) 문장을
체크해서 거짓이면 다음 if 문을 체크한다. 이때에는 else if 라는 키워드를 사용한다.
두번째 if 문장인 (score >= 80)가 참이면 "80점 이상입니다"라는 메시지를 출력한다.
위 2개의 if 문장이 거짓이면 else에 있는 문장이 실행되고 "80점 미만입니다"라는
메시지를 출력한다.

3.7.2 switch

if 문은 if, else if, else if, …, else 문장을 통해 순서대로 if 문장의 참, 거짓을 판별하여
프로그램을 실행한다. 반면 switch 문은 선택할 수 있는 여러 건 중에 해당 건을 바로
실행할 수 있게 한다. 순서대로 비교검색을 하는 것이 아니고 해당되는 건으로 바로
분기한다. switch 문은 case 키워드를 같이 사용한다.

```
switch (변수) {
case 값 1:
        실행해야 할 문장들;
        break;

case 값 2:
        실행해야 할 문장들;
        break;

        …
```

```
default:
    실행해야 할 문장들;
    break;
}
```

switch (변수)의 변숫값과 case에 있는 값을 비교해서 동일한 건이 있는지 체크한다. 동일한 건이 있으면 해당하는 case 문을 바로 실행한다. 변숫값이 case 값과 일치하지 않으면 default 문장이 실행된다. case 문장이 끝날 때 break; 키워드를 입력해야 한다. break; 키워드가 없으면 다음 case 문장이 실행되니 주의하기 바란다.

3.8 반복문

유니티에서 사용 가능한 반복문으로는 for, while 등이 있다.

3.8.1 for

반복문으로 가장 많이 사용하는 것은 for 문이다. for 문은 반복 변수의 초깃값, 반복 조건, 증감값을 명시하여 사용한다. 예를 들어 아래와 같은 반복문이 있을 때 그 의미는 다음과 같다.

```
for (int i = 0 ; i <= num ; i++)
{

}
```

반복을 위한 초기 i 값은 0이다. i가 0부터 시작하여 i <= num 조건을 만족하는 한 계속해서 반복이 이루어진다. 세번째 인자는 증감값이다. 한 번 반복할 때마다 i 값이 1씩 증가한다는 의미이다.

3.8.2 while

while 문은 조건이 true인 동안 무한 반복하는 구문이다. 자칫하면 무한루프에 빠질 수 있으므로 조건을 잘 지정해 주거나, 내부에서 if와 break 문을 통해 빠져나갈 수 있게 해야 한다. 아래와 같이 while(true)를 사용하면 무한 루프 문장이 된다.

```
while(true)
{
    // while 조건이 true 일 동안 실행될 명령문
}
```

4장. C# 프로그래밍

실제 C# 프로그래밍을 하기 위해 GoBack 프로젝트를 새로 만들어 보자. [File / New Project...] 메뉴를 선택해 Project name 칸에 GoBack을 입력하고 [프로젝트 생성] 버튼을 클릭한다.

4.1 객체 추가

[GameObject / 3D Object / Plane] 메뉴를 순서대로 선택해서 바닥으로 사용할 Plane 객체를 추가한다. 같은 방법으로 Cube 객체도 추가한다.

Plane과 Cube의 중심이 3D 공간에서 (0, 0, 0) 위치에 배치된다. 두 객체의 중심이 서로 겹쳐 있기 때문에 Cube가 Plane에 반쯤 묻혀 있는 것처럼 보인다. Cube의 Y 위치를 0.5 위로 이동하면 Plane 객체 바로 위로 이동한다.

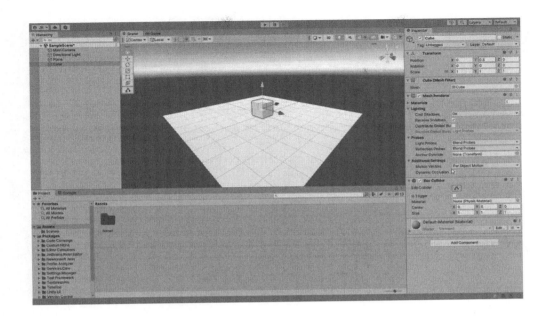

어떤 객체를 평면과 붙어 있는 상태로 놓고 싶을 때 사용하는 것이 스냅(snap)이다. 스냅은 씬 뷰에서 객체를 화면에 배치할 때 미리 지정된 단위로 이동하거나 회전하게 하여 원하는 위치에 쉽게 배치할 수 있도록 도와준다. 객체를 선택하고 Ctrl+Shift 키를 누르면 객체 기즈모의 가운데가 큐브 모양에서 사각형으로 변하는데, 이 사각형 부분을 클릭하면 두 객체의 표면이 붙어 있는 상태로 움직인다. 객체를 움직일 때 Ctrl+Shift 키를 계속 누르고 있어야 한다.

하이어라키 뷰 또는 씬 뷰에서 Cube를 선택하고 Ctrl+Shift 키를 눌러 보자. 가운데 큐브 기즈모의 모양이 큐브에서 사각형으로 변한다. 이 사각형을 마우스로 클릭하여 움직여 보면 큐브가 Plane 객체 위를 미끄러지듯이 움직이는 것을 확인할 수 있다. 이렇게 바닥 표면 위에 바로 놓고자 할 때 스냅 기능을 많이 사용한다.

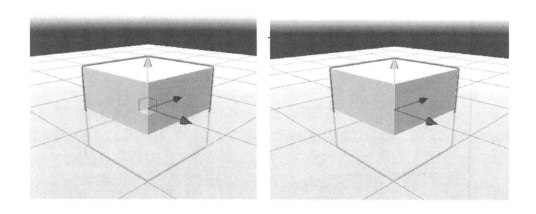

4.2 C# 스크립트 생성

프로젝트 뷰에서 [+] 버튼을 클릭해 [C# Script] 메뉴를 선택한다.

Assets 폴더에 생성되는 파일 이름을 GoBack이라고 입력한다. 이때 파일 이름은 프로그래머가 원하는 대로 결정해도 되지만 가급적 파일 이름을 보고 의미를 유추할 수 있게 하는 것이 좋다. 여기서는 추가한 Cube 객체를 앞뒤로 움직여 보겠다.

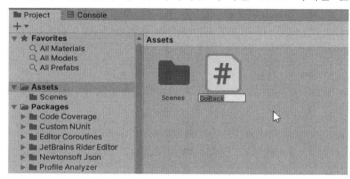

앞에서 설명한 바와 같이 C# 스크립트 파일 이름과 GoBack 클래스 이름은 자동으로 동일하게 생성된다. 프로그래머가 임의로 클래스 명을 수정하면 에러가 발생하니 주의하기 바란다. 물론 클래스명과 파일명을 같이 변경하면 에러는 발생하지 않는다.

4.3 C# 프로그래밍

비주얼 스튜디오에서 아래와 같이 GoBack.cs 소스를 수정한다.

```csharp
using System.Collections;
using System.Collections.Generic;
using UnityEngine;

public class GoBack : MonoBehaviour {
    float speed = 20.0f;

    // Use this for initialization
    void Start () {

    }

    // Update is called once per frame
    void Update () {
        float v = Input.GetAxis("Vertical");
        v = v * speed * Time.deltaTime;
        transform.Translate(Vector3.forward * v);
    }
}
```

수정이 완료되면 Ctrl+S를 키를 눌러 저장한다. 프로젝트 뷰에 있는 GoBack.cs 소스를 Cube 위로 드래그 앤드 드롭한다.

GoBack.cs 소스가 Cube 인스펙터 뷰에 컴포넌트로 추가된다. 스크립트는 추가된 객체에서 코딩된 내용대로 실행된다.

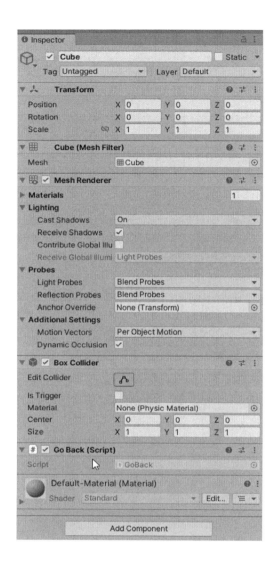

4.4 게임실행과 소스분석

유니티 플레이 버튼을 클릭하여 실행시켜 보자. 플레이 버튼을 클릭하면 씬 뷰 화면이 게임 뷰 화면으로 전환된다. 게임 뷰 화면은 실제 게이머가 보는 화면이다.

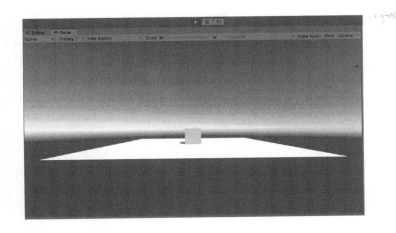

마우스로 위, 아래 방향키를 눌러 보자. 큐브가 Z 축을 따라서 앞으로 그리고 뒤로 움직일 것이다. 앞으로 움직인다는 것은 화면 속으로 더 깊이 들어가는 것을 의미하고, 뒤로 움직인다는 것은 모니터 밖으로 움직이는 것을 의미한다. 아래 첫 번째 그림은 Cube가 화면 속으로 들어간 것이고, 두 번째 그림은 Cube가 화면 밖으로 나온 것이다.

Cube 객체를 앞 뒤로 움직이게 하는 GoBack 스크립트를 분석해보자.

public class GoBack : MonoBehaviour

클래스 이름은 GoBack이고 MonoBehaviour 클래스에서 상속받았다. MonoBehaviour가 부모 클래스가 되고 GoBack이 자식 클래스가 된다. 자식 클래스는 부모 클래스에서 구현된 함수들을 가져다 쓸 수 있다. MonoBehaviour 클래스에 구현된 함수들을 GoBack 클래스에서 사용할 수 있다는 의미이다. Start()

함수와 Update() 함수도 MonoBehaviour 클래스에 구현되어 있는 함수인데, 자식 클래스인 GoBack 클래스에서 상속받아 사용할 수 있다.

void Start () {}
void Update () {}

Start() 함수는 스크립트가 실행될 때 처음 한 번 호출된다. 반면 Update() 함수는 프레임 마다 반복해서 호출된다. 고성능 스마트폰이 저성능 스마트폰보다 같은 시간에 Update() 함수를 더 많이 호출할 수 있다. 따라서 실시간으로 움직이는 게임을 구현할 경우 각 기기의 차이를 바로잡아야 한다.

float v = Input.GetAxis("Vertical");

Input 클래스에 구현되어 있는 GetAxis() 함수는 파라미터로 Vertical이 주어지면 사용자가 위 아래 방향키를 눌렀는지 체크한다. 사용자가 위 방향키를 누르면 v 변수에 +1 값이 저장되고, 아래 방향키를 누르면 -1 값이 저장된다. 위 아래 방향키를 누르지 않으면 0이 저장된다.

만약 GetAxis() 함수의 파라미터로 Horizontal이 주어지면 사용자가 왼쪽 또는 오른쪽 방향키를 눌렀는지 체크한다.

float v = Input.GetAxis("Horizontal ");

기기의 성능 차이를 보완하기 위해 Time.deltaTime이라는 함수를 사용한다. Time.deltaTime은 Update() 함수가 한번 호출되고 다시 호출되기까지 걸린 시간을 의미한다. 고성능 스마트폰의 경우 초당 여러 번 Update() 함수가 호출되기 때문에 Time.deltaTime은 매우 작은 값이 된다. 반면 성능이 낮은 스마트폰의 경우 초당

Update() 함수가 적게 호출되기 때문에 Time.deltaTime은 커질 수 밖에 없다.

성능 차이가 있는 두 기기가 1초에 같은 거리를 그리는 원리는 다음과 같다. Time.deltaTime의 값을 이용하여 성능 차이가 있는 기기일지라도 같은 시간에 같은 거리를 움직이게 그릴 수 있다. 즉, 성능이 좋은 스마트폰은 자주 그림을 그리지만 그리는 크기가 작다. 반면, 성능이 좋지 않은 스마트폰의 경우는 자주 그릴 수는 없지만 한 번에 그리는 크기가 크기 때문에 같은 시간에 동일한 거리를 그릴 수 있다. 대신 성능이 좋은 스마트폰은 자주 그리기 때문에 부드러운 애니메이션을 구현할 수 있다.

```
void Update () {
    float v = Input.GetAxis("Vertical");
    v = v * speed * Time.deltaTime;
    transform.Translate(Vector3.forward * v);
}
```

transform.Translate(Vector3.forward * v);

현재 스크립트가 적용된 객체의 트랜스폼을 소스 내에서는 transform 이라고 한다. 위의 경우 transform은 Cube 객체를 의미한다. 따라서 Cube를 Vector3.forward * v 방향으로 움직이라는 의미이다. 사용자가 위 방향키를 누르면 v 값은 플러스(+)가 되어 화면 속으로 들어가는 방향으로 움직이고, 아래 방향키를 누르면 v 값은 마이너스(-)가 되어 화면 밖으로 나오는 방향으로 움직인다.

지금까지 작업한 내용을 저장한다. 저장하기 위해서 [File / Save Scene as...] 메뉴를 선택한다. 파일 이름 칸에 GoBack이라고 입력하고 [저장] 버튼을 클릭한다.

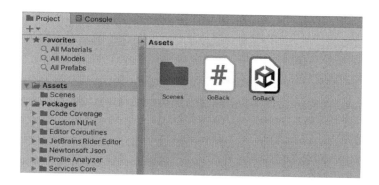

5 장. 매터리얼

매터리얼은 객체의 색상이나 질감 또는 반짝이는 정도를 나타내는데, 주로 객체의 외형을 표현한다. 또 객체의 물리적 특성, 예를 들면 통통 튀는 성질을 나타내기도 한다. 특히 물체에 부딪혔을 때 통통 튀는 것과 같은 성질을 물리 매터리얼이라고 한다.

5.1 색상 매터리얼

매터리얼을 테스트하기 위해 다음과 같은 새 프로젝트를 만들어 보자. 프로젝트 이름 칸에 Material이라고 입력하고 [프로젝트 생성] 버튼을 클릭한다.

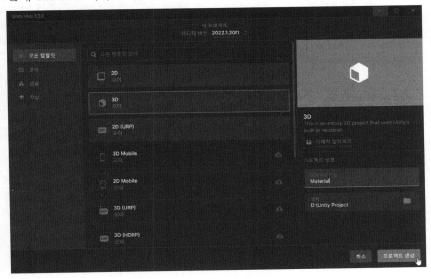

작업에 방해되지 않게 Directional Light를 한쪽으로 이동한다. 그리고 Alt 키를 눌러 X 축의 양의 방향이 오른쪽으로 향하게 만든다.

[GameObject / 3D Object / Plane] 메뉴를 순서대로 선택해서 Plane 객체를 추가한다. 같은 방법으로 Cube 객체도 추가한다. Cube의 Y 축 위치를 0.5로 변경하여 Cube

객체가 Plane 객체 바로 위에 놓이게 한다.

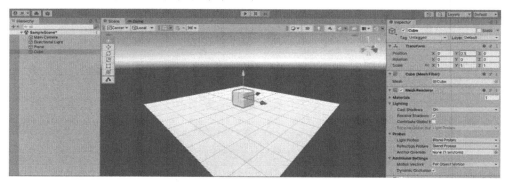

프로젝트 뷰에서 [+] 버튼을 클릭해 [Material] 메뉴를 선택한다.

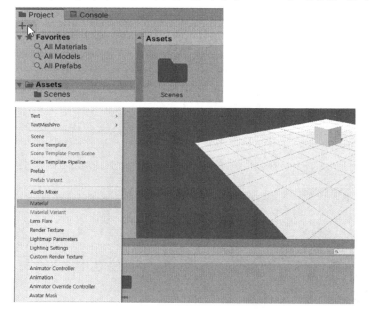

Assets 폴더에 새로운 매터리얼이 만들어졌다. 새로 만들어진 매터리얼의 이름을 mBlue로 변경한다.

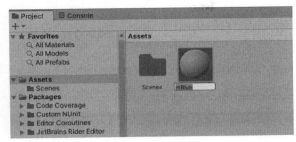

오른쪽 인스펙터 뷰에는 mBlue 매터리얼의 속성 정보가 보인다. Albedo 오른쪽 하얀 사각형을 클릭한다. 뒤에서 다루겠지만 Albedo 왼쪽 작은 원을 클릭하면 텍스처 이미지를 설정할 수 있다.

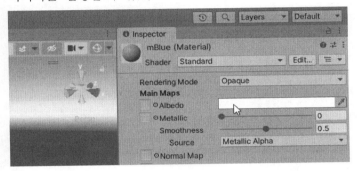

아래와 같이 Color를 선택할 수 있는 창이 나오는데, 원형 모양에서 원하는 색을 클릭하고 정사격형 모양에서 밝기를 클릭하면 색이 결정된다. Color 창을 닫으면 Albedo 오른쪽 사각형에 원하는 색이 설정된다.

색이 지정된 매터리얼(mBlue)을 Cube 객체로 드래그 앤드 드롭한다. 이때 하이어라키뷰의 Cube로 드래그 앤드 드롭해도 되고 씬 뷰의 Cube 객체로 드래그 앤드 드롭해도 된다. 또는 Cube가 선택된 상태에서 인스펙터 뷰의 비어있는 공간으로 드래그 앤드 드롭해도 된다. 모두 같은 결과이다.

Assets 폴더의 매터리얼을 하이어라키 뷰의 Cube 객체에 드래그 앤드 드롭

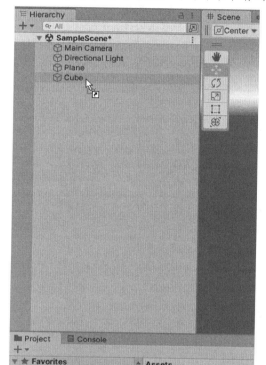

Assets 폴더의 매터리얼을 씬 뷰의 Cube 객체에 드래그 앤드 드롭

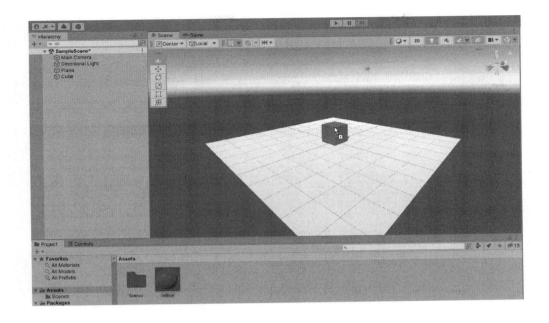

Assets 폴더의 매터리얼을 Cube 객체의 인스펙터 뷰에 드래그 앤드 드롭

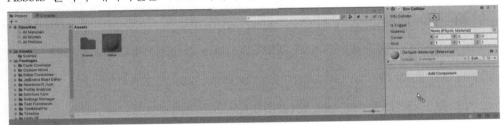

매터리얼이 Cube 객체에 컴포넌트로 추가되었다. Cube 객체의 인스펙터 뷰를 보면
mBlue 매터리얼이 추가되었음을 확인할 수 있다.

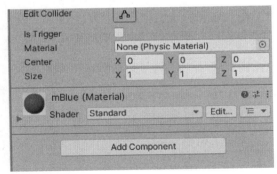

같은 방법으로 이번에는 Plane 객체에 적용할 매터리얼을 만들어 보자. 프로젝트 뷰에서 [+] 버튼을 클릭해 [Material] 메뉴를 선택한다. Assets 폴더에 만들어진 새로운 매터리얼의 이름을 mYellow로 변경한다. 오른쪽 인스펙터 뷰의 Albedo 오른쪽 하얀 사각형을 클릭하여 원하는 색을 설정한다. 색이 설정된 매터리얼을 이번에는 Plane 객체로 드래그 앤드 드롭한다. 아래 그림은 Plane 객체에 매터리얼이 적용된 것이다.

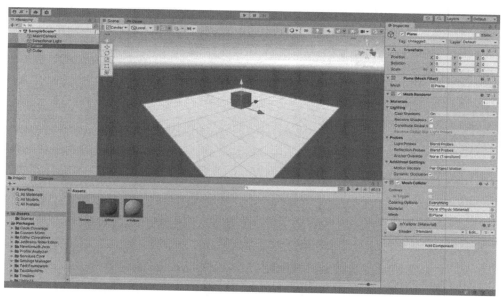

5.2 Asset Store

Asset Store에 접속하기 위해 유니티에서 [Window / Asset Store] 메뉴를 순서대로 선택한다. 웹브라우저가 실행되고 현재 유니티에 로그인 되어 있으면 Asset Store 오른쪽 상단에 자신의 아이디가 보인다.

만약 로그인되어 있지 않다면 [로그인] 버튼이 보일 것이다. 로그인 되어 있지 않은 경우 [로그인] 버튼을 클릭해 로그인한다.

Asset Store 창이 나타나면 검색창에 "Wooden Floor Pack"을 입력하고 검색 버튼을 클릭한다. 아래와 같은 이미지의 첫 검색 결과물을 클릭한다. 검색 결과는 시기에 따라 달라질 수 있으니 혹 교재와 같은 이미지가 보이지 않는다면 스크롤 해서 찾아보기 바란다.

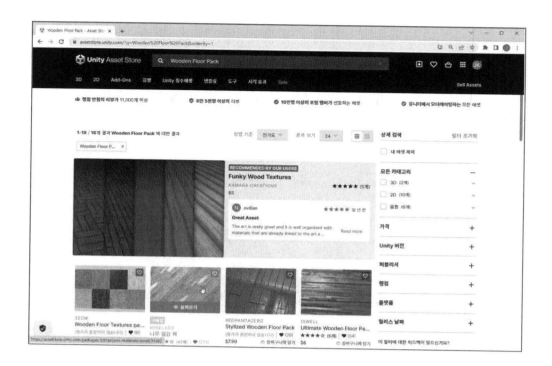

[Unity에서 열기] 버튼을 클릭한다.

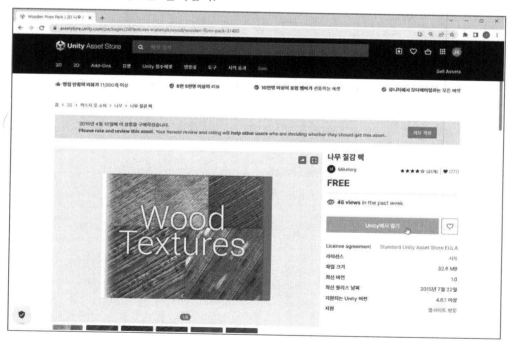

Package Manager가 실행되면 아래의 [import] 버튼을 클릭한다. 처음 찾는 에셋이라면 먼저 [Download] 버튼을 클릭한 후 [import] 버튼을 클릭한다. 서버에서 내 PC로 가져오는 것은 다운로드이고 내 PC에 있는 에셋을 현재 프로젝트로 가져오는 것은 import이다.

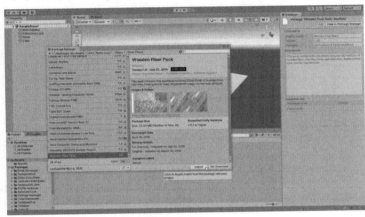

나타나는 창에서 [import] 버튼을 클릭한다.

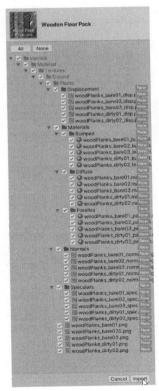

Asset Store에서 원하는 텍스처 이미지를 다운로드 받으면 프로젝트 뷰 Assets 폴더에 다운로드 받은 것이 추가된다. 지금은 Vatnick 폴더가 추가되었다.

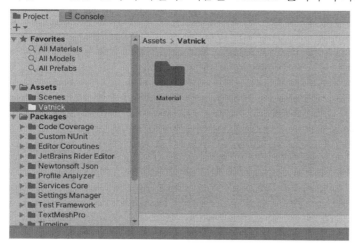

다운로드 받은 폴더를 확장해 보면 다양한 텍스처 이미지가 있음을 확인할 수 있다.

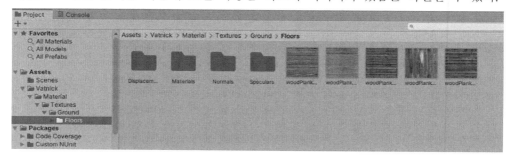

5.3 텍스처 매터리얼

씬에 Cube 객체를 하나 더 추가하자. 새로 추가한 Cube의 위치를 (3, 1, 0)으로 수정하고, Scale은 (3, 2, 1)로 수정한다.

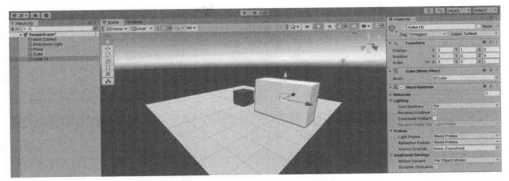

그리고 프로젝트 뷰의 [+] 버튼을 클릭해 [Material] 메뉴를 선택한다. 생성된
매터리얼의 이름을 mWall이라고 변경한다. 유니티 오른쪽 화면 인스펙터 뷰를 보자.
Albedo 왼쪽의 작은 원을 클릭하면 텍스처를 선택할 수 있는 창이 나타난다.

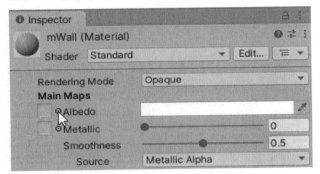

Asset Store에서 다운로드 받은 이미지가 있기 때문에 아래와 같이 여러 개의
이미지가 보인다. 이 중 적당한 이미지를 더블클릭한다.

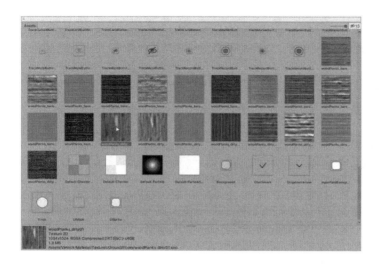

이 책에서는 woodPlanks_dirty01을 더블클릭했다. 만들어진 mWall 매터리얼을 Cube(1)로 드래그 앤드 드롭한다.

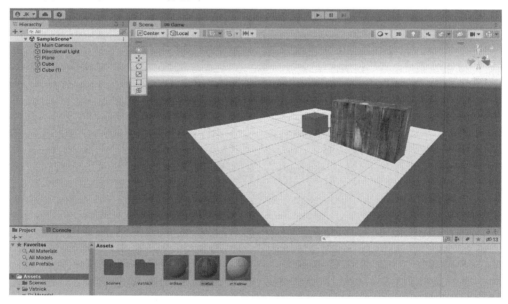

같은 과정을 거쳐 mFloor 이라는 매터리얼을 만든다. mFloor 매터리얼에 또 다른 이미지를 선택하고, 이 매터리얼을 Plane 객체에 드래그 앤드 드롭한다. 아래는 Cube와 Plane 객체에 텍스처 매터리얼이 적용된 그림이다.

지금까지 작업한 내용을 저장한다. 씬 내용을 저장하기 위해서는 [File / Save Scene as...] 메뉴를 순서대로 선택하면 된다. 파일 이름을 Material라고 입력하고 [저장] 버튼을 클릭한다.

5.4 물리 매터리얼

유니티에서 [File / New Scene] 메뉴를 순서대로 선택해 새 씬을 만든다. Plane 객체와 Sphere 객체를 하나씩 추가한다. Sphere 객체의 Y 위치를 3으로 변경하여 Plane 객체에서 약간 위로 이동한다. 플레이 버튼을 클릭해 게임 뷰가 보이게 한다.

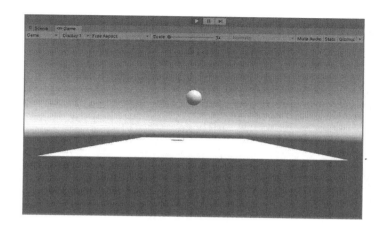

Sphere 객체가 공중에 떠 있는 상태이다. 플레이 버튼을 다시 클릭해 게임을 중지하고 씬 뷰로 돌아가자. 하이어라키 뷰에서 Sphere 객체를 선택하고 인스펙터 뷰의 [Add Component] 버튼을 클릭한다. 나타나는 메뉴에서 [Physics / Rigidbody] 메뉴를 순서대로 선택한다.

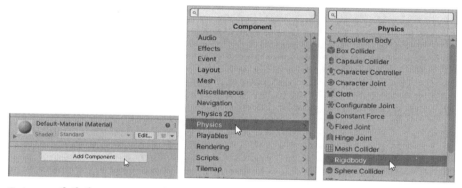

Sphere 객체에 Rigidbody라는 컴포넌트가 추가된다.

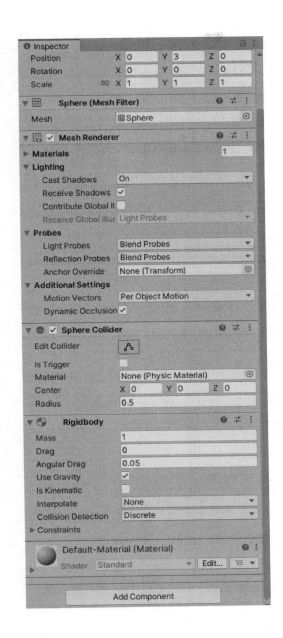

리지드바디의 의미는 강체이다. 딱딱한 물체를 의미하는데 우리가 만질 수 있는 대부분의 물체는 강체이다. 강체가 아닌 물체로는 물, 연기, 폭발, 구름 등이 있고 이를 파티클이라고 한다.

리지드바디 컴포넌트의 여러 속성들을 살펴보자. Use Gravity라는 요소가 있는데 이 부분이 체크되어 있다. Use Gravity는 중력 사용 유무를 결정한다. 만약 체크하면 중력을 사용하겠다는 의미이고, 그렇지 않으면 중력을 사용하지 않겠다는 의미이다.

Use Gravity를 체크하면 중력 때문에 게임 실행 시 공중에 떠 있는 물체가 아래로 떨어진다. 위의 예에서 Sphere 객체는 떠 있지 않고 Plane 객체로 떨어질 것이다. 플레이 버튼을 클릭해 게임을 실행해보자. 게임이 시작되면 공중에 떠 있던 Sphere 객체는 중력 때문에 아래로 떨어진다.

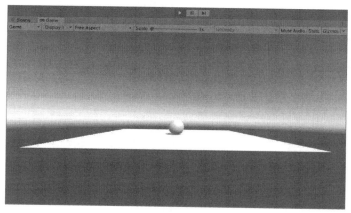

이번에는 좀 더 현실감 있게 바닥에 부딪힌 Sphere 객체가 몇 번 팅길 수 있게 만들어 보겠다. 프로젝트 뷰의 [+] 버튼을 클릭해 [Physic Material] 메뉴를 선택한다.

생성된 매터리얼의 이름을 bounce로 변경한다.

bounce 매터리얼이 선택된 상태에서 인스펙터 뷰의 Bounciness 값을 1로 수정한다.

바운드 되는 정도를 100%로 설정하겠다는 의미이다. Bounciness 값을 1로 해서 Sphere 객체가 떨어진 높이만큼 다시 올라온다고 하더라도 무한히 반복되는 것은 아니다. 동적, 정적 마찰력 때문에 Sphere 객체가 몇 번 튕기고 바닥에 멈출 것이다. 만약 마찰력을 0으로 설정하면 Sphere 객체는 무한히 튕기게 된다.

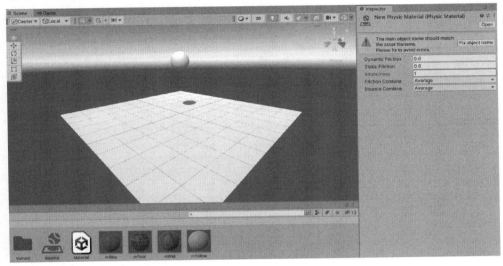

생성된 물리 매터리얼(bounce)를 Sphere 객체에 적용해야 한다. 적용하는 방법은 하이어라키 뷰에서 Sphere 객체를 선택하고 인스펙터 뷰에 있는 Shpere Collider의 Material 칸으로 bounce를 드래그 앤드 드롭하면 된다.

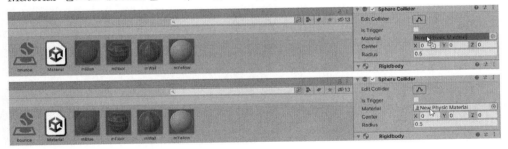

플레이 버튼을 클릭해 게임을 실행하면 예상했던 것처럼 Sphere 객체가 몇 번 튕기고 멈춘다.

이번 장에서는 물체의 표면적 성질과 물리적 성질을 다루어 보았다. 지금까지 작업한 내용을 저장한다. 씬 내용을 저장하기 위해서는 [File / Save Scene as...] 메뉴를 순서대로 선택하면 된다. 파일 이름을 Bounce라고 입력하고 [저장] 버튼을 클릭한다.

6 장. 트랜스폼

6.1 좌표계

아래 그림은 오른손, 왼손 좌표계이다. 오른손, 왼손 좌표계에서 X, Y 축의 양, 음의 방향은 같다. 그러나 Z 축은 서로 반대이다. 오른손 좌표계에서는 Z 축의 양의 방향이 모니터 화면 밖으로 나오는 방향이다. 왼손 좌표계에서는 Z 축의 양의 방향이 모니터 화면 속으로 들어가는 방향이다. 엄지 손가락의 방향이 Z 축의 양의 방향이다. 유니티는 왼손 좌표계를 사용한다.

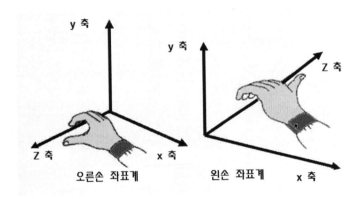

유니티에서 카메라의 위치는 보통 게임 객체의 뒤쪽에 있다. 게임 객체가 월드 좌표의 중심(0, 0, 0) 위치에 있을 때 카메라는 Z 축을 기준으로 약간 뒤, Y 축을 기준으로 약간 위에 위치하는 경우가 많다. 유니티에서 뒤쪽은 Z 축의 -(마이너스)를 의미한다.

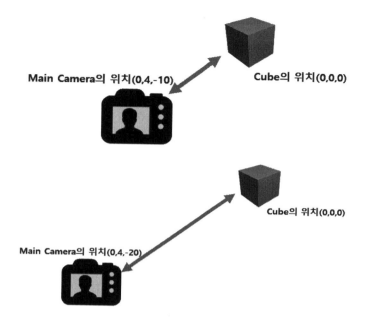

6.2 벡터

유니티에서 벡터는 객체의 위치나 방향을 표시하거나 지시할 때 사용한다. 3D 게임을 구현할 때에는 3차원인 Vector3를 많이 사용한다. 앞에서 언급했듯이 Vector3는 X, Y, Z 축을 나타낸다. 화면 오른쪽과 왼쪽은 X 축의 양의 방향과 음의 방향을 나타내고, 화면 위쪽과 아래쪽은 Y 축의 양의 방향과 음의 방향을 나타낸다. 화면으로 들어가는 방향과 나오는 방향은 Z 축의 양의 방향과 음의 방향을 나타낸다.

X, Y, Z 3개의 축이 있을 때 축을 따르는 벡터는 다른 방식으로도 표현할 수 있다. (0, 0, 1)은 Z 축의 양의 방향을 나타내는 벡터이므로 Vector3.forward로 표현하기도 한다. 따라서 (0, 0, 1)과 Vector3.forward은 같은 벡터를 의미한다. 마찬가지로 (0, 0, -1)과 Vector3.back은 서로 같은 벡터이다. 다음의 벡터도 서로 같다.

(0, 1, 0) = Vector3.up
(0, -1, 0) = Vector3.down

(1, 0, 0) = Vector3.right

(-1, 0, 0) = Vector3.left

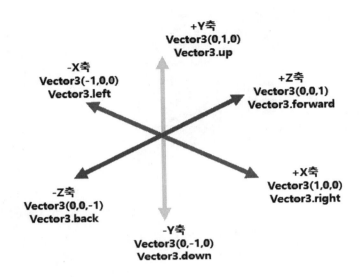

6.3 Transform

Transform 컴포넌트는 씬 내의 모든 객체의 Position, Rotation 및 Scale을 결정한다.
모든 객체는 각각 Transform을 가진다. 프로그래머가 어떤 객체의 Position, Rotation
및 Scale의 값을 수정하면 이에 따라 해당 객체가 이동, 회전, 크기 변환을 하게 된다.
실제 스크립트에서 Transform을 이용하여 어떻게 이동, 회전, 크기 변환을 하는지
살펴보자.

6.3.1 이동

프로젝트 이름이 Transform인 새 프로젝트를 만든다.

씬에 Plane, Cube 객체를 하나씩 추가한다. Cube 객체의 Y 위치 값을 0.5으로 변경한다. 제대로 Plane, Cube 객체가 추가되면 아래와 같은 씬 화면이 보일 것이다.

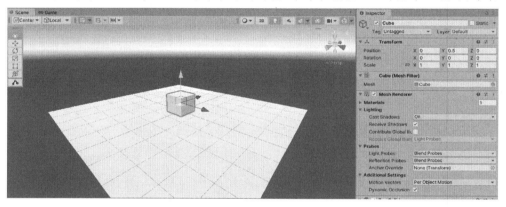

프로젝트 뷰에서 [+] 버튼을 클릭해 C# 스크립트를 생성하고, 스크립트 이름을 Translate로 변경한다.

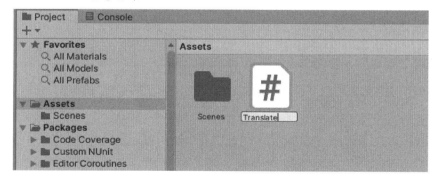

프로젝트 뷰의 Translate 스크립트 아이콘을 더블클릭하여 비주얼 스튜디오를 실행한다. 비주얼 스튜디오에서 다음과 같이 프로그래밍한다.

```
public class Translate : MonoBehaviour {
    Vector3 v3;

    // Use this for initialization
    void Start () {
        v3 = new Vector3 (0, 0, 1);
    }

    // Update is called once per frame
    void Update () {
        transform.Translate(v3);
    }
}
```

프로그래밍이 완료되면 비주얼 스튜디오에서 Ctrl+S 키를 눌러 저장한다. 방금 입력한 Translate 스크립트 파일을 씬 뷰의 Cube 객체에 드래그 앤드 드롭한다. Translate 스크립트 파일이 Cube 객체에 적용되면 Cube 인스펙터 뷰에 Translate 스크립트가 컴포넌트로 추가된다.

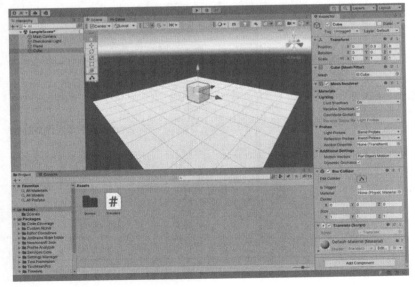

Scene 탭의 오른쪽에 있는 Game 탭을 오른쪽으로 드래그 앤드 드롭하여 씬 뷰와 게임 뷰가 동시에 보이도록 한다.

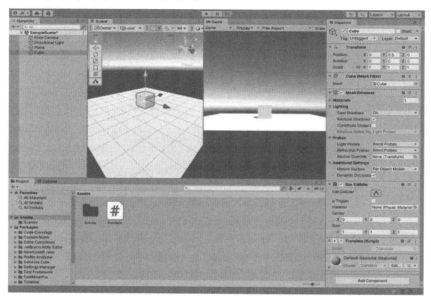

플레이 버튼을 클릭해 게임을 시작하자. 씬 뷰와 게임 뷰를 동시에 볼 수 있어 객체의 움직임을 쉽게 확인할 수 있다. 게임을 시작하면 Cube 객체가 Z 축의 양의 방향으로 움직이는 것을 볼 수 있다. Z 축의 양의 방향은 모니터 화면 속 방향이다.

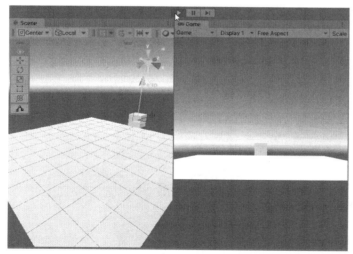

프로그램이 처음 시작할 때 v3 변수에 (0, 0, 1)을 설정했다. 그리고 Update() 함수가 호출될 때마다 스크립트가 적용된 객체가 Z 축 양의 방향으로 1씩 이동한다. Translate() 함수는 transform을 주어진 벡터 방향과 크기로 이동하는 일을 한다. 방향은 Z 축의 양의 방향이고, 크기는 1이다. 방향과 크기가 필요하므로 벡터를 사용한 것이다. Translate 스크립트가 현재 Cube 객체에 적용되었기 때문에 transform은 Cube가 된다.

만약 스크립트가 Plane 객체에 적용되면 transform은 Plane이 된다. Cube 객체에 적용된 Translate 스크립트를 제거해보자. 어떤 객체에 추가된 컴포넌트를 제거하는 방법은 아래 그림처럼 인스펙터 뷰에서 해당 컴포넌트 이름을 마우스 우측 클릭하고 [Remove Component] 메뉴를 선택하면 된다.

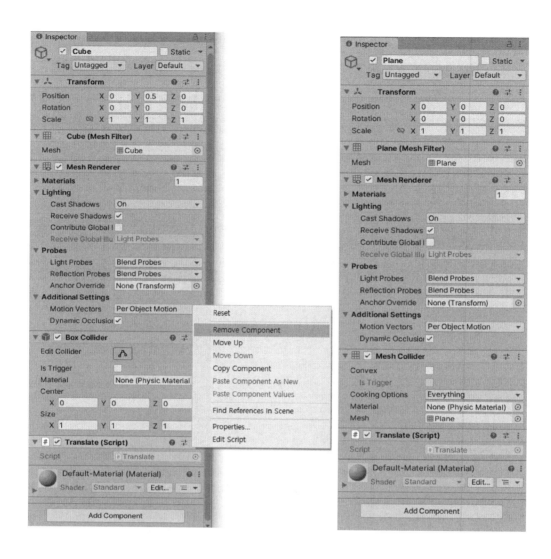

Cube 객체에 적용된 Translate 스크립트가 제거되었으면 Translate 스크립트를 이번에는 Plane 객체에 추가해보자. Plane 객체의 인스펙터 뷰에 Translate 스크립트가 추가되었다.

플레이 버튼을 클릭해 게임을 시작하면 Plane 객체가 Z 축의 양의 방향으로 움직이기 시작한다.

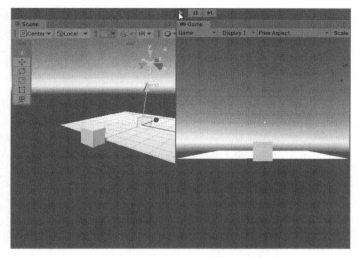

만약 Cube와 Plane 객체 모두에게 Translate 스크립트를 추가하면 둘 다 Z 축의 양의 방향으로 움직일 것이다.

스크립트가 게임 객체를 움직이도록 만든 것이다. 스크립트 파일에서 특히 Update() 함수가 중요한 역할을 담당한다. Update() 함수는 1초에도 수십 번 호출된다. Update() 함수가 호출될 때마다 게임 데이터의 값을 조금씩 바꾸면 객체들이 움직일 수 있다. Update() 함수에 있는 transform.Translate(v3); 문장은 Update() 함수가 호출될 때마다 1만큼 Z 축의 양의 방향으로 해당 객체를 움직이게 한다.

지금까지 작업한 내용을 저장한다. 씬 내용을 저장하기 위해서는 [File / Save Scene as...] 메뉴를 순서대로 선택하면 된다. 파일 이름을 Translate로 입력하고 [저장] 버튼을 클릭한다.

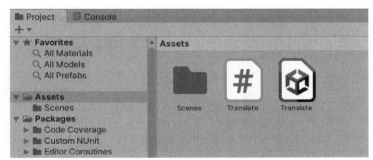

6.3.2 회전

이번에는 회전에 대해 공부해보자. 유니티에서 [File / New Scene] 메뉴를 선택해 새 씬을 하나 만든다. 이동과 동일한 방법으로 실습을 진행한다. 씬에 Plane, Cube 객체를 하나씩 추가한다. Cube의 Y 위치 값을 0.5로 변경한다.

제대로 Plane, Cube 객체가 추가되면 아래와 같이 씬 화면을 볼 수 있다.

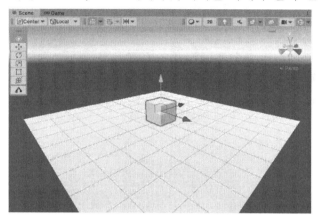

프로젝트 뷰의 [+] 버튼을 클릭해 C# 스크립트를 생성하고 이름을 Rotate로 변경한다.

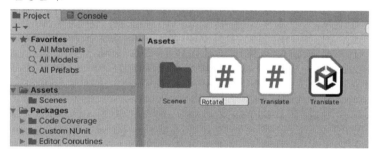

프로젝트 뷰의 Rotate 스크립트 아이콘을 더블클릭하여 비주얼 스튜디오를 실행한다. 비주얼 스튜디오에서 Rotate 스크립트를 다음과 같이 프로그래밍한다.

```
public class Rotate : MonoBehaviour {
    Vector3 v3;

    // Use this for initialization
    void Start () {
        v3 = new Vector3 (0, 1, 0);
    }

    // Update is called once per frame
    void Update () {
        transform.Rotate (v3);
    }
}
```

프로그래밍이 완료되면 비주얼 스튜디오에서 Ctrl+S 키를 눌러 저장한다. 유니티에서
Rotate 스크립트 파일을 Cube 객체에 드래그 앤드 드롭한다. 스크립트 파일이 Cube
객체에 적용되면 Cube 인스펙터 뷰에 Rotate 스크립트가 컴포넌트로 추가된다.

Scene 탭의 오른쪽에 있는 Game 탭을 오른쪽으로 드래그 앤드 드롭하여 씬 뷰와
게임 뷰가 동시에 보이도록 한다. 플레이 버튼을 클릭해 게임을 시작하자. 게임을
시작하면 Cube 객체가 Y 축을 중심으로 시계 방향으로 회전한다.

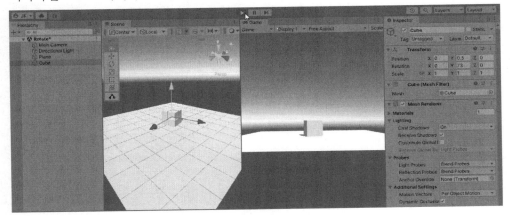

프로그램이 처음 시작될 때 v3 변수에 (0, 1, 0)을 설정했다. 그리고 Update() 함수가 호출될 때마다 Cube 객체가 Y 축을 기준으로 시계 방향으로 조금씩 회전한다. 회전은 Rotate() 함수를 통해 이루어진다. Rotate() 함수는 주어진 객체를 특정 벡터를 기준으로 회전시키는 기능을 수행한다. 이 스크립트가 현재 Cube 객체에 적용되었기 때문에 소스에서의 transform은 Cube 객체이다.

Cube 객체가 회전할 때 인스펙터 뷰의 Transform 컴포넌트를 자세히 살펴보자. Rotation 속성의 Y 값이 계속해서 변하는 것을 확인할 수 있다. 0에서 180까지 점점 커지고, 다시 -179에서 0까지 변한다. 이후 계속해서 반복된다.

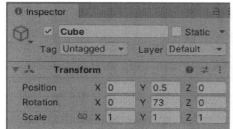 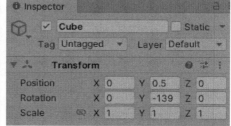

이동에서와 마찬가지로 Cube 객체에 적용된 Rotate 스크립트를 제거하고, Rotate 스크립트를 Plane 객체에 추가해보자. 플레이 버튼을 클릭해 게임을 시작하면 Plane 객체가 Y 축을 기준으로 시계 방향으로 회전한다.

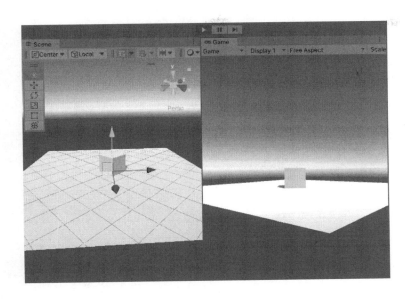

지금까지 작업한 내용을 저장한다. 씬 내용을 저장하기 위해서는 [File / Save Scene as...] 메뉴를 순서대로 선택하면 된다. 파일 이름을 Rotate로 입력하고 [저장] 버튼을 클릭한다.

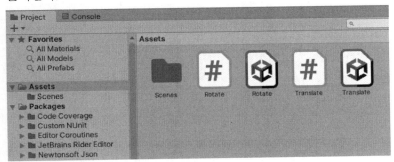

6.3.3 키 입력

유니티 C#에서 키 입력을 처리하는 방법을 알아 보자. 키 입력을 처리하기 위해 자주 사용하는 함수는 아래와 같다. 모두 Input 클래스에 정의되어 있다. 따라서 Input.GetKey()와 같이 Input 클래스를 명시해서 사용해야 한다.

- GetKey()
- GetButton()
- GetAxis()

GetKey() 함수는 컴퓨터 키보드의 어느 키가 눌리고 해제되었는지를 알아낼 때 사용한다. KeyCode에 정의되어 있는 값을 사용하는데 KeyCode는 우리가 일반적으로 사용하는 컴퓨터 키보드 값을 의미한다.

```
if (Input.GetKey(KeyCode.UpArrow))
{
    …
}
if (Input.GetKey(KeyCode.A))
{
    …
}
```

첫 번째 if 문은 위쪽 방향키가 눌러졌는지를 체크하고, 두 번째 if 문은 알파벳 A 키가 눌러졌는지를 체크하는 소스이다.

[File / New Scene] 메뉴를 선택해 새 씬을 만들어 키 입력 프로그램을 만들어보자. 씬에 Plane, Cube 객체를 하나씩 추가한다. Cube 객체의 Y 위치 값을 0.5로 변경한다. 프로젝트 뷰에서 C# 스크립트를 생성하여 이름을 KeyInput으로 입력한다. 프로젝트 뷰의 KeyInput 스크립트 아이콘을 더블클릭하여 비주얼 스튜디오를 실행한다. 비주얼 스튜디오에서 다음과 같이 프로그래밍한다.

```
public class KeyInput : MonoBehaviour {
    Vector3 v3;
```

```
    // Use this for initialization
    void Start () {
        v3 = new Vector3 (0, 1, 0);
    }


    // Update is called once per frame
    void Update () {
        if (Input.GetKey (KeyCode.LeftArrow)) {
            transform.Rotate (v3);
        }
    }
}
```

프로그래밍이 완료되면 Ctrl+S 키를 눌러 저장한다. 유니티에서 KeyInput 스크립트 파일을 하이어라키 뷰 또는 씬 뷰의 Cube 객체에 드래그 앤드 드롭한다. 스크립트 파일이 Cube 객체에 적용되면 Cube 인스펙터 뷰에 KeyInput 스크립트가 컴포넌트로 추가된다. 아래 그림처럼 Scene 탭의 오른쪽에 있는 Game 탭을 드래그 앤드 드롭하여 씬 뷰와 게임 뷰가 동시에 보이도록 한다. 플레이 버튼을 클릭해 게임을 시작해보자.

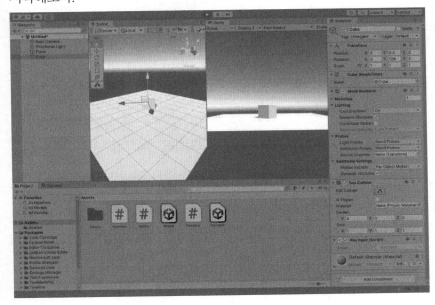

왼쪽 방향키를 누르면 큐브가 시계 방향으로 회전한다. 오른쪽 방향키에는 반응하지 않는다. 매번 호출되는 Update() 함수에서 KeyCode.LeftArrow 값을 체크하고 있다. 왼쪽 방향키가 눌러졌는지를 체크해서 만약 눌러졌다면 if 문이 실행되고 transform을 회전시킨다. KeyInput 스크립트가 Cube 객체에 추가되어 있기 때문에 해당 transform은 Cube 객체이다.

```
if (Input.GetKey (KeyCode.LeftArrow)) {
    transform.Rotate (v3);
}
```

이번에는 GetButton() 함수에 대해 알아보자. GetButton() 함수는 유니티에서 별도로 정의된 키값을 입력받을 때 사용한다. 유니티에서 키값을 별도로 정의하는 방법은 다음과 같다. 먼저 유니티의 [Edit / Project Setttings] 메뉴를 선택한다.

나타나는 Project Setttings 창의 왼편에서 Input Manager를 클릭한다.

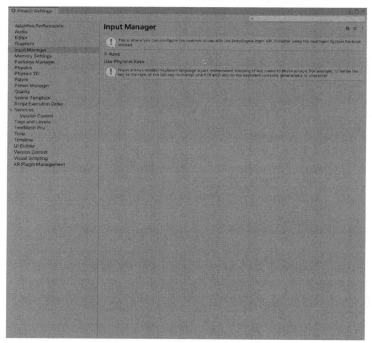

Axes를 클릭하면 아래 화면처럼 보인다.

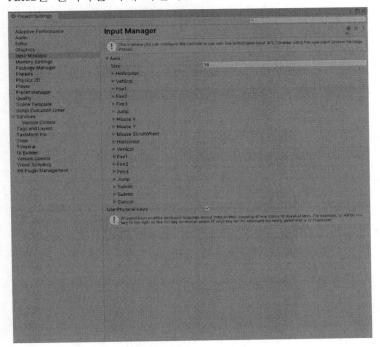

총 18개의 입력값이 정의된 것을 볼 수 있다. Horizontal을 확장하면 left, right 키가
정의되어 있다. a, d 키는 대체(Alt) 키로 정의되어 있다. 대체키는 주 키는 아니지만
주 키와 같은 역할을 하는 키이다.

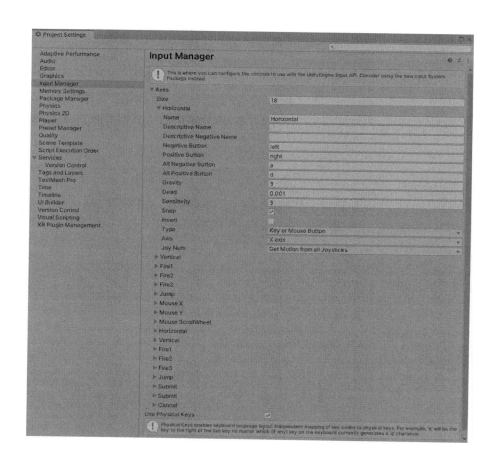

유니티 내부에서 별도로 정의된 키값을 이용하여 프로그래밍하는 방법은 아래과 같다.

```
if (Input.GetButton("Horizontal")) {
    …
}
if (Input.GetButton("Fire1")) {
    …
}
```

첫 번째 if 문은 왼쪽, 오른쪽 방향키가 눌러졌는지를 체크하고, 두 번째 if 문은 왼쪽 Ctrl 키 또는 마우스 왼쪽 버튼이 눌러졌는지를 체크하는 소스이다. 프로그램을 아래와 같이 수정해서 플레이 버튼을 클릭해보자.

```
public class KeyInput : MonoBehaviour {
    Vector3 v3;

    // Use this for initialization
    void Start () {
        v3 = new Vector3 (0, 1, 0);
    }

    // Update is called once per frame
    void Update () {
        if (Input.GetButton ("Horizontal")) {
            transform.Rotate (v3);
        }
    }
}
```

유니티에서 Horizontal은 left, right 키로 정의되어 있다. 따라서 왼쪽, 오른쪽 방향키를 누르면 transform 즉, Cube 객체가 회전한다. 위 소스에서는 왼쪽 방향키, 오른쪽 방향키 어느 키를 눌러도 Cube 객체는 동일한 방향으로 회전한다.

마지막으로 GetAxis() 함수에 대해 알아보자. GetKey()와 GetButton()은 참, 거짓을 반환하는 함수인데, GetAxis() 함수는 -1~1의 실숫값을 반환한다. 키보드일 경우 -1, 0, 1의 정숫값을 반환하지만, 조이스틱과 같은 입력장치일 경우에는 실수를 반환한다.

```
public class KeyInput : MonoBehaviour {
    Vector3 v3;

    // Use this for initialization
```

```
void Start () {
    v3 = new Vector3 (0, 1, 0);
}


// Update is called once per frame
void Update () {
    float h = Input.GetAxis("Horizontal");
    transform.Rotate (v3*h);
}
}
```

위 소스에서 float h = Input.GetAxis("Horizontal"); 문장을 실행할 때, 사용자가 왼쪽
방향키를 눌러주면 h 값은 -1이 된다. 따라서 Cube 객체가 반시계 방향으로 회전한다.
만약 사용자가 오른쪽 방향키를 눌러주면 h 값은 1이 되고, Cube 객체는 시계
방향으로 회전한다. 그리고 대체키인 a, d 키에도 반응한다. 물론 키를 입력하지 않으면
Cube 객체는 움직이지 않는다.

지금까지 작업한 내용을 저장한다. 씬 내용을 저장하기 위해서는 [File / Save Scene
as...] 메뉴를 순서대로 선택하면 된다. 파일 이름을 KeyInput라고 입력하고 [저장]
버튼을 클릭한다.

6.3.4 점프

새 씬을 만들어 객체를 점프할 수 있게 만들어보자. 유니티에서 [File / New Scene]
메뉴를 순서대로 선택한다. 씬에 Plane, Cube 객체를 하나씩 추가한다. Cube 객체의 Y
위치 값을 0.5로 수정하여 Plane 객체 바로 위에 놓이게 한다.

하이어라키 뷰에서 Cube 객체를 선택하고 인스펙터 뷰에 있는 [Add Component]
버튼을 클릭한다. 나타나는 메뉴에서 [Physics] 메뉴와 [Rigidbody] 메뉴를 순서대로

선택한다.

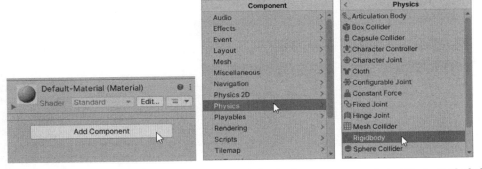

Rigidbody] 메뉴를 선택하면 Cube 인스펙터 뷰에 Rigidbody 컴포넌트가 추가된다.

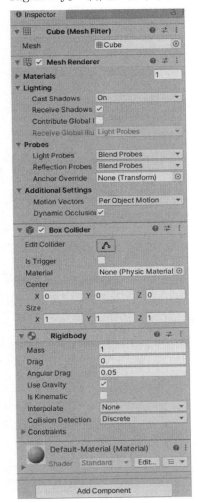

Rigidbody 컴포넌트는 앞에서 설명한 바와 같이 선택된 객체를 강체로 만든다. 강체는 딱딱한 물체이다. 당연히 무게가 있어 힘을 가하면 움직인다. 만약 연기와 같은 물체라면 힘을 가한다고 움직이지는 않는다. Cube 객체가 리지드바디가 되었으니 Cube 객체에 일정한 속도도 부여할 수 있다.

프로젝트 뷰에서 [+] 버튼을 클릭해 C# 스크립트를 생성한다. 생성된 스크립트의 이름을 Jump로 변경한다. 프로젝트 뷰의 Jump 스크립트 아이콘을 더블클릭하여 비주얼 스튜디오를 실행한다.

비주얼 스튜디오에서 다음과 같이 프로그래밍한다.

```
public class Jump : MonoBehaviour {

    // Use this for initialization
    void Start () {

    }

    // Update is called once per frame
    void Update () {
        if (Input.GetButton("Jump"))
        {
            GetComponent<Rigidbody>().velocity = new Vector3(0, 5, 0);
        }
    }
}
```

입력이 끝나면 Ctrl+S 키를 눌러 저장하고, Jump 스크립트를 Cube 객체에 드래그 앤드 드롭한다. 드래그 앤드 드롭하면 Cube 객체에 Jump 스크립트가 추가된다.

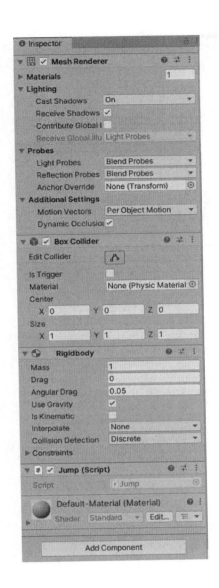

유니티 키입력에는 점프를 space로 설정해놓았다. 대체키는 빈칸으로 되어 있지만, 만약 프로그래머가 특정키를 입력해 놓으면 그 키도 Jump 키로 인식된다. 예를 들어 Alt Positive Button 칸에 k 라고 입력하면 스페이스 키뿐 아니라 k 키도 Jump 키로 인식된다.

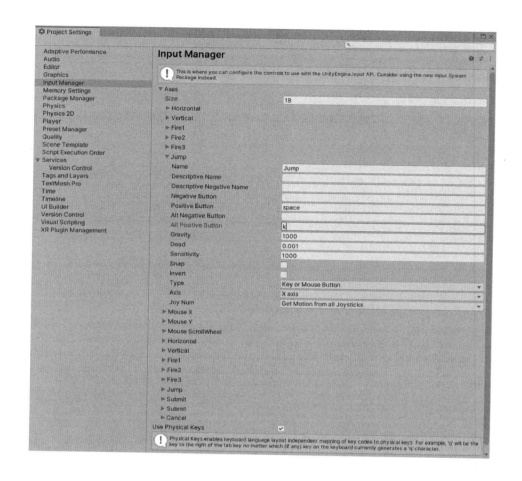

Jump 키를 누르면(여기서는 스페이스 키가 Jump 키이다) if 문이 참이 되고, 리지드바디를 검색한다. 현재 Cube 객체에 Jump 스크립트가 추가된 상태이다. 따라서 Cube 객체에서 리지드바디를 검색한다. 이 리지드바디에 속도를 설정하는 것이다. 방향은 Y 축의 양의 방향이고 크기는 5이다. 따라서 스페이스 키를 누르면 Cube 객체가 Y 축의 양의 방향으로 속도 5 크기로 올라간다.

플레이 버튼을 클릭해 게임을 실행해보자. 스페이스 키를 누르면 Cube 객체가 위로 움직였다가 다시 바닥으로 떨어진다. 위로 움직이는 이유는 Y 축 양의 방향으로 크기 5만큼 속도를 부여했기 때문이다. 이후 아래로 떨어지는 이유는 큐브에 중력이 작용하기 때문이다.

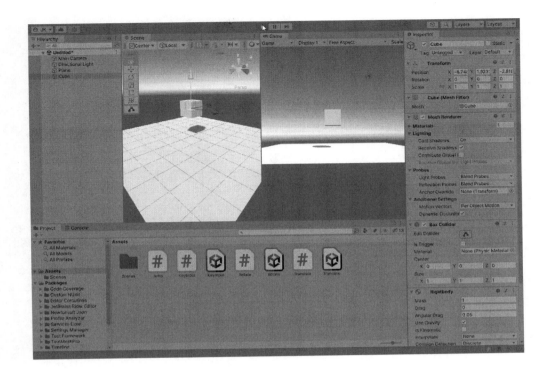

Jump.cs 스크립트를 약간 수정해보자. 이번에는 리지드바디 컴포넌트의 속도를 설정하는 대신 AddForce() 함수를 이용한다.

```
public class Jump : MonoBehaviour {

    // Use this for initialization
    void Start () {

    }

    // Update is called once per frame
    void Update () {
        if (Input.GetButton("Jump"))
        {
            GetComponent<Rigidbody> ().AddForce (new Vector3 (0, 80,
```

```
    0));
        }
    }
}
```

AddForce() 함수는 Cube 객체의 리지드바디 컴포넌트에 힘을 가하는 함수이다. 가하는 힘의 방향과 크기는 (0, 80, 0)이다. 플레이 버튼을 클릭해 게임을 실행해보면 앞과 동일한 결과를 얻을 수 있다.

현실 세계에서 두 물체에 같은 힘을 가하는 경우 무거운 물체가 가벼운 물체보다 덜 움직여야 한다. 그러나 게임 객체에 속도를 직접 설정하면 객체의 무게와는 상관없이 같은 속도로 움직인다. 즉, 속도를 직접 설정하면 객체는 무게와 상관없게 움직인다.

따라서 현실 세계와 같은 효과를 내기 위해서는 게임 객체에 직접 속도를 설정하는 것보다 객체에 포함된 리지드바디에 힘을 가하는 것이 더 좋다. 리지드바디에 무게를 설정하는 방법은 아래 그림과 같이 Rigidbody의 mass 값을 수정하면 된다. 숫자가 커질수록 무거워진다.

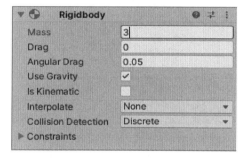

지금까지 작업한 내용을 저장한다. 씬 내용을 저장하기 위해서는 [File / Save Scene as...] 메뉴를 순서대로 선택하면 된다. 파일 이름을 Jump라고 입력하고 [저장] 버튼을 클릭한다.

154

6.4 중력 설정

현실 세계에서 중력은 언제나 위에서 아래로 작용한다. 그러나 유니티에서의 중력은 현실 세계와는 다르게 작용할 수 있다. 이번 절에서는 중력에 대해 실습해보자. [File / New Scene] 메뉴를 순서대로 선택해 새 씬을 만든다.

새 씬을 만들어 Plane, Cube 객체를 하나씩 추가한다. Cube 객체의 Y 위치 값을 3으로 수정한다. Cube 객체를 Plane 객체 위에 떠 있게 한 것이다. Cube 객체를 선택하고 리지드바디를 추가한다.

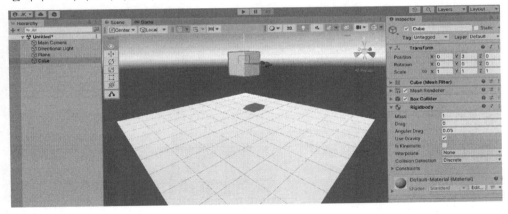

유니티에 설정된 중력을 살펴보자. 유니티 메인 메뉴에서 [Edit / Project Settings / Physics] 메뉴를 순서대로 선택한다.

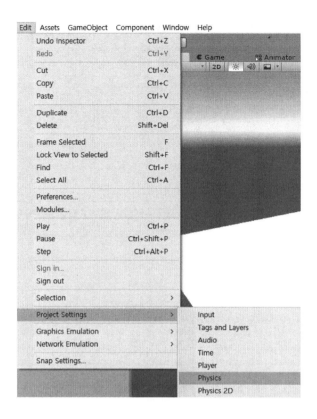

인스펙터 뷰에서 중력 옵션을 설정할 수 있다. Gravity의 초깃값으로 Y 값이 −9.81로 설정되어 있다. Y 값 마이너스는 아래 방향을 나타내며, 따라서 중력 가속도는 9.81이 된다.

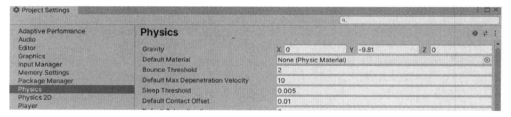

만약 중력 가속도의 크기를 더 크게 하면 물체는 더 빨리 바닥에 떨어진다. 현재는 위에서 아래로 중력이 작용하지만 유니티 엔진을 사용하면 Y 축 이외에도 X 축, Z 축 방향으로도 중력이 작용하게 만들 수 있다. Gravity의 Y 축 값은 0으로 설정하고, X 축 값을 10으로 바꿔 보자. 플레이 버튼을 클릭해 게임을 시작하면 Cube 객체가 X 축 양의 방향으로 움직이는 것을 알 수 있다. X 축으로 중력이 작용하면 게임 객체는 X 축 방향으로 힘을 받는다.

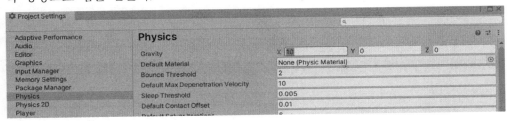

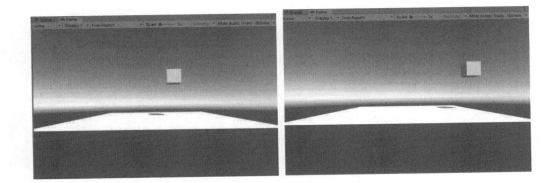

다음 실습을 위해 중력의 크기를 X 값을 0으로하고, Y 값은 -9.81로 원상 복구한다. 지금까지 작업한 내용을 저장한다. 씬 내용을 저장하기 위해서는 [File / Save Scene as...] 메뉴를 순서대로 선택하면 된다. 파일 이름을 Gravity라고 입력하고 [저장] 버튼을 클릭한다.

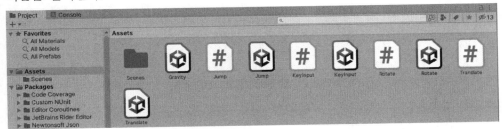

7장. 충돌

현실 세계에서 두 물체가 부딪히면 튕기거나 찌그러진다. 게임에서는 물체가 부딪힐 때 이러한 충돌 현상을 묘사할지 안 할지는 선택 사항이다. 현실감 있게 구현하려면 컴퓨터 자원을 소모해야 한다. 컴퓨터의 자원 소모는 게임이 느려지는 원인이 될 수 있다.

게임을 현실감 있게 구현하기 위해 유니티는 물리 연산을 실행한다. 게임에서 물리 연산은 물체가 중력의 영향으로 아래로 떨어지는 현상이나, 물체의 충돌 시 찌그러짐 또는 튕김, 연기의 확산 등을 예로 들 수 있다. 이러한 물리 연산을 실행하면 좀 더 현실감 있는 게임을 만들 수 있다는 장점이 있지만, 컴퓨터 자원을 소모한다는 단점도 있다. 따라서 필요한 부분이라면 물리 연산을 사용해야 하겠지만 보통의 경우는 충돌이 일어났다는 사실만 알아도 충분할 때가 많다.

간단한 슈팅 게임의 경우 플레이어가 쏜 총알이 적에게 맞았다는 사실만 알면 된다. 적이 플레이어가 쏜 총알에 맞으면 적의 HP를 감소시키거나 적을 제거하면 된다. 적이 총알에 맞았을 때 튕겨 나가거나 쓰러지는 등의 구체적인 묘사를 할 필요는 없다. 물론 자세한 묘사는 게임의 질을 높이는 중요한 일이지만 게임이 느려지는 원인이 될 수 있다는 것을 잊지 말아야 한다.

예제를 직접 구현하면서 충돌에 대한 개념을 이해해보자.

7.1 플레이어의 이동

프로젝트 이름이 Collision인 새 프로젝트를 만든다.

씬에 Plane, Cube 객체를 하나씩 추가한다. Cube 객체의 Y 위치 값을 0.5로 수정한다. 하이어라키 뷰에서 Cube 객체를 선택하고 Ctrl+D 키를 누른다. Ctrl+D 키를 누르면 Cube (1)이 복사된다. 유니티에서 Ctrl+D 키는 선택한 객체를 복사하라는 의미이다.

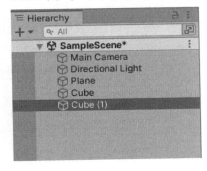

Cube와 Cube (1)의 이름을 각각 Player와 Box로 변경한다. 객체의 이름을 변경하는 방법은 먼저 하이어라키 뷰에서 원하는 객체를 선택한 후, F2 키를 누르면 된다. 이름을 변경하고 엔터키를 누르면 이름 변경이 완료된다.

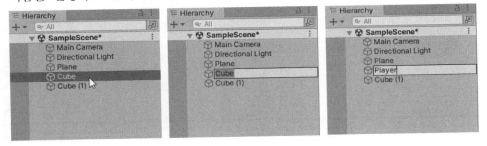

Player의 위치를 (-2, 0.5, 0)으로 수정하고, Box 위치를 (2, 0.5, 0)으로 수정한다. 겹쳐 있던 두 객체가 떨어진다.

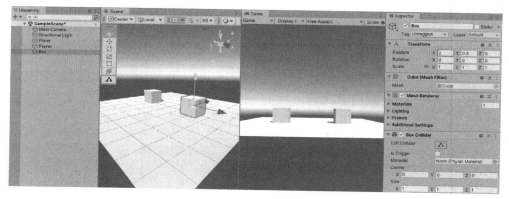

하이어라키 뷰에서 Player 객체를 선택하고 인스펙터 뷰의 [Add Component] 버튼을 클릭한다. 나타나는 메뉴에서 [Physics] 메뉴와 [Rigidbody] 메뉴를 순서대로 선택하면 Player 객체에 리디드바디가 추가된다.

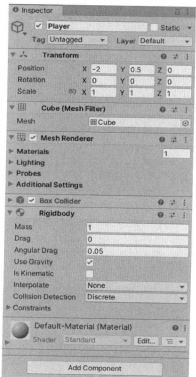

프로젝트 뷰에서 [+] 버튼을 클릭해 C# 스크립트를 생성하고, 이름을 Move라고 변경한다. 프로젝트 뷰의 Move 스크립트 아이콘을 더블클릭하여 비주얼 스튜디오를 실행한다. 비주얼 스튜디오에서 다음과 같이 프로그래밍한다.

```csharp
public class Move : MonoBehaviour {
    Vector3 right = new Vector3(1, 0, 0);
    Vector3 forward = new Vector3(0, 0, 1);

    // Use this for initialization
    void Start () {

    }

    // Update is called once per frame
    void Update () {
        float h = Input.GetAxis("Horizontal");
        float v = Input.GetAxis("Vertical");

        h = h * Time.deltaTime;
        v = v * Time.deltaTime;

        transform.Translate(right * h * 20);
        transform.Translate(forward * v * 20);
    }
}
```

프로그래밍이 완료되면 비주얼 스튜디오에서 Ctrl+S 키를 눌러 저장한다. 유니티에서 Move 스크립트 파일을 Player 객체에 드래그 앤드 드롭한다. 스크립트 파일이 Player 객체에 적용되면 Player 인스펙터 뷰에 Move 스크립트가 컴포넌트로 추가된다.

플레이 버튼을 클릭해 게임을 시작해보자. 왼쪽, 오른쪽, 위쪽, 아래쪽 방향키를 누르면 Player 객체가 키에 맞게 움직인다.

프로그램 소스를 이해해보자. 벡터는 앞에서 말했듯이 방향과 크기를 나타낸다. Vector3(1, 0, 0)은 X 축 양의 방향(오른쪽)이면서 크기는 1을 나타낸다. 따라서 right 변수에는 X 축 양의 방향(오른쪽)이면서 크기가 1인 벡터가 저장된다. 마찬가지로 forward 변수에는 방향은 Z 축 양의 방향(모니터 화면으로 들어가는 방향)이면서 크기가 1인 벡터가 저장된다.

Vector3 right = new Vector3(1, 0, 0);

162

```
Vector3 forward = new Vector3(0, 0, 1);
```

매번 프레임이 그려질 때마다 Update() 함수가 호출된다. GetAxis() 함수를 통해 사용자가 방향키를 눌렀는지 확인한다. 사용자가 왼쪽 방향키를 누르면 h 변수에 -1이 저장되고, 오른쪽 방향키를 누르면 1이 저장된다. 같은 방법으로 아래쪽 방향키를 누르면 v 변수에는 -1이 저장되고, 위쪽 방향키를 누르면 1이 저장된다.

```
float h = Input.GetAxis("Horizontal");
float v = Input.GetAxis("Vertical");
```

Time.deltaTime은 Update() 함수가 호출되고 다시 호출될 때까지의 사이 시간이라고 했다. 고성능의 스마트폰일 경우 Update() 함수가 호출되고 다시 호출될 때 까지의 사이 시간은 짧을 것이고, 저성능의 스마트폰일 경우 Update() 함수가 호출되고 다시 호출될 때 까지의 사이 시간은 길 것이다. 다시 말하면 고성능의 스마트폰일 경우 Time.deltaTime 값은 작을 것이고 저성능의 스마트폰일 경우 Time.deltaTime 값은 클 것이다.

```
h = h * Time.deltaTime; //고성능 스마트폰의 경우 h, v 값은 작다.
v = v * Time.deltaTime; //저성능 스마트폰의 경우 h, v 값은 크다.
transform.Translate(right * h);
transform.Translate(forward * v);
```

고성능 스마트폰은 Update() 함수가 저성능 스마트폰보다 더 많은 빈도로 호출된다. 따라서 Translate() 함수를 통해 같은 거리를 이동하면 고성능 스마트폰의 게임 객체가 더 많이 움직이게 된다. 이를 바로잡기 위해 Time.deltaTime 값을 활용한다고 했다.

□ 고성능 스마트폰의 경우

Time.deltaTime이 작아 h, v 값은 작은 수이다. 대신 Update()가 자주 호출된다. 즉 작은 거리를 자주 이동한다.

□ 저성능 스마트폰의 경우

Time.deltaTime이 커 h, v 값은 큰 수이다. 대신 Update()가 가끔 호출된다. 즉 큰 거리를 가끔 이동한다.

결국 고성능 스마트폰과 저성능 스마트폰이 움직인 거리는 같다. Time.deltaTime 값을 이용하면 기기 성능에 차이가 있다 하더라도 같은 시간에 같은 거리를 움직이게 구현할 수 있다.

Time.deltaTime 값은 Update() 함수가 호출되는 사이 시간이므로 매우 작은 숫자이다. 결과적으로 Time.deltaTime 값을 곱한 h, v 값이 너무 작아, 한 번에 매우 적게 움직인다. h, v 값에 일정한 숫자를 곱해줘 움직이는 단위를 크게 해야 사용자가 쉽게 객체를 조정할 할 수 있다. 아래 소스에서는 20을 곱해 객체의 움직임을 빠르게 만들었다.

```
transform.Translate(right * h * 20);
transform.Translate(forward * v * 20);
```

다시 플레이 버튼을 클릭해 게임을 시작해보면 Player의 움직임이 빨라졌음을 알 수 있다.

7.2 충돌 체크

Player 객체를 움직여 옆에 있는 Box 객체와 충돌시켜 보자. Box 객체와 부딪히면 통과하지 못하고 튕겨 나온다. 유니티의 물리 연산이 자동으로 실행되고 있기 때문이다.

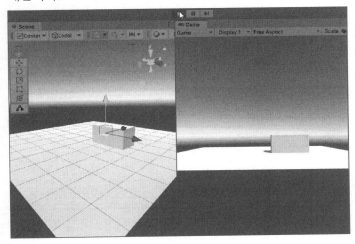

프로젝트 뷰에서 [+] 버튼을 클릭해 C# 스크립트를 생성하고 이름을 CheckCollision으로 변경한다. 프로젝트 뷰의 CheckCollision 스크립트 아이콘을 더블클릭하여 비주얼 스튜디오를 실행한다.

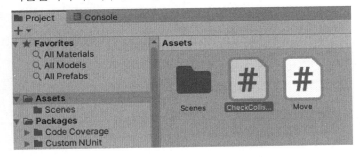

CheckCollision 스크립트 파일에 자동으로 생성된 Start() 함수와 Update() 함수를 삭제하고 아래와 같이 입력한다.

```
public class CheckCollision : MonoBehaviour {
    void OnCollisionEnter(Collision obj)
    {
        Debug.Log("충돌 발생");
```

```
        }
}
```

프로그래밍이 완료되면 비주얼 스튜디오에서 Ctrl+S 키를 눌러 저장한다. 프로젝트
뷰에 있는 CheckCollision 스크립트 파일을 Player 객체에 드래그 앤드 드롭한다.
스크립트 파일이 Player 객체에 적용되면 Player 인스펙터 뷰에 CheckCollision
스크립트가 컴포넌트로 추가된다.

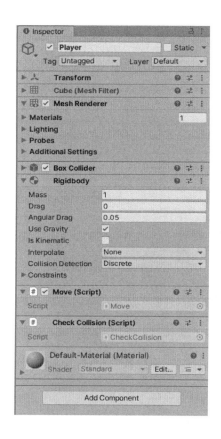

플레이 버튼을 클릭해 게임을 실행해보자. 프로젝트 뷰의 Console 탭을 클릭하면
"충돌 발생"이라는 메시지가 보인다.

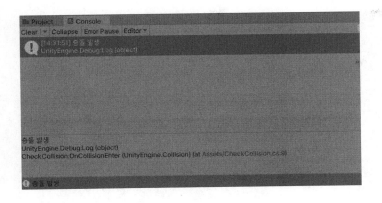

Player 객체에 적용된 CheckCollision 스크립트는 Player 객체에 부딪힌 객체를 찾는다. 게임이 시작하자 마자 바닥과 충돌이 일어났다. 충돌이 일어나면 유니티에 의해 OnCollisionEnter(Collision obj) 함수가 호출된다. 이때 충돌된 객체가 obj 변수에 저장된다. Debug 클래스에 있는 Log() 함수는 파라미터로 주어진 문자열을 콘솔 창에 표시하는 역할을 한다.

게임이 시작하자마자 Player 객체와 바닥 간의 충돌이 일어나고, 이에 OnCollisionEnter() 함수가 호출된다. obj 변수에는 Player 객체와 충돌한 Plane 객체가 저장된다.

void OnCollisionEnter(Collision obj)
{
    Debug.Log("충돌 발생");
}

Player 객체를 움직여 Box 객체와 충돌시켜 보자.

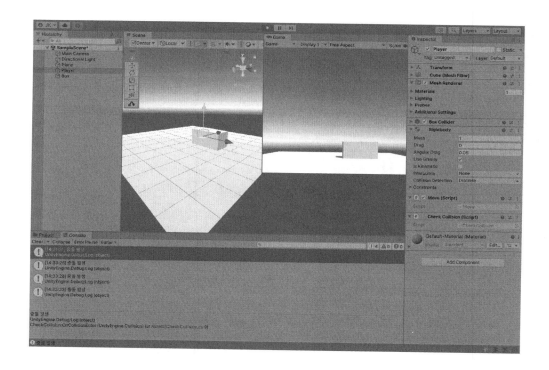

Player 객체가 Box 객체와 충돌할 때마다 "충돌 발생"이라는 메시지가 콘솔 창에 표시된다. Player 객체가 Box 객체와 충돌할 때 obj 변수에 Box 객체가 저장된다. 콘솔창의 [clear] 버튼을 클릭하면 내용이 모두 삭제된다. [clear] 버튼을 클릭해 모든 메시지를 삭제한다.

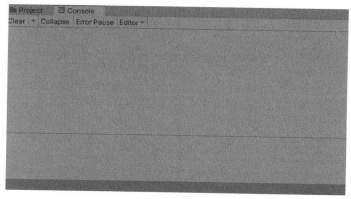

7.3 트리거

하이어라키 뷰에서 Box 객체를 선택하고, 오른쪽 인스펙터 뷰의 Box Collider 컴포넌트의 Is Trigger 속성에 체크표시한다.

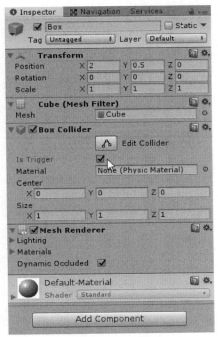

플레이 버튼을 클릭해 게임을 시작해보자. 방향키를 눌러 Player 객체가 Box 객체에 부딪히게 만들자. 이번에는 Player 객체가 Box 객체에 부딪히면 튕기지 않고 Box 객체를 관통한다. 그러나 프로그래머 입장에서는 Player 객체가 Box 객체와 부딪혔다는 사실을 알 수 없다. 이 사실을 알아낼 수 없으면 총알이 적기에 맞았을 때 적기의 HP를 감소시키는 작업을 구현할 수 없다.

부딪히는 두 객체 중 어느 한 객체에 Is Trigger 속성이 체크되어 있으면 OnCollisionEnter() 함수가 호출되는 것이 아니고 OnTriggerEnter() 함수가 호출된다. 따라서 OnTriggerEnter() 함수에서 충돌 사실을 알아내고 원하는 작업을 프로그래밍해야 한다.

프로젝트 뷰에서 [+] 버튼을 클릭해 C# 스크립트를 생성하고 이름을 CheckTrigger로 변경한다.

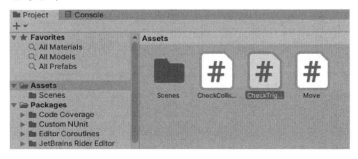

프로젝트 뷰의 CheckTrigger 스크립트 아이콘을 더블클릭하여 비주얼 스튜디오를 실행한다. 비주얼 스튜디오에서 다음과 같이 프로그래밍한다.

```
public class CheckTrigger : MonoBehaviour {
    void OnTriggerEnter(Collider other) {
        Debug.Log("트리거 발생");
    }
}
```

프로그래밍이 완료되면 비주얼 스튜디오에서 Ctrl+S 키를 눌러 저장한다. 유니티에서 CheckTrigger 스크립트 파일을 Player 객체에 드래그 앤드 드롭한다. 스크립트 파일이 Player 객체에 적용되면 Player 인스펙터 뷰에 CheckTrigger 스크립트가 컴포넌트로 추가된다. Box 객체를 선택하고 Box Collider 컴포넌트의 Is Trigger 부분을 체크한다.

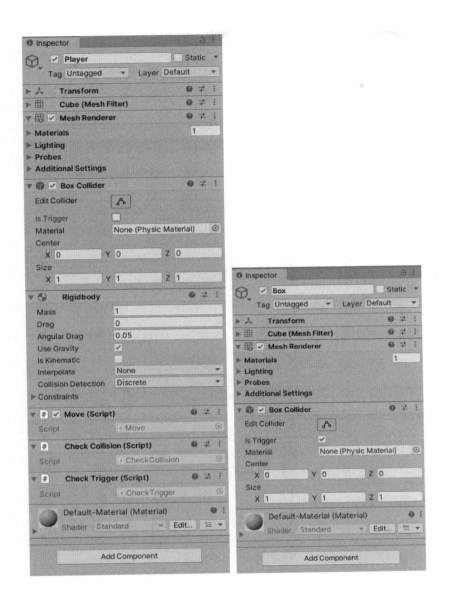

플레이 버튼을 클릭해 게임을 실행해보자. 게임이 실행되자마자 Player 객체와 Plane 객체가 부딪힌다. 이때 CheckCollision() 함수가 호출되면서 콘솔 창에 "충돌 발생" 메시지가 표시된다. Player 객체를 움직여 Box 객체에 부딪히게 만든다. 이때 OnTriggerEnter() 함수가 호출되면서 "트리거 발생" 메시지가 콘솔 창에 표시된다. OnTriggerEnter(Collider obj) 함수의 파라미터 obj에는 부딪힌 객체가 저장된다.

예제에서는 obj 변수에 Box 객체가 저장된다.

```
void OnTriggerEnter(Collider other) {
        Debug.Log("트리거 발생");
}
```

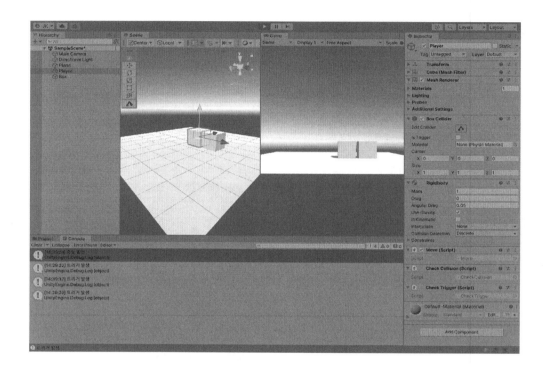

만약 Player 객체에도 Is Trigger 속성에 체크표시를 하면 충돌에 대한 물리 연산이
실행되지 않아 게임 시작과 동시에 Player 객체가 Plane 객체를 뚫고 아래로
떨어진다. Player 객체가 Plane 객체와 부딪힐 때 물리 연산이 일어났고, 그래서
Player 객체가 Plane 객체 위에 있을 수 있었는데, Is Trigger 속성에 체크표시를 해
물리 연산을 일으키지 않으면 Player 객체에 작용하는 중력 때문에 바닥을
통과해버린다.

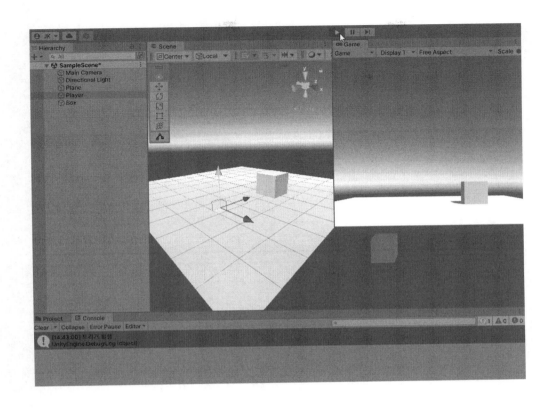

당연한 말이지만 Player 객체의 Use Gravity의 체크표시를 지우면 Player 객체가
아래로 떨어지지 않는다.

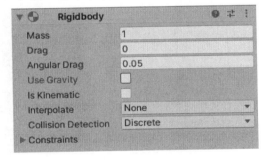

지금까지 작업한 내용을 저장한다. 씬 내용을 저장하기 위해서는 [File / Save Scene
as...] 메뉴를 순서대로 선택하면 된다. 파일 이름을 Collision으로 입력하고 [저장]
버튼을 클릭한다.

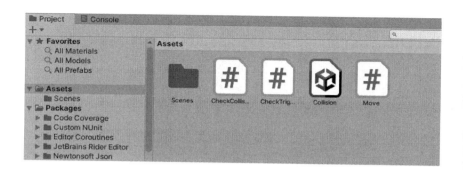

7.4 충돌체

충돌체(Collider)는 충돌을 감지하기 위해 사용하는 컴포넌트로 게임 객체와는 별도의 객체이다. 충돌체는 게임 객체를 둘러싸고 있다. 충돌체는 게임 객체가 힘을 받거나 다른 객체와 충돌할 때 어떻게 처리할 것인지를 결정하기 위한 컴포넌트이다.

게임 객체의 메쉬(mesh) 정보로 충돌체를 만들면 여러 가지 복잡한 문제가 생긴다. 복잡한 메쉬의 정보로 충돌체를 구성하고, 물리 엔진을 적용하면 계산량이 많아져 게임 성능에 큰 영향을 준다. 빠른 계산을 위해 충돌체는 가급적 단순한 도형으로 만드는 것이 효율적이다.

유니티에서는 세 가지의 기본 충돌체(Primitive Collider) 이외에도 복잡한 형태의 충돌체를 만들어 내는 메쉬 충돌체와 자동차 시뮬레이션을 위한 휠(wheel) 충돌체를 제공한다.

<표 7-1> 유니티의 기본 충돌체

충돌체	내용
Box Collider	박스 모양의 충돌체.
Sphere Collider	구 모양의 충돌체. 충돌 탐지 속도가 가장 빠르다.
Capsule Collider	캡슐 모양의 충돌체. 사람이나 나무 같은 형태의 객체에 적합하다.

새 씬을 만들어 충돌체에 대한 실습을 해보자. 현재 씬 Collision.unity를 [File / Save Scene as...] 메뉴를 순서대로 선택해 Collider.unity로 저장한다.

하이어라키 뷰에서 Box 객체를 선택하고 인스펙터 뷰의 Box Collider Size 값을 변경해보자. 처음 설정된 (1, 1, 1)은 Cube 크기 그대로 충돌체를 구성했다. 그러나 Size를 (2, 2, 2)로 변경하면, 충돌체의 크기가 Cube 크기의 2배가 된다. 충돌체의 크기가 2배가 되면 Cube와 충돌이 일어나지 않아도 충돌체와 충돌이 일어나면 충돌로 인식한다. 따라서 충돌체는 객체와 같은 크기여야 게임이 자연스럽다.

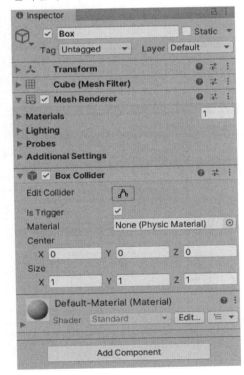

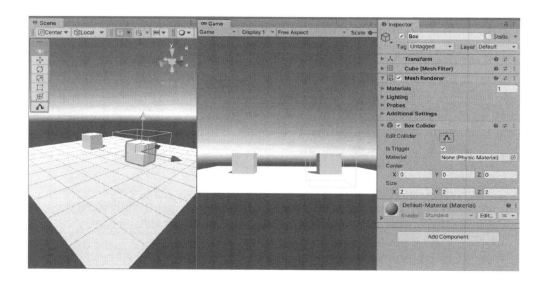

모든 Collider 컴포넌트에는 Is Trigger 속성이 있다. 이 속성을 체크하면 충돌 감지는 되지만 물리적인 충돌은 일어나지 않는다. 즉, 물체가 서로 부딪혀 정지하거나 튕기는 물리적 현상은 일어나지 않게 된다.

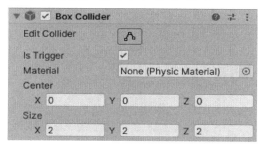

8 장. 카메라

프로젝트 이름이 Camera인 새 프로젝트를 만든다.

씬에 Plane, Cube 객체를 하나씩 추가한다. Cube 객체의 Y 위치 값을 0.5로 수정한다. Cube 객체 이름을 Player로 변경한다. 하이어라키 뷰에서 Main Camera를 선택하면 씬 뷰의 오른쪽 하단에 Camera Preview라는 작은 창을 볼 수 있다. Main Camera를 통해 보이는 화면을 작게 표시한 것이다. Camera Preview는 Game 탭을 클릭해서 보는 게임 뷰와 같다. Main Camera는 게임 사용자의 눈과 같다. 반면 씬 뷰는 프로그래머의 작업 편의성을 위해 얼마든지 뷰를 바꿀 수 있다. 작업의 편의성을 위해 씬의 뷰를 바꿔도 게임 뷰에는 영향을 끼치지 않는다.

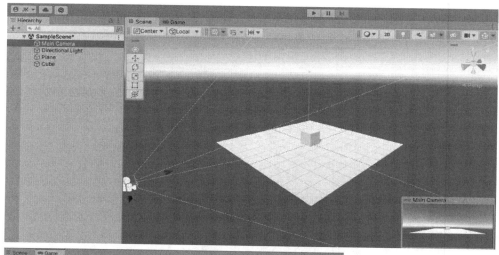

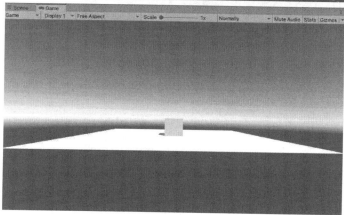

8.1 카메라 위치 조정

현재 Main Camera의 위치는 (0, 1, -10)이다. 이 위치가 Main Camera의 기본 위치이다. Main Camera의 위치를 (0, 5, -8)로 수정해보자. Main Camera를 현재 위치에서 Y 축의 양의 방향으로 4만큼 이동하고 Z 축의 양의 방향으로 2만큼 이동하라는 의미이다. Player 객체의 위치가 (0, 0, 0)이므로 Player에 더 가까이 다가선 셈이다. Camera Preview를 보면 Player 객체가 더 크게 보이지만 완전히 보이지는 않는다. Main Camera를 조금 회전하여 Player 객체가 잘 보이도록 만들어 보겠다.

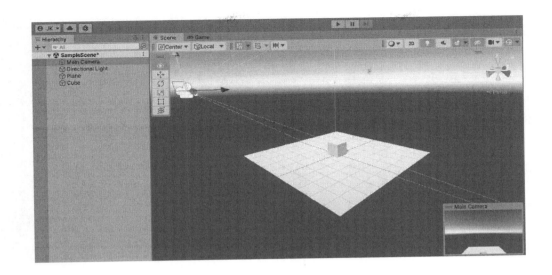

하이어라키 뷰에서 Main Camera를 선택한 상태에서 인스펙터 뷰에 Transform 컴포넌트의 Rotation 속성 값을 수정한다. X 값을 0에서 30으로 수정하면 Main Camera가 X 축을 기준으로 30도 회전한다. 씬 뷰에서도 Main Camera가 30도 회전하는 것이 보인다. Camera Preview 화면을 보면 Player 객체가 더 잘 보인다.

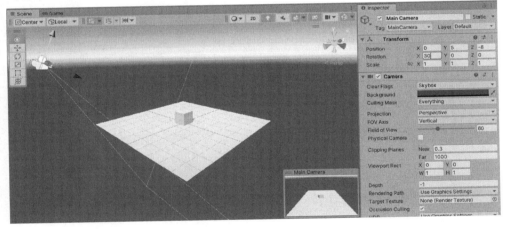

이렇게 Main Camera의 위치나 회전 값을 변경하여 게임 객체를 바라보는 거리와 각도를 조정할 수 있다.

8.2 고정된 카메라 위치

프로젝트 뷰에서 [+] 버튼을 클릭해 C# 스크립트를 생성하고 이름을 Move로 변경한다. 프로젝트 뷰의 Move 스크립트 아이콘을 더블클릭하여 비주얼 스튜디오를 실행한다. 비주얼 스튜디오에서 다음과 같이 프로그래밍한다. 앞 장과 같은 소스이다.

```csharp
public class Move : MonoBehaviour {
    Vector3 right = new Vector3(1, 0, 0);
    Vector3 forward = new Vector3(0, 0, 1);

    // Use this for initialization
    void Start () {

    }

    // Update is called once per frame
    void Update () {
        float h = Input.GetAxis("Horizontal");
        float v = Input.GetAxis("Vertical");

        h = h * Time.deltaTime;
        v = v * Time.deltaTime;

        transform.Translate(right * h * 20);
        transform.Translate(forward * v * 20);
    }
}
```

프로그래밍이 완료되면 비주얼 스튜디오에서 Ctrl+S 키를 눌러 저장한다. 유니티에서 Move 스크립트 파일을 Player 객체에 드래그 앤드 드롭하고, 플레이 버튼을 클릭해 게임을 시작한다. 방향키를 눌러 Player 객체를 움직이다 보면 Player 객체가 게임 사용자 눈에 더 이상 보이지 않을 수 있다.

게임에서 내가 제어하는 캐릭터가 더는 보이지 않는다면 황당한 일이 될 것이다. 이러한 문제가 발생하는 이유는 카메라의 위치가 고정되어 있기 때문이다. 내가 제어하는 캐릭터가 움직일 때 카메라도 캐릭터와 같이 움직이면 내 캐릭터를 잃어버리는 일은 일어나지 않을 것이다.

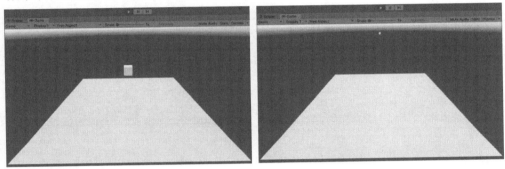

지금까지 작업한 내용을 저장한다. 씬 내용을 저장하기 위해서는 [File / Save Scene as...] 메뉴를 순서대로 선택하면 된다. 파일 이름을 Camera3으로 입력하고 [저장] 버튼을 클릭한다.

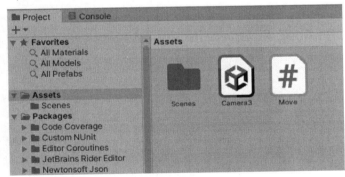

8.3 1인칭 시점

카메라의 시점을 1인칭으로 바꾸면 내가 제어하는 캐릭터가 움직이는 곳으로 카메라의 시점도 같이 이동한다. 카메라의 시점이 캐릭터와 같이 움직이는 1인칭 카메라 시점을 구현해보자.

유니티에서 [File / New Scene] 메뉴를 순서대로 선택해 새 씬을 만든다. 그리고 Plane 객체 하나와 Cube 객체 두 개를 추가한다. Cube 하나는 Player로 또 다른 하나는 Wall로 이름을 변경한다. Player의 Y 위칫값을 0.5로 수정한다. Wall은 다음과 같이 변경한다.

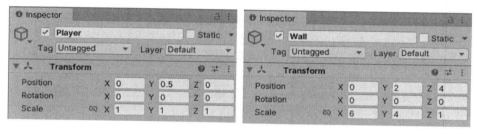

Plane의 Scale도 아래 그림과 같이 변경한다.

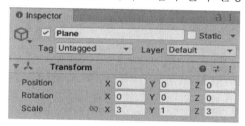

이제 제일 중요한 단계인 카메라를 1인칭 시점으로 바꿔 주는 과정이 남았다. 방법은 아주 간단하다. Main Camera 객체를 Player 객체로 드래그 앤드 드롭한다. 이것으로 끝이다.

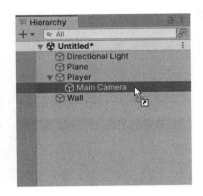

게임 객체에 적용할 매터리얼을 만들기 위해서는 텍스처 이미지가 필요하고 보통은 에셋 스토어에서 다운로드 받는다. 앞 장에서 다운로드 받은 이미지가 있으니 재활용해보자.

탐색기에서 D:\Unity Project\Material\Assets를 검색한다. Vatnick 폴더를 현재 작업하고 있는 프로젝트 뷰로 드래그 앤드 드롭하면 Vatnick 폴더가 프로젝트 뷰로 복사된다.

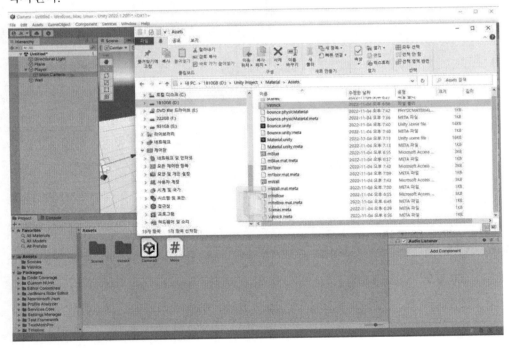

프로젝트 뷰의 [+] 버튼을 클릭해서 매터리얼을 3개 만든다. 각각의 이름을 mFloor, mPlayer, mWall로 변경한다. 각 매터리얼에 다운로드 받은 이미지를 적용한다. 예제에서 적용한 이미지는 아래와 같다.

mFloor – woodPlanks_dirty01
mPlayer – woodPlanks_dirty01
mWall – woodPlanks_bare03

생성된 매터리얼을 게임 객체에 드래그 앤드 드롭한다. mFloor 매터리얼은 Plane 객체로, mPlayer 매터리얼은 Player 객체로, mWall 매터리얼은 Wall 객체로 드래그 앤드 드롭한다.

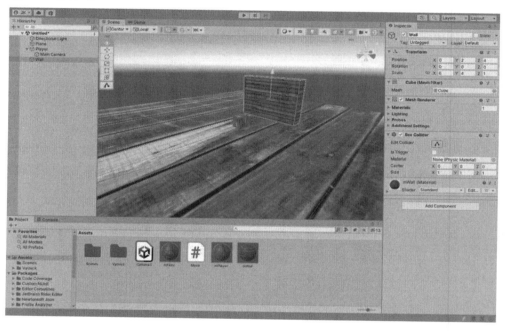

마지막으로 프로젝트 뷰의 Move 스크립트를 Player 객체에 드래그 앤드 드롭한다. Move 스크립트 파일이 Player 객체에 추가되면 Player 객체를 방향키로 움직일 수 있다.

플레이 버튼을 클릭해 게임을 시작해보자. 방향키를 누르면 Player 객체가 움직인다. Player 객체와 일정한 간격을 두고 카메라도 같이 움직인다. 이제 자연스러운 게임 화면이 구현되었다.

지금까지 작업한 내용을 저장한다. 씬 내용을 저장하기 위해서는 [File / Save Scene as...] 메뉴를 순서대로 선택하면 된다. 파일 이름을 Camera1_1로 입력하고 [저장] 버튼을 클릭한다.

8.4 스크립트를 이용한 1인칭 시점

현재 씬에서 1인칭 시점을 다른 방법으로 구현해보자. 앞 절에서는 Main Camera를 플레이어 객체의 자식으로 만들어 1인칭 시점을 구현했다. 이번에는 유니티에서 제공하는 스크립트를 Main Camera에 추가해서 1인칭 시점을 구현해보겠다. 먼저

Player 객체의 자식으로 있는 Main Camera를 원위치한다. 원위치하기 위해서는
하이어라키 뷰에서 Main Camera를 클릭하고 하이어라키 뷰의 비어 있는 공간으로
드래그 앤드 드롭하면 된다.

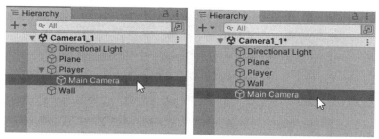

Main Camera가 비어 있는 공간으로 나오면 Main Camera를 다시 클릭해서
하이어라키 뷰의 제일 위로 드래그 앤드 드롭하여 최초 위치로 원위치시킨다.

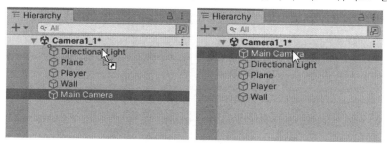

[Windows / Asset Store] 메뉴를 순서대로 선택해 Asset Store를 실행시킨다. standard
asset을 검색어로 입력하여 나온 결과 화면에서 UNITY TECHNOLOGIES의
Standard Asset을 클릭한다.

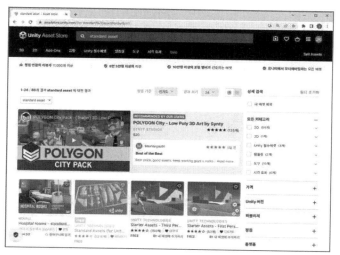

[Unity에서 열기] 버튼을 클릭한다.

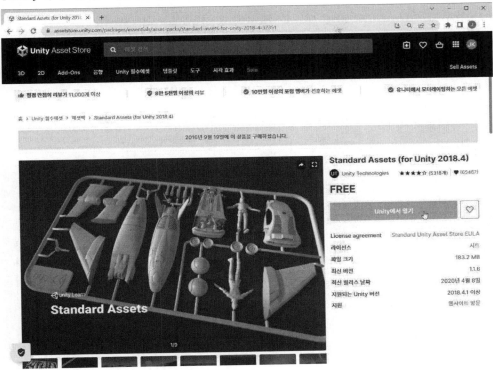

Package Manager가 실행되면 [Download] 버튼을 클릭한다.

다운로드가 끝나면 [import] 버튼을 클릭한다.

상단의 [None] 버튼을 클릭해 모든 항목이 선택되지 않게 한다. Utility 카테고리의
SmoothFollow.cs만 선택하고 [import] 버튼을 클릭한다. 우리에게 필요한 것은
SmoothFollow.cs 파일이므로 다른 것들은 Import 하지 않는다.

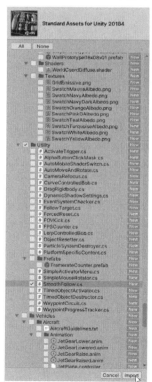

Package Manager를 닫고 프로젝트 뷰에서 Standard Assets / Utility 폴더를 연다. SmoothFollow.cs를 Main Camera 객체로 드래그 앤드 드롭한다. 하이어라키 뷰의 Main Camera 객체를 선택하고 인스펙터 뷰를 보면 SmoothFollow.cs 스크립트 컴포넌트가 추가되어 있다.

인스펙터 뷰의 SmoothFollow.cs 스크립트 컴포넌트의 Target 속성에 하이어라키 뷰의 Player 객체를 드래그 앤드 드롭한다. Distance와 Height에 각각 10과 5을 입력한다. 그리고 Rotation Damping, Height Damping에 각각 3을 입력한다. Damping은 카메라의 흔들림을 막아주는 역할을 한다.

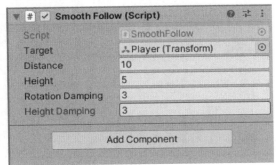

189

플레이 버튼을 클릭해 게임을 시작해보자. 방향키를 이용하여 플레이어를 움직이면 플레이어가 움직이는 대로 카메라가 따라온다.

지금까지 작업한 내용을 저장한다. 씬 내용을 저장하기 위해서는 [File / Save Scene as...] 메뉴를 순서대로 선택하면 된다. 파일 이름을 Camera1_2라고 입력하고 [저장] 버튼을 클릭한다.

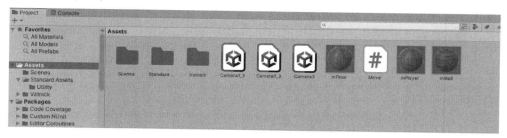

8.5 카메라 투영방식

프로젝트 이름이 Game2D인 새 프로젝트를 만든다.

하이어라키 뷰에서 Main Camera를 선택하고 인스펙터 뷰에서 Camera 컴포넌트를 보면 Projection 속성이 있다. Projection 속성을 클릭하면 Perspective와 Orthographic 두 개의 투영 방식이 보인다.

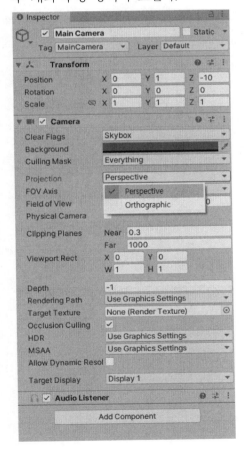

유니티에서 기본 값은 Perspective이다. 두 투영 방식을 비교해보자.

입체투영 방식(Perspective)	직교투영 방식(Orthographic)
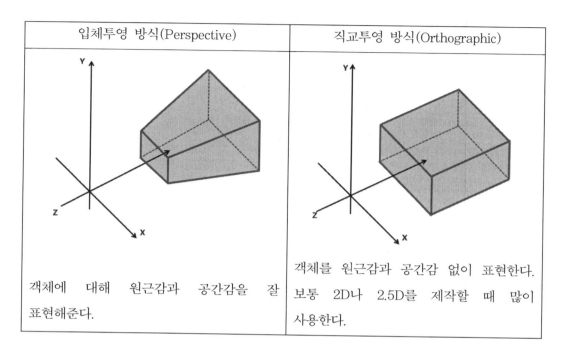 객체에 대해 원근감과 공간감을 잘 표현해준다.	객체를 원근감과 공간감 없이 표현한다. 보통 2D나 2.5D를 제작할 때 많이 사용한다.

입체투영 방식에서는 가까이 있는 물체는 크게 보이고 멀리 있는 물체는 작게 보인다. 반면 직교투영 방식에서는 가까이 있으나 멀리 있으나 같은 크기로 보여 원근감이 없다. 지금까지 실습한 내용은 모두 입체투영 방식이었다. 이제 카메라 투영 방식을 Orthographic으로 설정하고 게임을 만들어 보자.

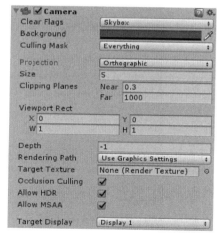

유니티에서 Cube 객체를 하나 추가한다. Cube 이름을 Player로 변경한다.

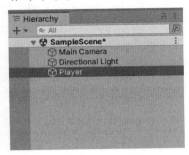

프로젝트 뷰에서 [+] 버튼을 클릭해 C# 스크립트를 생성하여 이름을 OnGUITest로 변경한다.

프로젝트 뷰의 OnGUITest 스크립트 아이콘을 더블클릭하여 비주얼 스튜디오를 실행한다. 비주얼 스튜디오에서 다음과 같이 프로그래밍한다.

```
public class OnGUITest : MonoBehaviour {
    GameObject cube;
    string str = "";

    void Start ()
    {
        cube = GameObject.Find("Player");
    }

    void OnGUI ()
    {
        if ( GUI.RepeatButton(new Rect(80, 30, 60, 40), " ^ ") )
        {
            str = "위로 이동합니다.";

            cube.transform.Translate(Vector3.up * 0.1f);
```

```
        }
        if ( GUI.RepeatButton(new Rect(10, 80, 60, 40), " < ") )
        {
            str = "왼쪽으로 이동합니다.";

            cube.transform.Translate(Vector3.left * 0.1f);
        }
        if ( GUI.RepeatButton(new Rect(150, 80, 60, 40), " > ") )
        {
            str = "오른쪽으로 이동합니다.";

            cube.transform.Translate(Vector3.right * 0.1f);
        }
        if ( GUI.RepeatButton(new Rect(80, 130, 60, 40), " v ") )
        {
            str = "아래로 이동합니다.";

            cube.transform.Translate(Vector3.down * 0.1f);
        }

        GUILayout.Label (str);
    }
}
```

프로그래밍이 완료되면 비주얼 스튜디오에서 Ctrl+S 키를 눌러 저장한다. 유니티에서
OnGUITest 스크립트 파일을 Player 객체에 드래그 앤드 드롭한다. 플레이 버튼을
클릭해 게임을 시작한다. 먼저 왼쪽 상단에 있는 버튼을 클릭해보자. 방향키에 따라
Player 객체가 움직인다. Cube 객체는 3D로 보이지 않고 2D로 보인다.

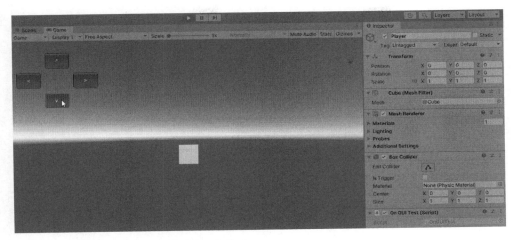

이제 소스를 한 줄 한 줄 분석해 보겠다.

GameObject cube;

cube 라는 GameObject 변수를 선언했다. cube 변수에는 GameObject 형태의 객체만 저장할 수 있다.

Start () 함수에서는 씬에서 Player 객체를 찾아 cube 변수에 저장한다. 만약 Player라는 이름의 객체가 존재하지 않으면 cube 변수에는 널(null) 값이 저장되고, cube 변수가 사용될 때에 에러가 발생할 것이다.

```
void Start ()
{
    cube = GameObject.Find("Player");
}
```

유니티의 GUI 시스템으로 uGUI가 있다. 그러나 간단한 UI 처리를 위해서는 OnGUI () 함수를 많이 사용한다. 이 책에서도 간단한 UI를 처리하기 위해 OnGUI() 함수를 사용할 것이다. Update() 함수와 마찬가지로 매 프레임마다 OnGUI() 함수가 호출된다. OnGUI() 함수에서는 GUI 좌표계를 사용하는데 왼쪽 위를 원점으로 하는 2차원 좌표계를 쓴다.

```
if ( GUI.RepeatButton(new Rect(80, 30, 60, 40), " ^ ") )
{
    str = "위로 이동합니다.";
    cube.transform.Translate(Vector3.up * 0.1f);
}
```

RepeatButton() 함수는 누르고 있는 동안 계속 참(true)을 반환하는 버튼을 그려준다. RepeatButton() 함수는 GUI 클래스에 정의되어 있으며 Rect 클래스와 문자열을 파라미터로 사용한다. Rect 클래스를 이용하여 화면 어디에 버튼을 그릴지 결정한다. 왼쪽 상단을 기준으로 (80, 30) 위치에 가로와 세로 폭이 각각 60, 40인 버튼을 그린다. 버튼 위에 쓰여질 문자열은 " ^ " 이다. 사용자가 버튼을 누르고 있는 동안 계속해서 Player 객체는 위쪽 방향으로 움직인다.

지금까지 구현한 프로그램에서 Perspective와 Orthographic 방식의 차이를 살펴보자. 차이를 분명하게 구별하기 위해 에셋 스토어에서 또 다른 텍스처를 다운로드 받아 보자. 유니티에서 [Window / Asset Store] 메뉴를 선택해 에셋 스토어를 실행시킨다.

에셋 스토어 검색창에 "Yughues Free Wooden Floor Materials"를 입력하고 검색 결과를 클릭한다.

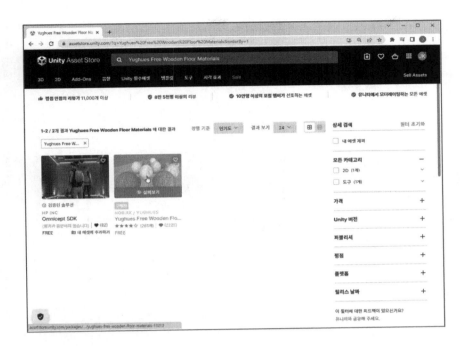

[Unity에서 열기] 버튼을 클릭한다.

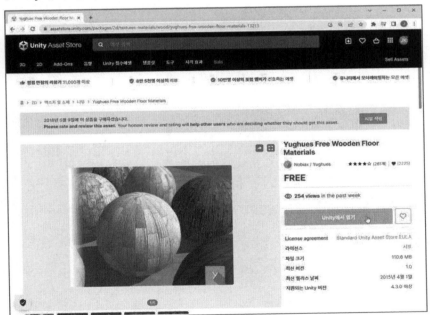

Package Manager가 실행되면 "Yughues Free Wooden Floor Materials"을 다운로드 받는다.

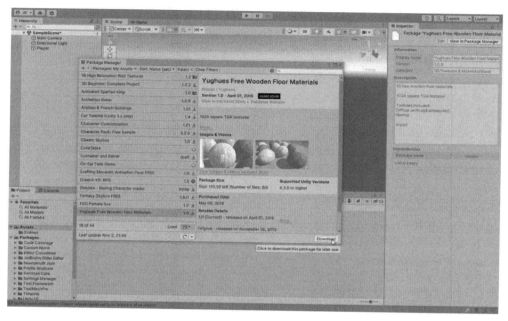

다운로드가 완료되면 [Import] 버튼을 클릭한다.

모든 항목을 선택한 상태로 임포트한다. 임포트 완료되면 패키지 매니저를 닫는다.

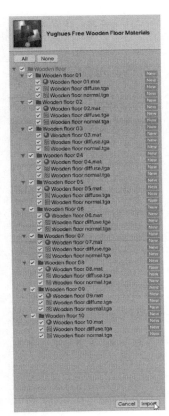

프로젝트 뷰에서 [+] 버튼을 클릭해 매터리얼을 하나 만든다. 이름을 mCube로
변경하고 인스펙터 뷰의 Albedo 왼쪽의 작은 원을 눌러 다운로드 받은 이미지 중
적당한 것을 선택한다.

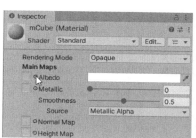

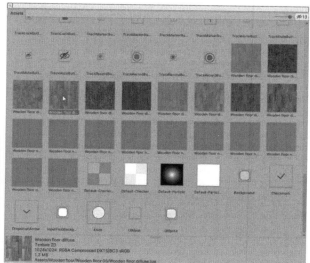

mCube 매터리얼을 씬 뷰의 Player에 드래그 앤드 드롭한다. 매터리얼을 만들어 객체에 적용시킨 이유는 입체감을 느끼기 위해서이다. 이제 플레이 버튼을 클릭해 게임을 시작한다. 아래 버튼을 클릭해 Player 객체를 아래로 이동시켜 보자. Camera의 투영 방식을 Perspective로 하면 Cube에 원근감이 느껴진다. 카메라 투영방식을 Orthographic으로 변경하면 원근감이 사라지는 것을 확인할 수 있다.

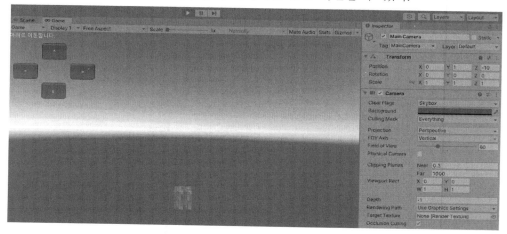

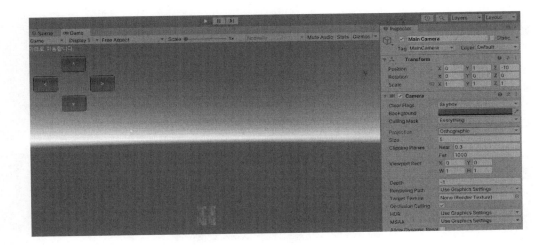

지금까지 작업한 내용을 저장한다. 씬 내용을 저장하기 위해서는 [File / Save Scene as...] 메뉴를 순서대로 선택하면 된다. 파일 이름을 MoveCube라고 입력하고 [저장] 버튼을 클릭한다.

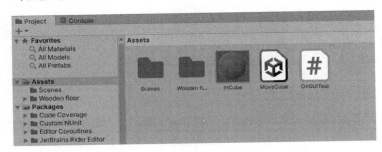

9 장. 스카이박스

게임에서 스카이박스는 공간을 표현하는 방법이다. 스카이박스는 게임 플레이어가 아주 커다란 육면체 안에 있다고 생각한다. 따라서 공간을 표현하는 이미지 6장을 준비하면 아래 그림과 같이 간단히 하늘과 땅, 주변 공간을 표현할 수 있다.

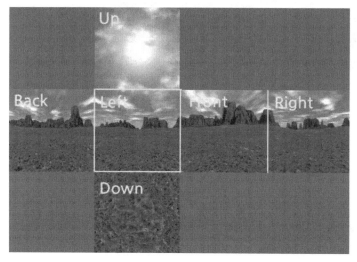

위의 그림에서 Up 이미지를 하늘로, 그리고 Back, Left, Front, Right 이미지를 동서남북의 주변 공간으로, Down 이미지를 바닥으로 처리하면 게임 공간을 표현할 수 있다.

9.1 Moveturn 스크립트 구현

실습을 통해 스카이박스를 이해해보자. 프로젝트 이름이 Skybox인 새 프로젝트를 만든다.

씬에 Cube 객체를 하나 추가한다. 하이어라키 뷰에서 Cube 객체를 선택해 이름을 Player로 변경하고, Z 축으로 크기를 3배 확대한다. 크기를 변경하는 이유는 큐브의 앞을 구분하기 위해서이다.

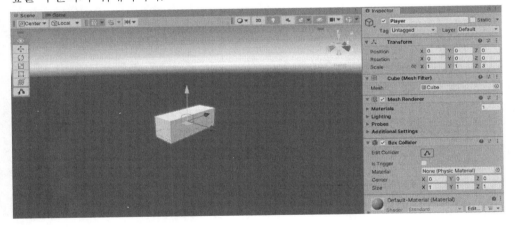

프로젝트 뷰에서 [+] 버튼을 클릭해 C# 스크립트를 생성하고 이름을 Moveturn으로 변경한다. 프로젝트 뷰의 Moveturn 스크립트 아이콘을 더블클릭하여 비주얼 스튜디오를 실행한다. 비주얼 스튜디오에서 다음과 같이 프로그래밍한다. 기존 Move 스크립트에서는 Cube 객체가 앞뒤, 오른쪽, 왼쪽으로만 움직였다. 반면 Moveturn 스크립트에서는 Cube 객체가 앞뒤로 움직이는 것은 같지만 왼쪽, 오른쪽으로 이동할 때에는 이동하지 않고 회전만 한다.

```
public class Moveturn : MonoBehaviour {
    Vector3 forward = new Vector3(0, 0, 1);
    Vector3 up = new Vector3(0, 1, 0);
    void Update ()
    {
        float v = Input.GetAxis("Vertical");
        float h = Input.GetAxis("Horizontal");

        v = v * Time.deltaTime;
        h = h * Time.deltaTime;
        transform.Translate(forward * v * 20);
        transform.Rotate(up * h * 120);
    }
}
```

앞 장의 Move 스크립트와 거의 동일하지만 왼쪽, 오른쪽 방향키를 눌렀을 때 Cube 객체가 이동하지 않고 회전하기만 한다. 프로그래밍이 완료되면 비주얼 스튜디오에서 Ctrl+S 키를 눌러 저장한다. 유니티에서 Moveturn 스크립트 파일을 Player 객체에 드래그 앤드 드롭한다.

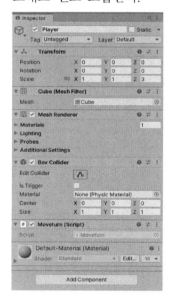

플레이 버튼을 클릭해 게임을 시작한다. Player 객체가 게임상의 캐릭터같이
자연스럽게 움직인다.

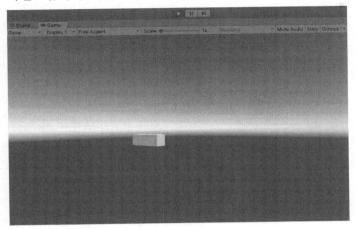

9.2 스카이박스 매터리얼

플레이 버튼을 다시 클릭해 씬 편집 화면으로 돌아온다. 에셋 스토어에서
스카이박스로 사용할 이미지를 다운로드 받아보자. 에셋 스토어를 방문하여 검색 창에
"Fantasy Skybox FREE"을 검색하고 결과 화면에서 [Unity에서 열기] 버튼을
클릭한다. 패키지 매니저가 실행되면 다운로드 받은 후 내 프로젝트에 임포트한다.

임포트가 완료되면 패키지 매니저를 닫는다.

프로젝트 뷰에서 Assets / Fantasy Skybox FREE 폴더를 열어보면 아래와 같이 여러 개의 이미지가 있다. 이 이미지들을 이용하여 공간을 표현해보자.

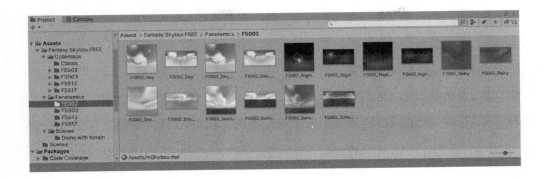

다시 프로젝트 뷰에서 [+] 버튼을 클릭해 매터리얼을 만들고, 이름을 mSkybox로 변경한다.

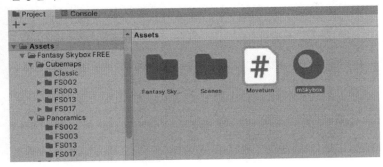

인스펙터 뷰에서 Shader 부분을 클릭한다. 나타나는 메뉴에서 [Skybox / 6 Sided]를 순서대로 선택한다.

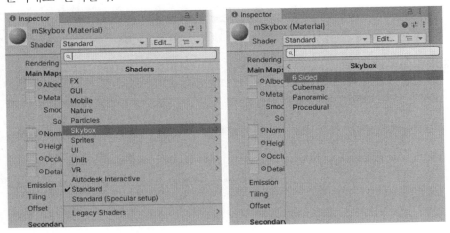

인스펙터 뷰가 스카이박스를 만들기 위한 6개의 이미지 설정 화면으로 전환된다. 6개 이미지는 Front, Back, Left, Right, Up, Down이다.

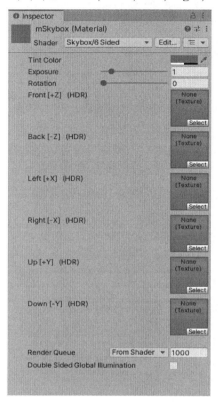

먼저 Front의 [select] 버튼을 클릭해보자. 텍스처 이미지를 선택할 수 있는 창이 나타난다. FS002_Sunrise_Cubemap_front 이미지를 더블클릭한다. 같은 방법으로 나머지 5개의 이미지를 모두 선택한다.

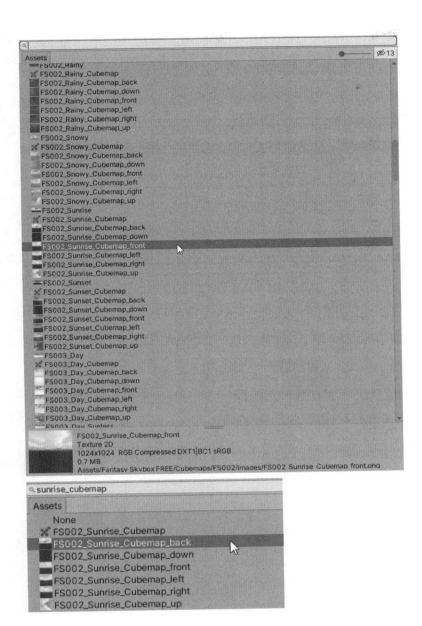

작업이 완료되면 아래와 같이 mSkybox가 만들어진다.

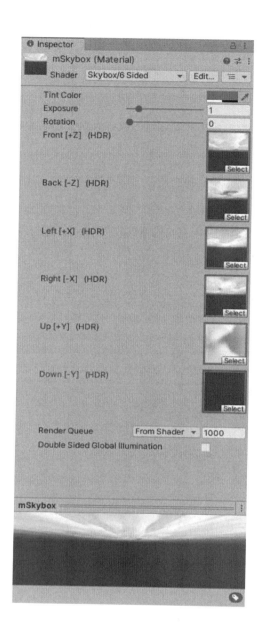

만들어진 스카이박스 매터리얼을 우리 게임에 적용해보자. 유니티의 [Window /
Rendering / Lighting] 메뉴를 순서대로 선택한다.

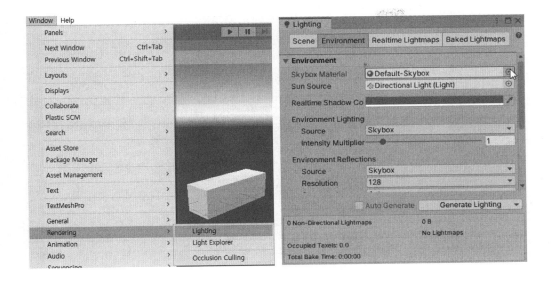

나타나는 Light 창에서 Environment 탭을 클릭하고 Skybox Material 부분의 오른쪽 작은 원을 클릭한다.

매터리얼을 선택할 수 있는 창이 나타나는데 우리가 만든 mSkybox를 더블클릭한다.

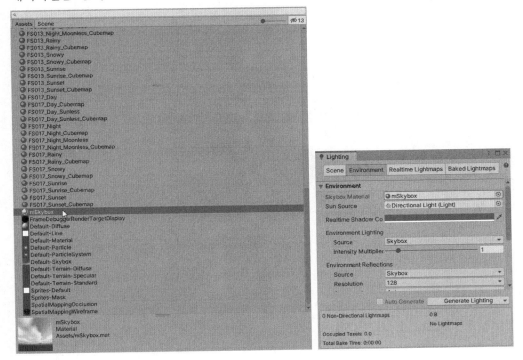

mSkybox를 더블클릭하는 순가 유니티 공간 배경이 아래 그림처럼 변한다.

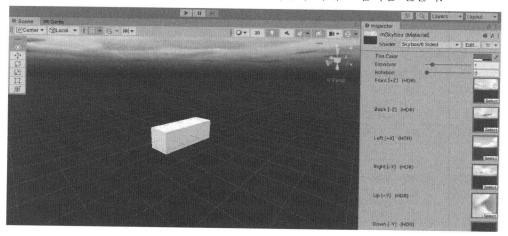

플레이 버튼을 클릭해 게임을 시작한다. Player 객체를 움직이지만, 왼쪽, 오른쪽 하늘이나 뒤편 하늘을 볼 수 없다. 옆과 뒷면의 공간을 보기 위해 카메라를 1인칭 시점으로 변경해보자.

9.2.1 SmoothFollow 스크립트

앞에서 실습한 SmoothFollow 스크립트를 다시 사용해보자. 프로젝트 뷰의 Assets 폴더를 마우스 오른쪽 버튼으로 눌러 나타나는 메뉴에서 [Show in Explorer] 메뉴를 선택한다.

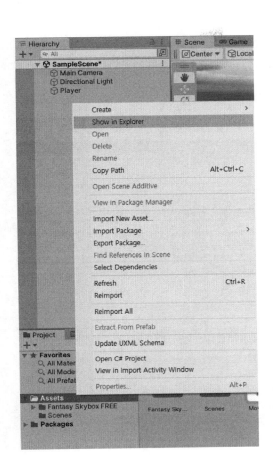

D:\Unity Project\Skybox 폴더가 열린 채로 탐색기가 실행된다.

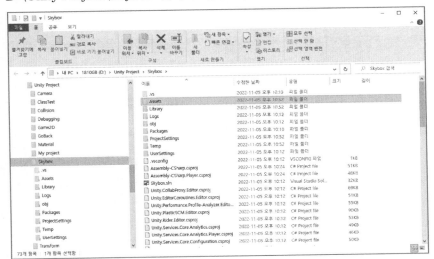

앞에서 실습한 Camera 폴더의 Assets 폴더에 보면 Standard Assets 폴더가 보인다. 여기에 SmoothFollow 스크립트가 있다. 이 폴더를 현재 작업하고 있는 프로젝트 뷰로 드래그 앤드 드롭한다.

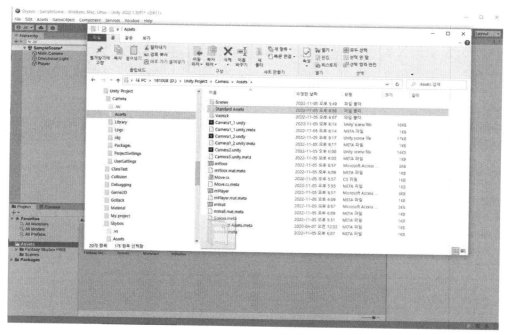

프로젝트 뷰에 Standard Assets 폴더가 생성된 것을 확인할 수 있다.

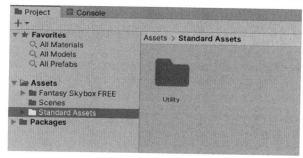

Standard Assets 폴더 아래의 Utility 폴더에 우리에게 필요한 SmoothFollow.cs 스크립트 파일이 있다.

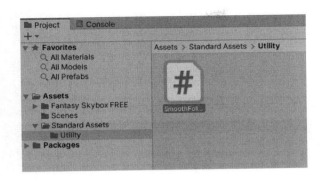

SmoothFollow.cs 스크립트 파일을 하이어라키 뷰의 Main Camera 객체에 드래그 앤드
드롭한다. 하이어라키 뷰의 Main Camera 객체를 선택하고 인스펙터 뷰를 보면
SmoothFollow.cs 스크립트 컴포넌트가 추가되어 있다.

인스펙터 뷰의 SmoothFollow.cs 스크립트 컴포넌트의 Target 속성에 하이어라키 뷰의
Player 객체를 드래그 앤드 드롭한다. Target에 Player 객체를 설정하고 다음과 같이
속성 값도 수정한다.

Distance : 10
Height : 0.5
Rotation Damping : 3
Height Damping : 3

플레이 버튼을 클릭해 게임을 시작해보자. 방향키를 이용하여 Player 객체를 움직이면 Player 객체가 움직이는 대로 카메라가 따라온다. 뒤 공간도 확인할 수 있지만 배경 앞뒤의 구별이 없어 Player 객체가 앞뒤로 제대로 움직이는지 확실하지 않다. 공간을 확실히 구별하기 위해 약간의 배경을 추가해보자.

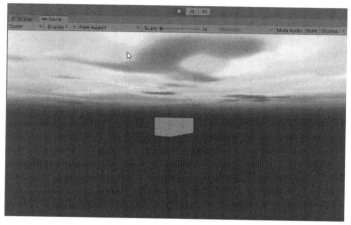

9.2.2 배경 추가

씬에 Cube 객체 3개를 추가하고 이름을 각각 Cube1, Cube2, Cube3으로 변경한다. 각각의 위치와 크기를 아래 그림을 참조하여 변경한다.

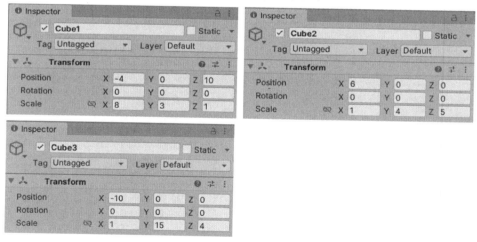

아래는 씬에 Cube 3개가 추가된 화면이다.

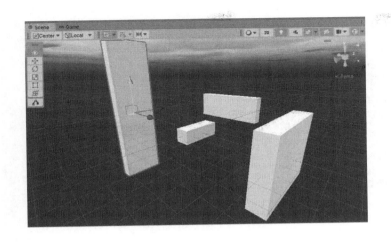

다시 플레이 버튼을 클릭해 게임을 시작해보자. 방향키를 눌러 플레이어가 공간을 이동할 수 있도록 한다. 앞뒤 좌우 모든 공간을 탐색해보면서 만들어진 스카이박스를 확인해보자.

게임플레이를 중지하고 지금까지 작업한 내용을 저장한다. 씬 내용을 저장하기 위해서는 [File / Save Scene as...] 메뉴를 순서대로 선택하면 된다. 파일 이름을

Skybox1으로 입력하고 [저장] 버튼을 클릭한다.

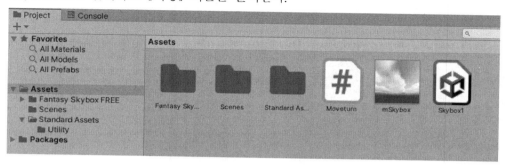

9.2.3 개별 카메라에 스카이박스 적용

앞 절에서는 [Window / Rendering / Lighting] 메뉴를 선택해 스카이박스를 설정했다. 이 방법 이외에도 다른 방법이 있다. 바로 카메라별로 스카이박스를 적용하는 방법이다. 이 방법은 2대 이상의 카메라가 있을 때 각 카메라에 기본 렌더링 엔진에 적용된 스카이박스와는 다른 스카이박스를 적용하고 싶을 때 사용하는 방법이다.

이제 개별 카메라에 스카이박스를 적용하는 방법을 살펴보자. 유니티에서 [File / New Scene] 메뉴를 순서대로 선택해 새 씬을 만든다. 하이어라키 뷰에서 Main Camera 객체를 선택한다. 인스펙터 뷰에서 [Add Component / Rendering / Skybox] 메뉴를 순서대로 선택하면 Skybox 컴포넌트가 추가된다.

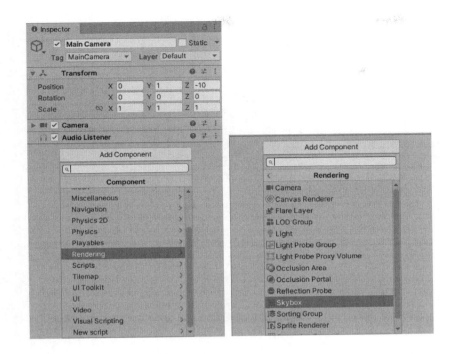

Custom Skybox에 프로젝트 뷰에 있는 mSkybox를 드래그 앤드 드롭한다.

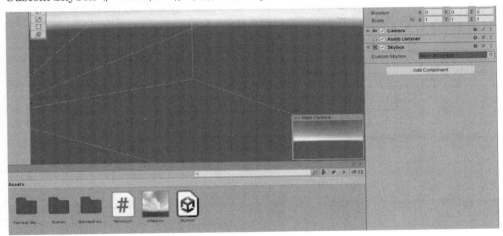

아래는 mSkybox 매터리얼을 적용시키기 전과 후의 그림이다.

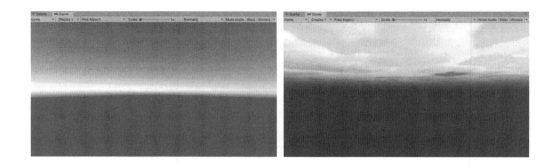

지금까지 작업한 내용을 저장한다. 씬 내용을 저장하기 위해서는 [File / Save Scene as...] 메뉴를 순서대로 선택하면 된다. 파일 이름을 Skybox2로 입력하고 [저장] 버튼을 클릭한다.

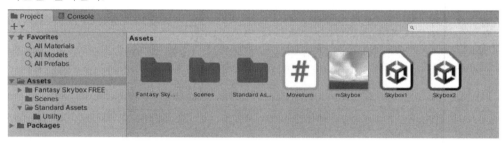

10 장. 프리팹

프로젝트 이름이 Prefab인 새 프로젝트를 만든다.

프리팹을 공부하기 위해 간단한 게임을 만들어 보자. 여기서는 타워 게임에 많이 등장하는 공격용 타워를 프리팹으로 만들어 보겠다. 공격용 타워는 타워 포신이 적을 향하고 적이 일정 거리에 들어오면 총알을 쏘는 역할을 한다.

10.1 타워 만들기

유니티에서 씬에 Plane 객체를 하나 추가하고 아래 그림과 같이 크기를 늘려준다.

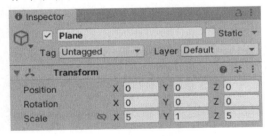

그리고 Cube 객체를 하나 추가하고 이름을 Tower로 변경한다. Tower Transform 속성

값을 아래 그림과 같이 변경한다.

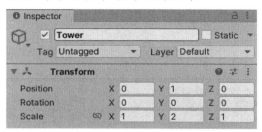

Sphere 객체를 추가하고 이름을 Hemisphere로 변경한다. 하이어라키 뷰에서 Hemisphere 객체를 Tower 객체로 드래그 앤드 드롭한다. 이렇게 하면 Hemisphere 객체가 Tower 객체의 자식이 된다. Hemisphere 객체를 reset하고 아래 그림을 보면서 위치와 Scale 값을 변경한다. 부모, 자식 관계를 만들 때는 항상 자식을 먼저 리셋하고 자식의 Transform 값을 변경해야 한다.

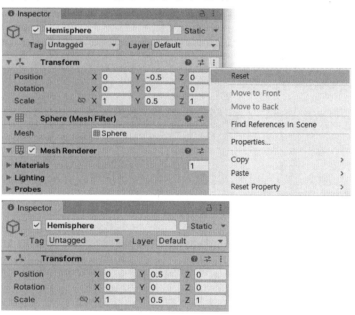

씬에 Cylinder 객체를 추가하고 Hemisphere 객체의 자식으로 만든다(Hemisphere에 드래그 앤드 드롭하면 된다). Cylinder 이름은 Stick으로 변경한다. 먼저 자식인 Stick 객체를 reset하고 위치와 Scale을 아래 그림과 같이 변경한다.

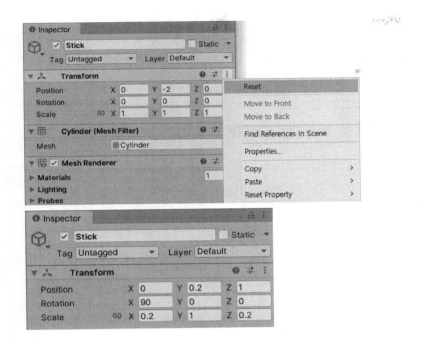

위의 모든 과정이 제대로 수행되면 아래와 같은 Tower 객체가 만들어진다.

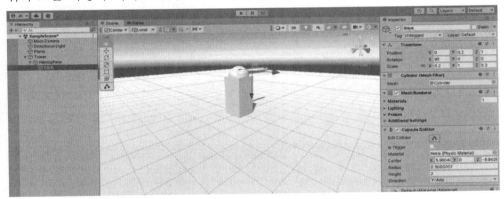

Cube 객체를 하나 더 추가하고 이름을 Player로 변경한다. Player의 Y와 Z 위치 값을 각각 0.5, 6으로 변경한다. Scale의 Z 값도 3으로 변경한다.

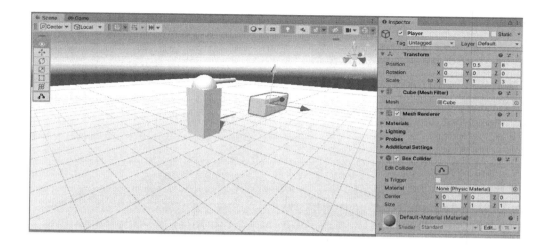

10.1.1 Moveturn 스크립트

앞 장에서 만든 Moveturn 스크립트를 재작성한다. 프로젝트 뷰에서 [+] 버튼을
클릭해 C# 스크립트를 생성하고 이름을 Moveturn으로 변경한다. 프로젝트 뷰의
Moveturn 스크립트 아이콘을 더블클릭하여 비주얼 스튜디오를 실행한다. 비주얼
스튜디오에서 다음과 같이 프로그래밍한다. 물론 앞 장의 Moveturn 스크립트를
복사해서 사용해도 된다.

```csharp
public class Moveturn : MonoBehaviour {
    Vector3 forward = new Vector3(0, 0, 1);
    Vector3 up = new Vector3(0, 1, 0);

    void Update ()
    {
        float v = Input.GetAxis("Vertical");
        float h = Input.GetAxis("Horizontal");

        v = v * Time.deltaTime;
        h = h * Time.deltaTime;
```

```
        transform.Translate(forward * v * 20);
        transform.Rotate(up * h * 120);
    }
}
```

프로그래밍이 완료되면 비주얼 스튜디오에서 Ctrl+S 키를 눌러 저장하고 이 스크립트 파일을 Player 객체에 드래그 앤드 드롭한다.

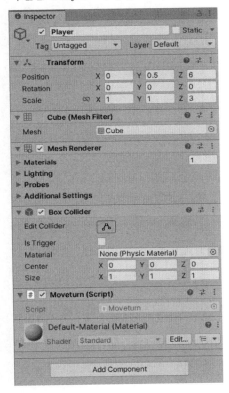

플레이 버튼을 클릭해 게임을 시작하고 Player 객체를 움직여 보자. Player 객체가 잘 움직이는지 확인한다.

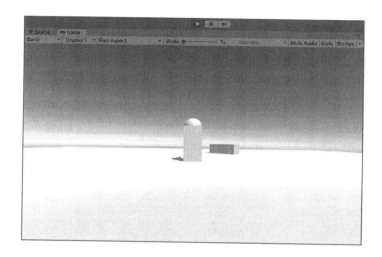

10.1.2 Follow 스크립트

프로젝트 뷰에서 [+] 버튼을 클릭해 C# 스크립트를 생성하고 이름을 Follow로 변경한다. 프로젝트 뷰의 Follow 스크립트 아이콘을 더블클릭하여 비주얼 스튜디오를 실행한다. 그리고 비주얼 스튜디오에서 다음과 같이 프로그래밍한다.

```csharp
public class Follow : MonoBehaviour {
    Transform tranobj;

    // Use this for initialization
    void Start () {
        tranobj = GameObject.Find("Player").transform;
    }

    // Update is called once per frame
    void Update () {
        transform.LookAt(tranobj);
    }
}
```

Start () 함수에서는 씬에서 Player 이름을 가진 객체를 찾아 tranobj 변수에 저장한다.

tranobj = GameObject.Find("Player").transform;

Update() 함수의 transform은 스크립트가 적용된 객체인데 여기서는 Hemisphere 객체이다. transform이 tranobj 움직이는 곳을 향하기 때문에 결국 Hemisphere 객체가 Player 객체를 향하게 된다. 그런데 Player 객체는 Moveturn 스크립트에 의해 계속해서 움직일 수 있다. 따라서 Player 객체가 움직이는 대로 Hemisphere 객체는 Player 객체를 향하게 된다.

transform.LookAt(tranobj);

프로그래밍이 완료되면 비주얼 스튜디오에서 Ctrl+S 키를 눌러 저장한다. 유니티에서 Follow 스크립트 파일을 Hemisphere 객체에 드래그 앤드 드롭한다.

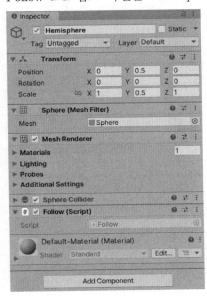

화면을 잘 관찰하기 위해 Main Camera의 Transform 값을 변경해보자. Y 축 위로

10만큼 이동하고, X 축을 기준으로 30도 회전한다.

Main Camera가 위로 올라 왔기 때문에 화면 전체를 쉽게 관찰할 수 있다.

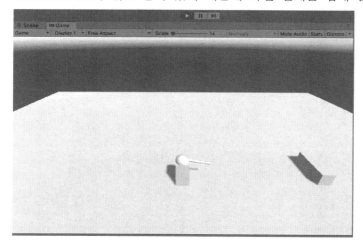

10.1.3 에셋 스토어

현재 모든 객체가 흰색이어서 객체들의 움직임이 잘 구별되지 않는다. 에셋 스토어로부터 다운로드 받은 텍스처 이미지를 객체에 적용해보자. 에셋 스토어 창을 열어 "18 High Resolution Wall Textures"를 입력하여 검색한다. 검색 결과 화면에서 [Unity에서 열기] 버튼을 클릭하면 패키지 매니저가 실행된다. 다운로드하고 이후 임포트 버튼을 클릭한다.

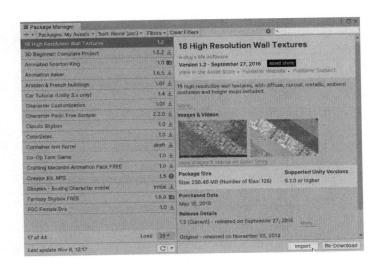

임포트 창이 나오면 임포트 버튼을 클릭하여 작업 중인 프로젝트로 임포트한다.

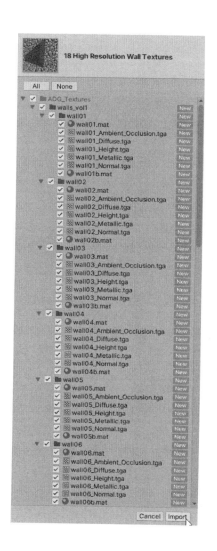

임포트가 완료되면 패키지 매니저를 닫는다. 프로젝트 뷰의 Assets 폴더에
ADG_Textures 폴더가 생성된다. ADG_Textures 폴더에 어떤 이미지가 있는지
확인한다.

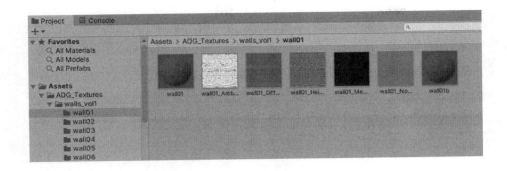

프로젝트 뷰에서 [+] 버튼을 클릭해 mFloor, mPlayer, mTower, mHemisphere, mStick
매터리얼을 만든다. 각 매터리얼에 적당한 이미지를 선택한다. 예제에서는 다음과 같은
텍스처 이미지를 선택했다.

mFloor - wall11_Diffuse
mPlayer - wall04_Metallic
mTower - wall04_Metallic
mHemisphere - wall01_Diffuse
mStick - wall04_Diffuse

생성된 매터리얼을 각 객체에 드래그 앤드 드롭한다. 아래는 매터리얼이 모두 적용된
그림이다.

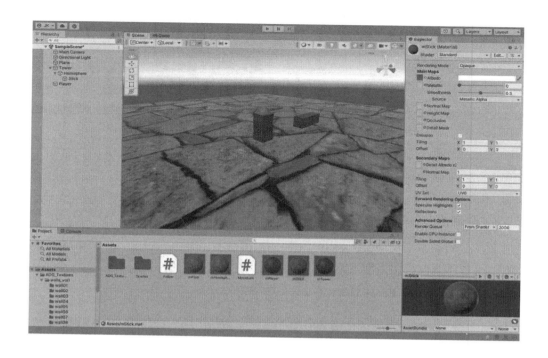

플레이 버튼을 클릭해 게임을 시작해보자. Player 객체가 움직이면 Tower 객체의
포신도 Player 객체의 방향으로 움직이는 것을 확인할 수 있다.

지금까지 작업한 내용을 저장한다. 씬 내용을 저장하기 위해서는 [File / Save Scene

as...] 메뉴를 순서대로 선택하면 된다. 파일 이름을 Lookat으로 입력하고 [저장] 버튼을 클릭한다.

10.2 프리팹

유니티에서 프리팹이란 필요한 객체를 미리 만들어 놓고 필요할 때 사용하는 것이다. 일종의 부품의 개념으로 몇 번을 사용하던 상관없다. 원본을 하나 만들어 놓고 복사해서 계속 사용하는 개념이다. 원본이 바로 프리팹이다.

지금까지 만들었던 Tower를 프리팹으로 변환해보자. 하이어라키 뷰에 있는 Tower를 프로젝트 뷰로 이동하면 Tower 프리팹이 만들어진다.

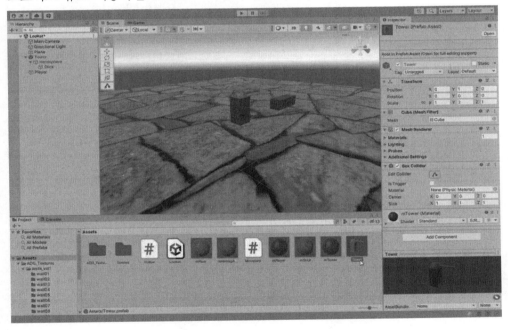

프로젝트 뷰에 있는 Tower가 원본 역할을 할 것이므로, 하이어라키 뷰에 있는 Tower는 이제 제거해도 된다. 하이어라키 뷰에 있는 Tower를 제거하고 프로젝트 뷰에 있는 Tower를 씬 뷰로 총 5번 드래그 앤드 드롭한다. 프로젝트 뷰에 있는 Tower를 드래그 앤드 드롭할 때마다 같은 모양의 Tower가 씬 뷰에 추가된다. Tower가 서로 겹치지 않게 씬 뷰의 적절한 위치로 드래그 앤드 드롭한다.

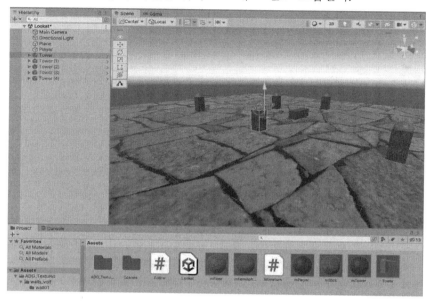

씬 뷰와 하이어라키 뷰에 Tower가 생성되었다. 원본은 프로젝트 뷰에 있는 Tower이고
씬 뷰에 있는 Tower는 일종의 복사본이다.

플레이 버튼을 클릭해 게임을 시작한다. 모든 Tower의 포신은 Player 객체가
움직이는 방향으로 향한다.

프로젝트 뷰의 오른쪽 아래를 보면 스크롤이 있다. 이 스크롤은 Assets 아이템을 어떤 크기로 표시할지 조절하는 것이다. 이 스크롤을 조절하면 Assets 아이템을 큰 아이콘으로도 볼 수 있고 텍스트 리스트 형식으로도 볼 수 있다. 스크롤을 조절하여 텍스트 리스트 형식으로 변환해보자. 스크롤을 왼쪽으로 움직이면 Assets 아이템이 텍스트 리스트 형식으로 표시되고, 오른쪽으로 움직이면 큰 아이콘으로 표시된다.

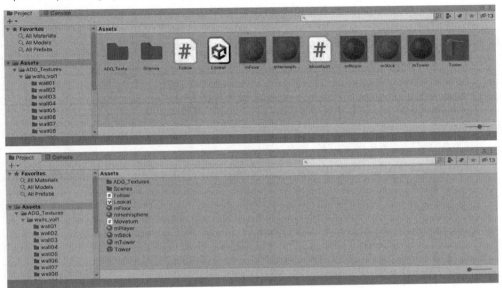

프로젝트 뷰에서 Tower 객체를 클릭하고 인스펙터 뷰의 [Open] 버튼을 클릭한다.

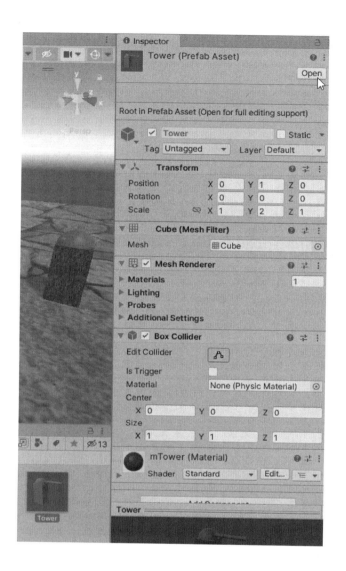

왼쪽의 Tower 객체를 확장해서 자식으로 있는 Hemisphere 객체를 클릭한다.
인스펙터 뷰의 Y 좌표를 0.5에서 1로 변형해보자. Tower 객체의 자식인 Hemisphere
객체가 0.5만큼 공중으로 뜬다.

236

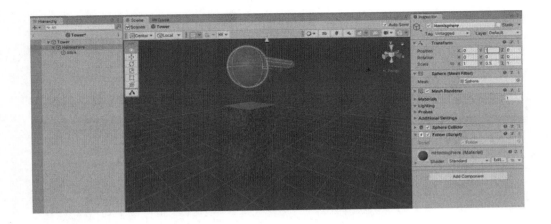

하이어라키 뷰 Tower 객체 왼쪽 돌아가기 부분을 클릭한다.

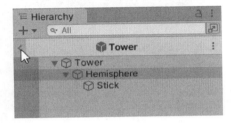

씬 뷰에 있는 모든 Tower 객체의 Hemisphere가 공중으로 뜬다. 프리팹(원본)을
수정하니 씬 뷰에 있는 모든 복사본이 한 번에 변형되었다. 이렇게 프리팹을 변형하면
씬 뷰에 있는 모든 복사본이 한 번에 영향을 받는다.

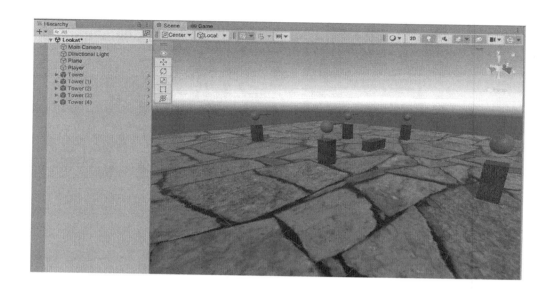

플레이 버튼을 클릭해 게임을 시작해보면 모든 Tower 객체가 정상적으로 동작하고 있음을 알 수 있다.

Hemisphere 객체의 위치를 원래 위치로 돌려 놓고 지금까지 작업한 내용을 저장한다. 씬 내용을 저장하기 위해서는 [File / Save Scene as...] 메뉴를 순서대로 선택하면 된다. 파일 이름을 Tower로 입력하고 [저장] 버튼을 클릭한다.

10.3 총알 프리팹 만들기

10.3.1 총알 추가

이제 Tower에서 발사되는 총알을 만들어 보겠다. Sphere 객체를 하나 추가하고 이름을 Bullet으로 변경한다. mBullet이라는 매터리얼을 만들어 적당한 텍스처 이미지를 할당한다. mBullet 매터리얼을 Bullet 객체에 드래그 앤드 드롭한다. 예제에서 mBullet 매터리얼에 할당한 이미지는 아래와 같다.

mBullet – wall05_Metallic

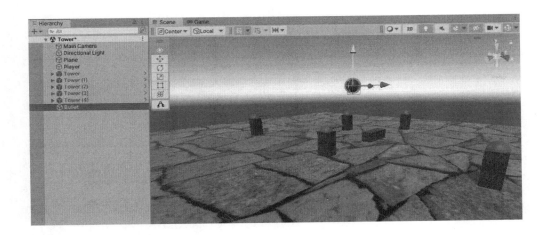

Bullet 객체의 크기를 아래와 같이 줄인다.

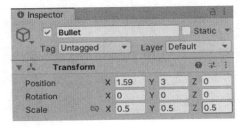

마지막으로 Bullet 객체가 물리 현상을 나타낼 수 있게 리지드바디를 추가한다.

하이어라키 뷰에 있는 Bullet 객체를 프로젝트 뷰로 드래그 앤드 드롭한다. 프로젝트 뷰로 드래그 앤드 드롭하면 Bullet 프리팹이 만들어진다. 프로젝트 뷰에 원본(프리팹)이 있으므로 하이어라키 뷰에 있는 Bullet 객체는 제거해도 된다. Bullet 객체는 프로그램 실행 중에 생성할 것이다.

아래 그림에서 씬 뷰의 Tower (1), Tower (2), Tower (3), Tower (4)를 제거하고 Tower 객체를 약간 변형해보자.

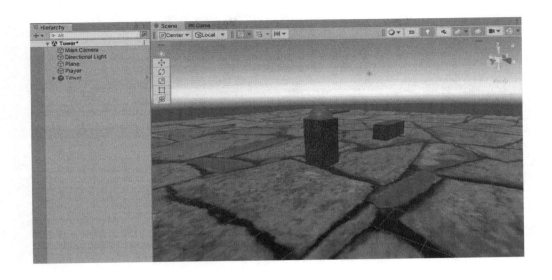

10.3.2 EmptyObject 스크립트

Tower에서 총알이 나올 수 있도록 변형하려 한다. 먼저 Tower에서 총알이 나오는 위치를 설정해야 하는데 포신 앞, 총알이 나오는 위치에 Empty 객체를 하나 추가하면 구현이 쉬워진다. [GameObject / Create Empty] 메뉴를 순서대로 선택해서 빈 객체가 하이어라키 뷰와 씬 뷰에 추가되도록 한다.

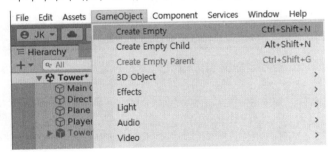

추가된 객체의 이름을 SpawnPoint로 변경한다. SpawnPoint를 Hemisphere 객체에 드래그 앤드 드롭하여 Hemisphere 객체의 자식이 되도록 한다. SpawnPoint가 Stick의 자식이 되면 총알이 바닥을 향해 발사될 것이다. 현재 Stick은 X축을 기준으로 90도 회전한 상태이기 때문에 자식인 SpawnPoint도 90도 회전한 상태가 돼 아래가 전방(forward)이 된다. 따라서 SpawnPoint는 반드시 Hemisphere 객체의 자식이 되도록 만든다.

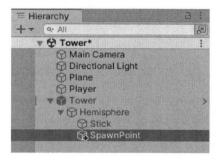

Empty 객체는 사실 보이지 않기 때문에 작업하기가 쉽지 않다. 간단한 스크립트를 하나 작성해서 Empty 객체가 눈에 보이도록 해보자.

프로젝트 뷰에서 [+] 버튼을 클릭해 C# 스크립트를 생성하고 이름을 EmptyObject로 변경한다. 프로젝트 뷰의 EmptyObject 스크립트 아이콘을 더블클릭하여 비주얼 스튜디오를 실행한다. 비주얼 스튜디오에서 다음과 같이 프로그래밍한다.

```
public class EmptyObject : MonoBehaviour {
    public Color color = Color.blue;
    public float radius = 0.2f;

    void OnDrawGizmos () {
        Gizmos.color = color;
        Gizmos.DrawSphere(transform.position, radius);
    }
}
```

프로그래밍이 완료되면 비주얼 스튜디오에서 Ctrl+S 키를 눌러 저장한다. 유니티에서 EmptyObject 스크립트 파일을 SpawnPoint에 드래그 앤드 드롭한다.

SpawnPoint 객체에 EmptyObject 스크립트가 적용되면 아래 그림과 같이

SpawnPoint 객체가 파란색으로 표시된다. 이제 Empty 객체인 SpawnPoint가 잘 표시되어 작업하기가 수월해졌다. 물론 게임할 때에 SpawnPoint 객체는 EmptyObject이므로 사용자 눈에 보이지 않는다.

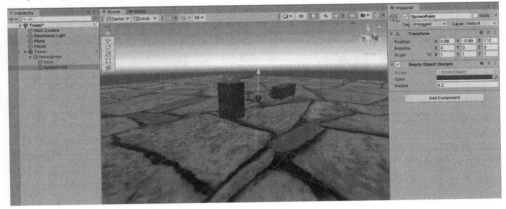

10.3.3 기즈모 활용

총알이 Tower 포신 바로 앞에서 발사되도록 만들어 보자. 이를 위해 씬 뷰 오른쪽 상단의 기즈모를 활용한다. 기즈모의 X 축을 클릭하면 아래와 같이 +X 축에서 바라본 뷰가 보인다(측면도). 이 상태에서 SpawnPoint 객체(Empty 객체)를 포신 바로 앞에 위치하도록 이동한다.

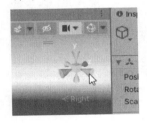

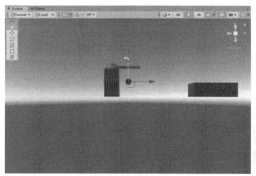

이번엔 기즈모의 Y 축을 클릭해서 위에서 아래를 보자(평면도). SpawnPoint 객체를
아래 그림처럼 포신 바로 앞에 위치시킨다.

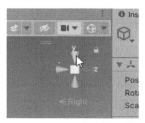

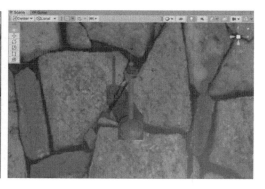

이렇게 하면 SpawnPoint는 포신 바로 앞에 놓인 상태가 된다. 다시 Alt 키를 누른 채
마우스를 움직여 아래와 같은 Perspective 뷰로 전환한다.

10.3.4 Follow 스크립트

Tower에서 총알을 발사할 준비가 모두 끝났다. 총알을 발사하는 조건은 Player 객체가 Tower 근처로 다가올 때이다. Tower는 Player 객체와의 거리를 계속해서 측정하다가 일정 거리 내로 들어오면 총알을 발사한다. 이를 구현하기 위해 기존의 Follow 스크립트를 약간 변형해보자.

```
public class Follow : MonoBehaviour {
    public Transform firePos;
    public GameObject bullet;

    Transform tranobj;
    RaycastHit hit;

    // Use this for initialization
    void Start () {
        tranobj = GameObject.Find("Player").transform;
    }
```

```
// Update is called once per frame
void Update () {
    transform.LookAt(tranobj);


    Debug.DrawRay(firePos.position, firePos.forward * 6, Color.red);
    if (Physics.Raycast(firePos.position,firePos.forward,out hit, 6))
    {
        Debug.Log(hit.collider.gameObject.tag);
        Instantiate (bullet, firePos.position, firePos.rotation);
    }
  }
}
```

현재 Follow 스크립트는 Hemisphere 객체에 적용되어 있다. 하이어라키 뷰에서 Hemisphere 객체를 클릭하고 인스펙터 뷰에서 Follow 스크립트를 확인해보자.

Follow 스크립트 컴포넌트에 Fire Pos와 Bullet이 빈칸(None)으로 되어있다. 하이어라키 뷰의 SpawnPoint를 Follow 스크립트 컴포넌트의 Fire Pos에 드래그 앤드 드롭한다. 프로젝트 뷰의 Bullet 프리팹을 Follow 스크립트 컴포넌트의 Bullet에 드래그 앤드 드롭한다.

프로그램이 시작되면 Start() 함수에서 Player 객체를 찾는다. 그리고 매 프레임마다 transform은 Player 객체를 향한다. Physics 클래스에 정의된 Raycast() 함수를 이용해서 firePos 객체의 위치에서 forward 방향으로 6 이내의 거리에 물체가 있는지 체크한다. 6 이내의 거리에 물체가 있으면 bullet 객체를 firePos 객체가 있는 위치에 생성한다. 이제 bullet 객체가 만들어졌다. 기존과 다른 점은 bullet 객체를 프로그램 실행 중에 Instantiate() 함수를 통해 만들었다는 것이다.

Raycast() 함수는 기준 위치에서 일정 거리 안에 있는 객체를 검색한다. 검색된 객체는 hit 변수에 저장된다.

Physics.Raycast(firePos.position,firePos.forward,out hit, 6)

Debug 클래스 내의 DrawRay() 함수는 firePos 위치로부터 forward 방향으로 거리가 6인 광선(직선)을 그린다. 직선의 색은 빨강이다.

Debug.DrawRay(firePos.position, firePos.forward * 6, Color.red);

10.3.5 Bullet 스크립트

이제 총알이 생성될 때의 움직임에 대해 구현해보자. 프로젝트 뷰에서 [+] 버튼을 클릭해 C# 스크립트를 생성하고 이름을 Bullet으로 변경한다. 프로젝트 뷰의 Bullet

스크립트 아이콘을 더블클릭하여 비주얼 스튜디오를 실행한다. 비주얼 스튜디오에서 다음과 같이 프로그래밍한다.

```
public class Bullet : MonoBehaviour {
    void Start()
    {
        GetComponent<Rigidbody> ().AddForce (transform.forward*1000);
    }
    void Update()
    {
    }
}
```

Bullet 객체는 생성되자마자 Bullet 객체의 전방으로 힘이 가해진다.

프로그래밍이 완료되면 비주얼 스튜디오에서 Ctrl+S 키를 눌러 저장한다. 유니티에서 Bullet 스크립트 파일을 프로젝트 뷰에 있는 Bullet 객체에 드래그 앤드 드롭한다. Bullet 인스펙터 뷰에 Bullet 스크립트와 리지드바디가 추가되었는지 다시 한번 확인한다.

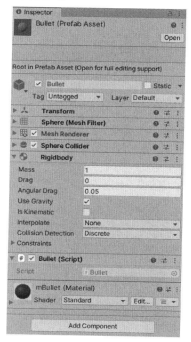

Player 객체의 Z 위칫값을 15로 변경한다. 변경하는 이유는 Tower 객체와 Player 객체가 너무 가까워 게임이 시작하자마자 총알이 발사되는 것을 막기 위함이다. 플레이 버튼을 클릭해 게임을 시작한다.

혹시 프로그램 실행 중에 크기가 6인 직선이 보이지 않는다면 아래 그림의 Gizmo 버튼이 눌려 있는지 확인한다. Gizmo 버튼이 눌려 있지 않으면 직선이 보이지 않으므로 주의한다.

게임을 시작하고 방향키를 이용해 Player 객체를 움직여보자. Player 객체가 Tower와 일정 범위(거리 6) 안에 있으면 총알이 생성되고 Player 객체를 향해 발사된다. Player 객체가 멀리 도망가도 계속해서 총알이 발사된다. Tower 객체 전방으로 사정거리 6 안에 물체가 있다면 총알이 발사되는데 최초에는 Player 객체만 사정거리 안에 있었다. 총알이 발사되면 발사된 총알도 사정거리 안에 있기 때문에 계속해서 총알이 발사되는 문제가 있다.

또 다른 문제점은 발사된 총알이 없어지지 않고 계속 남아 있다는 것이다. 총알이 발사되고 일정 시간이 지나면 총알이 없어져야 더 자연스럽다. 아래 그림은 Player 객체가 Tower에 근접했을 때 총알이 발사되고, 발사된 총알이 없어지지 않고 남아 있는 상태를 보여준다.

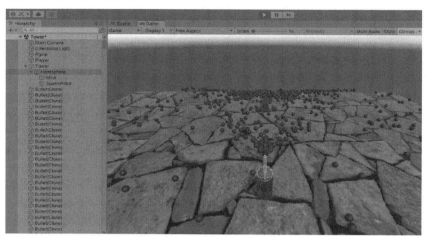

Bullet 스크립트를 조금 수정해보자. 총알이 만들어지고 3초가 지나면 제거되도록 스크립트를 수정한다.

```
public class Bullet : MonoBehaviour {
    float mLastTime;

    void Start()
    {
        mLastTime = Time.time;
        GetComponent<Rigidbody> ().AddForce (transform.forward*1000);
    }

    void Update()
    {
        float time = Time.time;
```

```
        if (time - mLastTime > 2.0f) {
            Destroy (this.gameObject);
        }
    }
}
```

Start() 함수에서 프로그램이 시작되는 시간을 mLastTime 변수에 저장한다.
프레임마다 Update() 함수가 실행되는데, 그때의 시간을 time 변수에 저장한다. time
값과 mLastTime 값의 차이가 2보다 커지면 Destroy() 함수를 이용해 자기
자신(Bullet 객체)을 제거한다.

게임을 시작하고 Player 객체를 Tower에 가깝게 움직이면 총알이 발사된다. 그러나
이번에는 총알이 생성되더라도 2 만큼의 시간이 지나면 제거된다.

Player 객체가 Tower 근처로 가면 총알이 발사되는데 너무 많이 발사되는 것도
문제이다. Player 객체가 Tower 근처에 있을 때 2 만큼의 시간에 한 번씩 총알이
발사되도록 수정해보자. 이를 위해 근접 거리를 체크하는 Follow 스크립트를 수정한다.

```
public class Follow : MonoBehaviour {
    public Transform firePos;
    public GameObject bullet;

    Transform tranobj;
    float mLastTime;
    RaycastHit hit;

    // Use this for initialization
    void Start () {
        tranobj = GameObject.Find("Player").transform;
```

```
        mLastTime = Time.time;
    }

    // Update is called once per frame
    void Update () {
        transform.LookAt(tranobj);

        float time = Time.time;
        Debug.DrawRay(firePos.position, firePos.forward * 6, Color.red);
        if (Physics.Raycast(firePos.position,firePos.forward,out hit, 6))
        {
            Debug.Log(hit.collider.gameObject.tag);
            if (time - mLastTime > 2.0f) {
                Instantiate (bullet, firePos.position, firePos.rotation);
                mLastTime = time;
            }
        }
    }
}
```

Start () 함수에서 Follow 스크립트가 시작되는 시간을 mLastTime 변수에 저장한다.
프레임마다 Update() 함수가 호출되는데, 그때의 시간을 time 변수에 저장한다. time
값과 mLastTime 값의 차이가 2보다 커지면 비로소 Instantiate() 함수를 이용해
bullet 객체를 생성한다. 그리고 bullet 객체를 생성한 시간을 mLastTime 변수에
저장한다. 그리고 위의 과정을 반복한다.

즉 처음 시간을 mLastTime 변수에 저장하고, 나중 시간을 time 변수에 저장하여 그
차이가 2 이상이 될 때까지 기다린다. 두 시간의 차이가 2 이상이 되면 총알을
생성하고, 총알을 생성한 시간을 다시 mLastTime 변수에 저장한다.

플레이 버튼을 클릭해 게임을 시작한다. 이제는 Player 객체가 Tower와 근접할 때 시간 2 단위로 총알이 만들어지고 생성된 총알은 2 만큼의 시간이 흐르면 제거된다.

지금까지 작업한 내용을 저장한다. 씬 내용을 저장하기 위해서는 [File / Save Scene as...] 메뉴를 순서대로 선택하면 된다. 파일 이름을 Bullet으로 입력하고 [저장] 버튼을 클릭한다.

현재의 씬을 TowerBullet.unity로 새로 저장하고 작업을 계속해보자. 프로젝트 뷰의 Tower 프리팹을 제거하고 하이어라키 뷰에 있는 Tower 객체를 프로젝트 뷰로 드래그 앤드 드롭한다. 이렇게 하면 Tower 객체가 프리팹으로 다시 만들어진다. 프로젝트 뷰에 원본이 있으므로 하이어라키 뷰의 Tower 객체는 제거한다.

프로젝트 뷰에 있는 Tower 프리팹을 씬 뷰로 드래그 앤드 드롭한다. Ctrl+Shift 키를 누르면 Tower 객체를 Plane 객체 바로 위에 위치시킬 수 있다. 아래 그림을 참조해서 총 5개의 Tower를 씬 뷰로 드래그 앤드 드롭한다.

게임을 시작하여 Player 객체를 움직여본다. Tower에 근접하면 각 Tower는 플레이어를 향해 총알을 발사한다.

11 장. 파티클

11.1 파티클 프로젝트

파티클은 강체가 아닌 물체의 성질을 나타내기 위해 사용한다. 주로 모래폭풍, 연기, 폭발과 같은 강체가 아닌 현상을 표현하기 위해 파티클을 사용한다. 프로젝트를 새로 만들어 파티클을 확인해보자. 프로젝트 이름이 Particle인 새 프로젝트를 만든다.

유니티가 실행되면 프로젝트 뷰의 Assets 폴더를 마우스 오른쪽 버튼으로 클릭한다. 나타나는 메뉴에서 [Show in Explorer] 메뉴를 선택한다.

앞에서 작업한 [Prefab / Assets] 폴더를 찾아 ADG_Textures 폴더를 현재 작업하고 있는 프로젝트 뷰로 드래그 앤드 드롭한다.

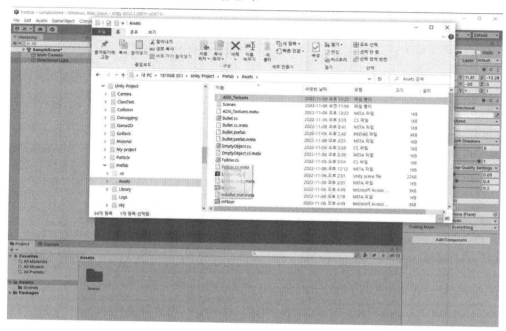

에셋 스토어에서 다운로드 후 임포트 해도 되지만 이미 임포트 한 적이 있다면 해당 폴더에서 작업하고 있는 프로젝트 뷰로 드래그 앤드 드롭해도 된다. 임포트가 완료되면 Assets 폴더에 ADG_Textures 폴더가 생성되어 있는지 확인한다.

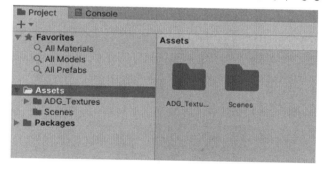

씬에 Plane 객체를 추가한다. 그리고 프로젝트 뷰에서 [+] 버튼을 클릭해 매터리얼을 생성한다. 생성된 매터리얼의 이름을 mFloor로 변경하고 적당한 텍스처를 부여한다.

예제에서는 mFloor 매터리얼에 다음의 이미지를 할당했다.

mFloor - wall04_Diffuse

만들어진 mFloor 매터리얼을 Plane 객체에 적용한다.

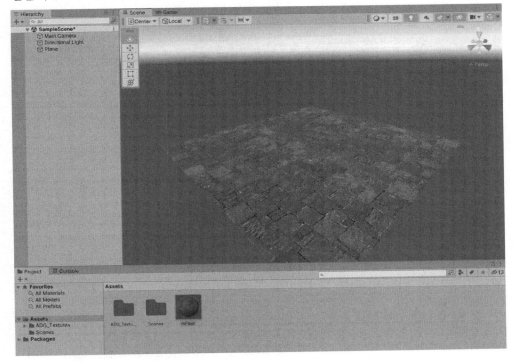

에셋 스토어에서 standard asset을 검색하고 [Unity에서 열기] 버튼을 클릭한다.

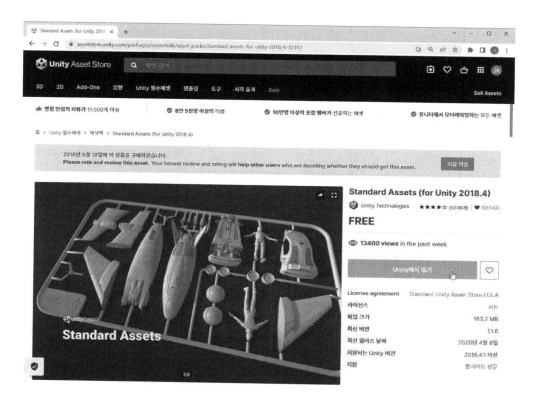

나타나는 패키지 매니저에서 [import] 버튼을 클릭해서 프로젝트 뷰로 Standard Assets을 임포트 한다. 임포트가 완료되면 프로젝트 뷰에 Standard Assets 폴더가 추가된다.

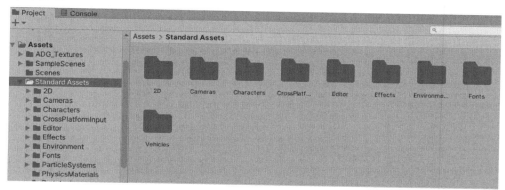

Assets\Standard Assets\ParticleSystems\Prefabs 폴더를 보면 유니티에서 제공하는

파티클 프리팹을 찾을 수 있다. 이 프리팹을 하이어라키 뷰나 씬 뷰에 드래그 앤드 드롭한다. 일단 DustStorm 프리팹을 씬 뷰에 드래그 앤드 드롭해보자.

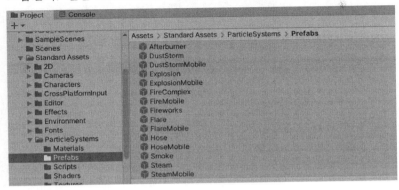

씬 뷰에 먼지 폭풍이 생성되는 것을 확인할 수 있다. 플레이 버튼을 클릭해 확인해도 된다.

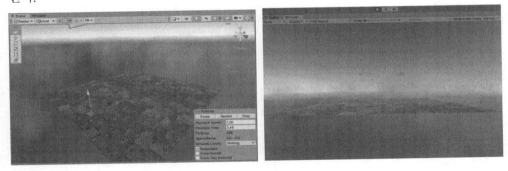

하이어라키 뷰에서 DustStorm 객체를 제거하고(delele 키를 이용해 제거하면 된다) 다른 파티클 프리팹을 테스트해보자. 이번에는 Smoke 프리팹을 씬 뷰에 드래그 앤드 드롭한다. 플레이 버튼을 클릭해 효과를 살펴보자.

마지막으로 하이어라키 뷰에서 Smoke 객체를 제거하고 Explosion 프리팹을 씬 뷰로 드래그 앤드 드롭한다. 플레이 버튼을 클릭하면 시작하자마자 폭발이 이루어지는 것을 확인할 수 있다.

이렇게 모래폭풍, 연기, 폭발과 같은 강체가 아닌 현상을 표현하기 위해 파티클 시스템을 사용한다.

지금까지 작업한 내용을 저장한다. 씬 내용을 저장하기 위해서는 [File / Save Scene as...] 메뉴를 순서대로 선택하면 된다. 파일 이름을 Particle로 입력하고 [저장] 버튼을 클릭한다.

11.2 마우스 클릭과 파티클

이번 절에서는 게임 실행 중 특정 순간에 파티클을 만드는 과정에 대해 알아 보겠다. 예를 들어 마우스를 클릭할 때나, 미사일이 특정 객체에 충돌할 때 파티클이 나타나게 할 수 있다. 이를 실습하기 위해 다음 과정을 실행해보자.

11.1 절에서 추가한 Explosion 파티클을 제거하고, [GameObject / Create Empty] 메뉴를 선택한다.

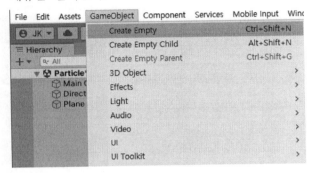

추가된 객체의 이름을 ParticlePoint로 변경한다.

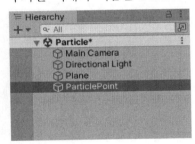

프로젝트 뷰에서 [+] 버튼을 클릭해 C# 스크립트를 생성하고 이름을 EmptyObject로 변경한다. 프로젝트 뷰의 EmptyObject 스크립트 아이콘을 더블클릭하여 비주얼 스튜디오를 실행한다. 비주얼 스튜디오에서 다음과 같이 프로그래밍한다.

```
public class EmptyObject : MonoBehaviour {
    public Color color = Color.blue;
    public float radius = 0.2f;

    void OnDrawGizmos () {
        Gizmos.color = color;
        Gizmos.DrawSphere(transform.position, radius);
    }
}
```

프로그래밍이 완료되면 비주얼 스튜디오에서 Ctrl+S 키를 눌러 저장한다. 유니티에서
EmptyObject 스크립트 파일을 ParticlePoint에 드래그 앤드 드롭한다.

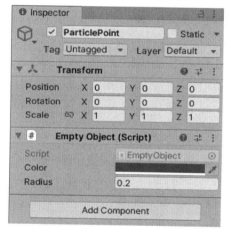

EmptyObject 스크립트는 지정된 컬러와 반지름으로 객체를 표현하기 때문에
프로그래머가 객체를 볼 수 있다. 예제에서는 씬 뷰에 반지름 크기가 0.2인 원이
표시된다.

프로젝트 뷰에서 [+] 버튼을 클릭해 C# 스크립트를 생성하고 이름을 ParticleEffect로 변경한다. 프로젝트 뷰의 ParticleEffect 스크립트 아이콘을 더블클릭하여 비주얼 스튜디오를 실행한다. 비주얼 스튜디오에서 다음과 같이 프로그래밍한다. C# 스크립트 파일 이름을 ParticleEffect로 정했으니 클래스 이름도 ParticleEffect이다. 유니티에서는 항상 C# 스크립트 파일 이름과 클래스 이름을 같게 해야 한다.

```
public class ParticleEffect : MonoBehaviour {
    public Transform ParticlePosition;
    public GameObject Particle;

    void Update ()
    {
        if (Input.GetButtonDown("Fire1"))
        {
            GameObject particleObj = Instantiate(Particle) as GameObject;

            particleObj.transform.position = ParticlePosition.position;

            Destroy (particleObj, 2.0f);
        }
    }
}
```

사용자가 마우스 왼쪽 버튼을 클릭하면 if 문이 실행된다. Fire1은 마우스 왼쪽 버튼을 의미한다. public으로 선언한 Particle을 이용하여 파티클 객체(particleObj)를 생성한다. 이후 사용자가 정해준 위치(ParticlePosition)를 파티클 객체의 위치로 정한다. 파티클이 실행된 후 2초가 지나면 파티클 객체는 제거된다.

ParticleEffect 스크립트는 게임 실행 중 없어지지 않을 객체에 드래그 앤드 드롭하면 된다. 보통은 Main Camera 객체에 드래그 앤드 드롭하는 경우가 많다. 예제에서는 Empty 객체를 하나 만들어 이 객체에 ParticleEffect 스크립트를 적용해 보겠다. 물론 게임 실행 중 Empty 객체가 없어지지 않게 할 것이다.

[GameObject / Create Empty] 메뉴를 선택하면 씬 뷰에 비어있는 객체가 추가된다.

추가된 GameObject에 ParticleEffect 스크립트를 드래그 앤드 드롭한다. 현재 인스펙터 뷰의 Particle Position과 Particle 칸이 비어 있다.

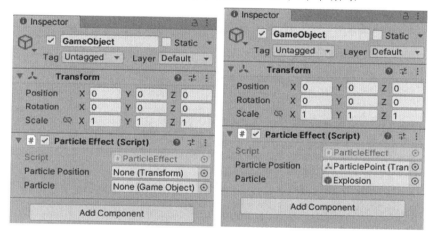

하이어라키 뷰에서 ParticlePoint를 Particle Position 칸으로 드래그 앤드 드롭하고, 프로젝트 뷰의 Standard Assets / ParticleSystems / Prefabs 폴더 안에 있는 Explosion을 Particle 칸으로 드래그 앤드 드롭한다.

플레이 버튼을 클릭해서 게임을 시작한다. 마우스를 클릭하면 ParticlePoint 위치에 파티클이 생성되는 것을 확인할 수 있다.

지금까지 작업한 내용을 저장한다. 씬 내용을 저장하기 위해서는 [File / Save Scene as...] 메뉴를 순서대로 선택하면 된다. 파일 이름을 Particle2로 입력하고 [저장] 버튼을 클릭한다.

11.3 충돌과 파티클

이번 절에서는 두 객체가 충돌할 때 파티클이 만들어지도록 실습을 해보겠다. 하이어라키 뷰에서 ParticlePoint, GameObject 두 객체를 선택해 제거한다.

씬에 Cube 객체를 하나 추가한다. Cube 객체의 Y 위치 값을 0.5로 수정한다. 하이어라키 뷰에서 Cube 객체를 선택하고 Ctrl+D 키를 누른다. Ctrl+D 키를 누르면 Cube (1)이 복사된다. 유니티에서 Ctrl+D 키는 선택한 객체를 복사하라는 의미이다.

Cube와 Cube (1)의 이름을 각각 Player와 Box로 변경한다. Player의 위치를 (-2, 0.5, 0)으로 수정하고, Box 위치를 (2, 0.5, 0)으로 수정한다. 겹쳐 있던 두 객체가 서로 떨어진다.

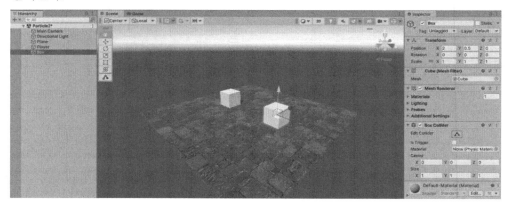

하이어라키 뷰에서 Player 객체를 선택하고 인스펙터 뷰의 [Add Component] 버튼을 클릭한다. 나타나는 메뉴에서 [Physics / Rigidbody] 메뉴를 순서대로 선택하면 Player 객체에 리지드바디가 추가된다.

프로젝트 뷰에서 [+] 버튼을 클릭해 C# 스크립트를 생성하고, 이름을 Moveturn이라고 변경한다. 프로젝트 뷰의 Moveturn 스크립트 아이콘을 더블클릭하여 비주얼 스튜디오를 실행한다. 비주얼 스튜디오에서 다음과 같이 프로그래밍한다. Moveturn 스크립트는 앞에서 배운 내용과 같다. 따라서 앞 장의 스크립트를 복사해서 사용해도 된다.

```
public class Moveturn : MonoBehaviour {
    Vector3 forward = new Vector3(0, 0, 1);
```

```
Vector3 up = new Vector3(0, 1, 0);

void Update ()
{
    float v = Input.GetAxis("Vertical");
    float h = Input.GetAxis("Horizontal");

    v = v * Time.deltaTime;
    h = h * Time.deltaTime;

    transform.Translate(forward * v * 20);
    transform.Rotate(up * h * 120);
}
}
```

프로그래밍이 완료되면 비주얼 스튜디오에서 Ctrl+S 키를 눌러 저장한다. 유니티에서
Moveturn 스크립트 파일을 Player 객체에 드래그 앤드 드롭한다. 스크립트 파일이
Player 객체에 적용되면 Player 인스펙터 뷰에 Moveturn 스크립트가 컴포넌트로
추가된다.

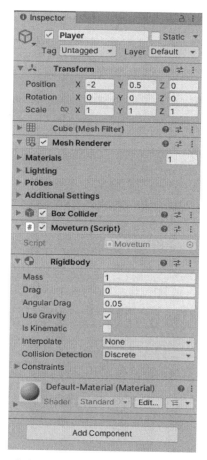

게임을 시작하기 전에 Palne의 크기를 늘려보자. X축과 Z축 방향으로 크기를 5배 확대했다.

이제 플레이 버튼을 클릭해 게임을 시작한다. 왼쪽, 오른쪽, 위쪽, 아래쪽 방향 키를 누르면 Player 객체가 방향 키에 맞게 움직인다.

Player 객체를 움직여 옆에 있는 Box 객체와 충돌시켜 보자. Box 객체와 부딪히면 통과하지 못하고 튕겨 나온다. 유니티의 물리 연산이 자동으로 실행되고 있기 때문이다. 플레이 버튼을 다시 클릭해 게임을 중지한다.

프로젝트 뷰에서 [+] 버튼을 클릭해 C# 스크립트를 생성하고 이름을 CheckCollision으로 변경한다. 프로젝트 뷰의 CheckCollision 스크립트 아이콘을 더블클릭하여 비주얼 스튜디오를 실행한다.

CheckCollision 스크립트 파일에 자동으로 생성된 Start() 함수와 Update() 함수를 삭제하고 아래와 같이 입력한다.

```
public class CheckCollision : MonoBehaviour {
    public GameObject Particle;

    void OnCollisionEnter(Collision obj)
    {
        Debug.Log("충돌 발생 "+obj.transform.name);

        if(obj.transform.name != "Plane")
        {
            GameObject particleObj = Instantiate(Particle) as GameObject;

            particleObj.transform.position = obj.transform.position;
        }
    }
}
```

Particle 변수를 public으로 선언하여 외부에서 원하는 파티클을 설정할 수 있게 한다. OnCollisionEnter() 메서드의 obj 변수는 Player 객체와 부딪히는 객체를 표시한다. 게임이 시작되면 바닥 객체인 Plane과 충돌이 일어난다. Plane 객체가 아닌 다른 객체와 충돌이 일어날 경우에만 파티클을 생성하여 표시하기 위해 아래와 같이 코딩한다.

```
if(obj.transform.name != "Plane") {

}
```

파티클이 생성되는 위치는 충돌이 일어나는 지점이다.

```
particleObj.transform.position = obj.transform.position;
```

프로그래밍이 완료되면 비주얼 스튜디오에서 Ctrl+S 키를 눌러 저장한다. 프로젝트 뷰에 있는 CheckCollision 스크립트 파일을 Player 객체에 드래그 앤드 드롭한다. 스크립트 파일이 Player 객체에 적용되면 Player 인스펙터 뷰에 CheckCollision 스크립트가 컴포넌트로 추가된다.

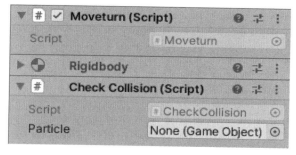

C# 스크립트에서 public으로 선언한 Particle 변수가 비어 있다. 프로젝트 뷰의 Standard Assets / ParticleSystems / Prefabs 폴더 안에 있는 Explosion을 Particle 칸으로 드래그 앤드 드롭한다.

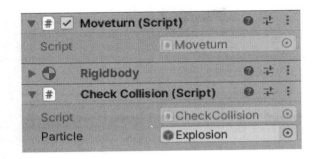

플레이 버튼을 클릭해 게임을 실행해보자. 방향 키를 눌러 Player 객체가 Box 객체를 향하게 하고, Player 객체를 이동해 Box 객체와 충돌이 일어나게 만들자. Player 객체와 Box 객체가 서로 부딪히면 부딪히는 지점에서 파티클이 생성된다. 이때 Player 객체가 파티클 효과에 의해 날라가 버린다. Player 객체의 무게가 너무 가볍기 때문이다.

Player 객체의 무게를 100으로 변경하고 다시 실행시켜보자.

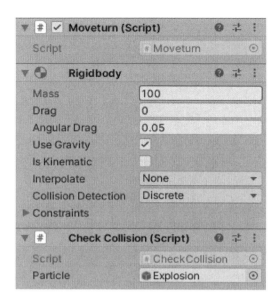

이번에는 파티클이 발생해도 Player 객체가 크게 움직이지 않는다. Player 객체를 뒤로 이동한 뒤 다시 Box 객체와 부딪히게 만들면 파티클이 다시 생성되는 것을 확인할 수 있다. 프로젝트 뷰의 Console 탭을 클릭하면 어느 객체와 충돌이 일어났는지 확인할 수 있다.

Player 객체가 Box 객체와 충돌할 때마다 "충돌 발생 Box"라는 메시지가 콘솔 창에 표시된다. Player 객체가 Box 객체와 충돌할 때 obj 변수에는 Box 객체가 저장된다.

지금까지 작업한 내용을 저장한다. 씬 내용을 저장하기 위해서는 [File / Save Scene as...] 메뉴를 순서대로 선택하면 된다. 파일 이름을 Particle3으로 입력하고 [저장]

버튼을 클릭한다.

11.4 총알과 파티클

현재 씬에서 Player와 Box 객체를 제거한다.

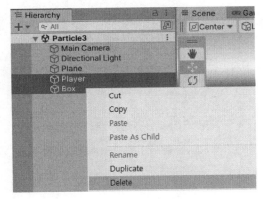

아래와 같은 Tower 객체를 만들어보자. Cube, Sphere, Cylinder 객체를 순서대로 추가하고 Cube 객체의 이름을 Tower로, Sphere 객체의 이름을 Hemisphere로, Cylinder 객체의 이름을 Stick으로 변경한다. 타워를 만드는 과정은 10장과 동일하다.

3개의 객체를 아래 그림처럼 부모 자식 간의 관계로 만든다. 부모 자식 간의 관계는 자식 객체를 부모 객체에 드래그 앤 드롭하면 된다.

각 객체의 크기와 계층은 아래 그림을 참조한다.

Hemisphere 객체를 Tower 객체의 자식으로 만들고, Stick 객체를 Hemisphere 객체의

자식으로 만든다. Hemisphere 객체를 Tower 객체의 자식으로 만든 후 반드시 Hemisphere 객체의 Transform 컴포넌트를 리셋한 후 정보를 수정해야 한다. 마찬가지로 Stick 객체를 Hemisphere 객체의 자식으로 만든 후 Stick 객체의 Transform 컴포넌트를 리셋한 후 정보를 수정한다.

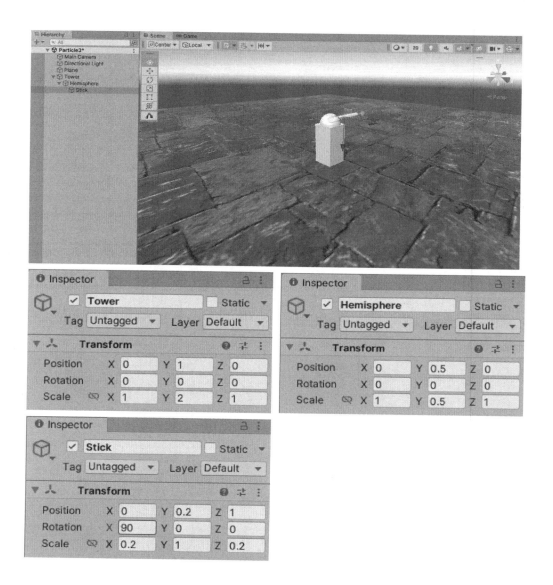

[GameObject / Create Empty] 메뉴를 순서대로 선택해서 빈 객체가 하이어라키 뷰와

씬 뷰에 추가되도록 한다. 추가된 객체의 이름을 spawnPoint로 변경한다. spawnPoint를 Hemisphere 객체에 드래그 앤드 드롭하여 Hemisphere 객체의 자식이 되도록 한다. 다시 말하지만 어떤 객체를 다른 객체의 자식으로 만들 때 자식 객체의 정보를 수정하기 전에 반드시 자식 객체의 Transform 컴포넌트를 리셋한 후 속성 정보를 수정해야 한다.

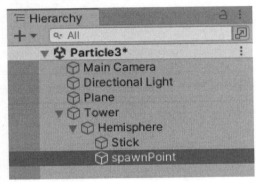

spawnPoint 객체에 EmptyObject 스크립트를 적용하여 spawnPoint 객체를 볼 수 있게 만든다. 물론 게임할 때에 spawnPoint 객체는 Empty 객체이므로 사용자 눈에는 보이지 않는다. 다음 그림을 참조하여 spawnPoint 객체가 Stick 객체의 앞에 위치하도록 만든다.

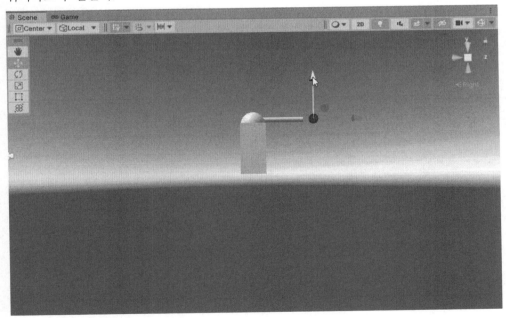

Sphere 객체를 추가하여 이름을 Bullet으로 변경하고 아래와 같이 크기를 수정한다.

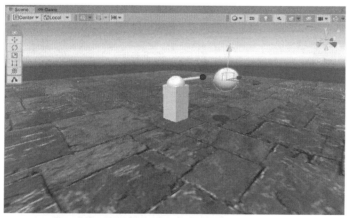

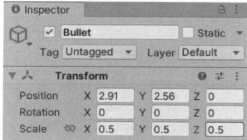

Bullet 객체가 선택된 상태에서 인스펙터 뷰에 있는 [Add Component] 버튼을 클릭하고 [Physics / Rigidbody] 메뉴를 순서대로 선택한다.

다음과 같이 Bullet 스크립트를 만들어 Bullet 객체에 드래그 앤드 드롭한다.

```
public class Bullet : MonoBehaviour {
    void Start()
    {
        GetComponent<Rigidbody> ().AddForce (transform.forward*1000);
    }

    void Update()
    {
    }
}
```

하이어라키 뷰에 있는 Bullet 객체를 Project 뷰로 드래그 앤드 드롭하여 프리팹으로 만든다.

프로젝트 뷰의 Bullet 프리팹을 선택하면 인스펙터 뷰에 아래와 같이 보여진다. 현재 리지드바디, Bullet 소스가 추가되어 있다.

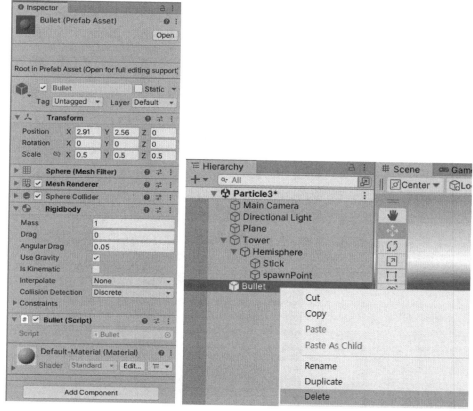

Bullet 객체를 프리팹으로 만들었기 때문에 하이어라키 뷰에 있는 Bullet 객체는 제거해도 된다.

C# 스크립트를 하나 생성하고 이름을 Shoot 라고 변경한다. Shoot 스크립트 파일을 비주얼 스튜디오에서 다음과 같이 프로그래밍한다.

```
public class Shoot : MonoBehaviour {
    public Transform firePos;
    public GameObject bullet;

    void Update () {
        if (Input.GetButtonDown("Fire1"))
```

```
        {
            Instantiate (bullet, firePos.position, firePos.rotation);
        }
    }
}
```

프로그래밍이 완료되면 비주얼 스튜디오에서 Ctrl+S 키를 눌러 저장한다. 유니티에서 Shoot 스크립트 파일을 Main Camera 객체에 드래그 앤드 드롭한다. Main Camera 객체에 드래그 앤드 드롭하는 이유는 Main Camera 객체는 게임 실행 중 계속해서 존재하기 때문이다.

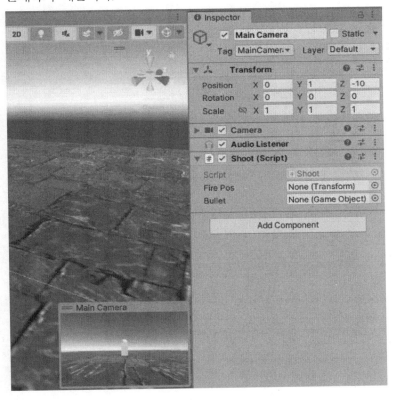

Shoot 컴포넌트의 FirePos 칸에는 하이어라키 뷰의 spawnPoint 객체를 드래그 앤드 드롭하고 Bullet 칸에는 프로젝트 뷰에 있는 Bullet 프리팹을 드래그 앤드 드롭한다.

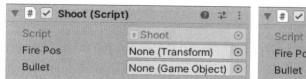 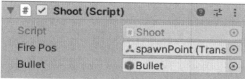

메인카메라의 위치를 아래와 같이 높이를 조정하여 화면을 내려다 볼 수 있게 만든다.

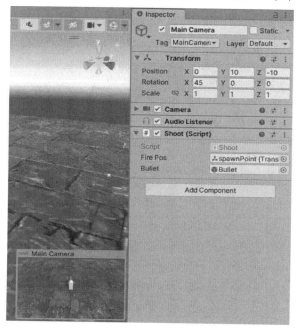

플레이 버튼을 클릭해 게임을 시작한다. 화면 어디든 마우스 왼쪽 버튼을 클릭하면
총알이 발사된다.

이제 앞에 장애물을 설치하고 총알이 장애물에 부딪히면 파티클이 생성되도록
만들어보자. Cube를 하나 추가하고 이름을 Wall 로 변경한다. 매터리얼을 하나
추가하여 적당한 텍스처 이미지가 적용되도록 한다. 만들어진 매터리얼을 Wall 객체에
드래그 앤드 드롭한다. 여기서는 바닥에 사용한 매터리얼을 적용했다.

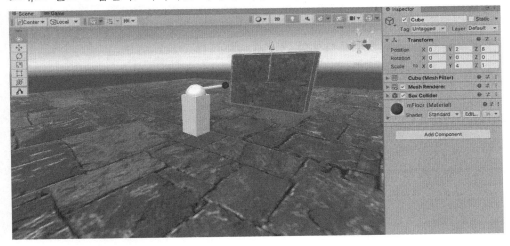

프로젝트 뷰에 있는 Bullet 프리팹을 하이어라키 뷰로 다시 이동한다. 이때 프로젝트
뷰의 Bullet 프리팹은 제거한다. 하이어라키 뷰에 있는 Bullet 객체에 CheckCollision

스크립트 파일을 드래그 앤드 드롭하여 컴포넌트로 추가한다. 현재 Particle 칸이 비어 있다.

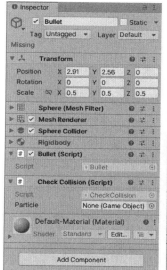
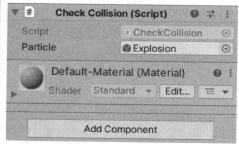

프로젝트 뷰의 Standard Assets / ParticleSystems / Prefabs 폴더 안에 있는 Explosion을 Particle 칸으로 드래그 앤드 드롭한다.

하이어라키 뷰에 있는 Bullet 객체를 프로젝트 뷰로 드래그 앤드 드롭하여 프리팹으로 다시 만든다. 그리고 하이어라키 뷰에 있는 Bullet 객체는 제거한다.

Main Camera에 추가한 Shoot 스크립트를 보면 Bullet 객체가 제거되어 있다. 다시 프로젝트 뷰에 있는 Bullet 프리팹을 Bullet 칸에 드래그 앤드 드롭한다.

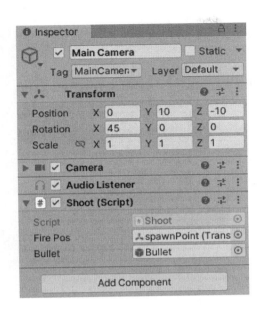

플레이 버튼을 클릭해 게임을 시작한다. 왼쪽 마우스를 클릭하면 총알이 발사되고
총알이 벽과 부딪히면 파티클이 생성되는 것을 확인할 수 있다.

지금까지 작업한 내용을 [File / Save Scene as...] 메뉴를 순서대로 선택해 Particle4.unity로 저장한다.

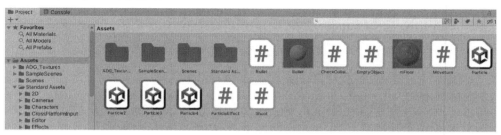

11.5 Audio Source 컴포넌트

프로젝트 이름이 Audio인 새 프로젝트를 만든다.

씬에 Plane, Cube 객체를 하나씩 추가한다. Cube 객체의 Y 위치 값을 0.5로 수정한다. 하이어라키 뷰에서 Cube 객체를 선택하고 이름을 Player로 변경한다.

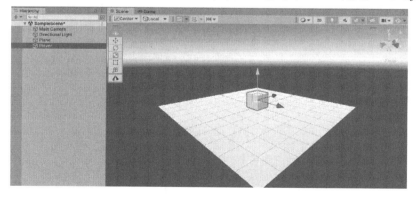

하이어라키 뷰에서 Player 객체를 다시 선택하고 Ctrl+D 키를 눌러 Player 객체를 복사한다. Player (1) 객체를 선택하고 이름을 Enemy로 변경한다.

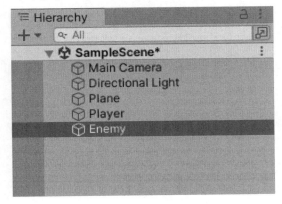

Enemy의 X 위치를 4로 변경한다.

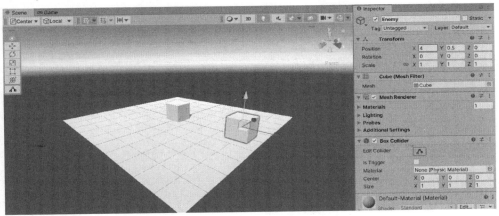

하이어라키 뷰의 Enemy 객체를 선택한 후 인스펙터 뷰에서 [Add Component] 버튼을 클릭한다. [Audio] 메뉴를 선택하고 곧이어 [Audio Source] 메뉴를 선택하면 Enemy 객체에 Audio Source 컴포넌트가 추가된다.

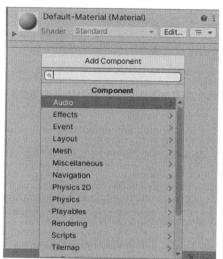

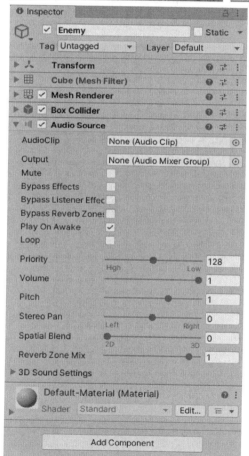

11.5.1 오디오 파일 추가

탐색기를 실행시켜 C:\Windows\Media 폴더의 Alarm01.wav, Alarm02.wav, Alarm03.wav 파일을 선택하고 프로젝트 뷰의 Assets 폴더로 드래그 앤드 드롭한다.

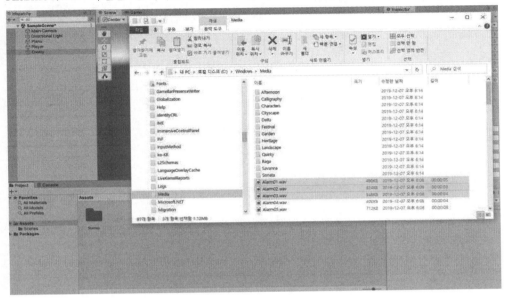

아래와 같이 세 개의 오디오 파일이 Assets 폴더에 추가된다.

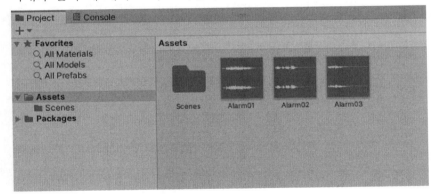

Assets 폴더의 각 오디오 파일을 선택하면 인스펙터 뷰에서 재생할 수 있다. 인스펙터 뷰의 Play 버튼을 클릭하면 오디오 파일이 재생된다.

하이어라키 뷰에서 Enemy 객체를 선택한다. 인스펙터 뷰의 Audio Source 컴포넌트의
AudioClip 속성에 프로젝트 뷰에 있는 Alarm01을 드래그 앤드 드롭한다.

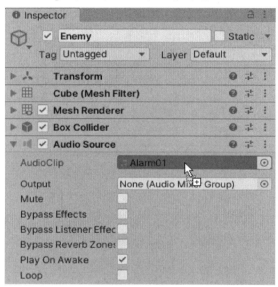

플레이 버튼을 클릭해 게임을 시작해보자. 게임을 시작하자 Alarm01.wav 파일이
재생된다. 시작과 동시에 오디오가 재생되는 이유는 Audio Source 컴포넌트의 Play On
Awake가 체크되어 있기 때문이다. Play On Awake가 체크되어 있지 않으면 시작할 때
소리가 재생되지 않는다. 현재 체크되어 있는 Play On Awake 속성이 체크되어 있지
않게 변경한다.

11.5.2 CheckCollision과 Move 스크립트

탐색기를 실행하여 앞 장의 Collision 프로젝트 폴더에서 CheckCollision.cs, Move.cs 스크립트 파일을 현재 작업하고 있는 프로젝트 뷰에 드래그 앤드 드롭한다.

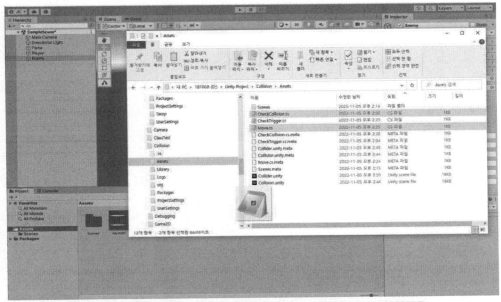

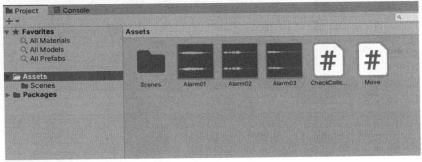

복사가 완료되면 Move 스크립트를 Player 객체에 드래그 앤드 드롭한다. CheckCollision 스크립트는 Enemy 객체에 드래그 앤드 드롭한다. CheckCollision 스크립트를 더블클릭해서 비주얼 스튜디오를 실행한다. 아래와 같이 CheckCollision 스크립트를 수정하고 저장한다.

```
public class CheckCollision : MonoBehaviour {
    void OnCollisionEnter(Collision obj)
    {
        Debug.Log("충돌 발생");
        GetComponent<AudioSource> ().Play ();
    }
}
```

충돌이 감지되려면 Player 객체에 리지드바디 컴포넌트를 추가해야 한다.

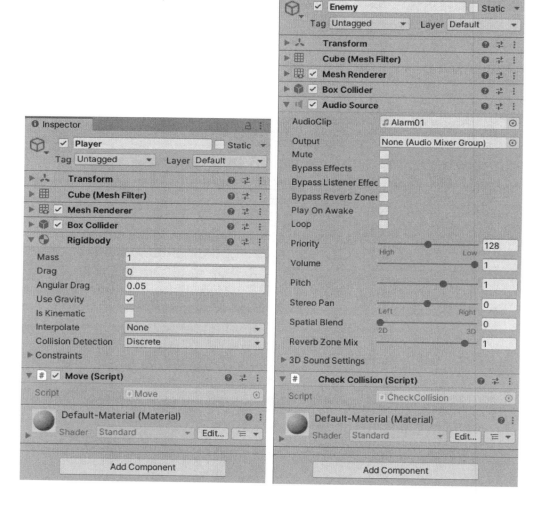

플레이 버튼을 클릭해 게임을 시작해보자. 방향키를 누르면 Player 객체가 움직인다. Player 객체를 움직여 Enemy 객체와 부딪히게 만들자. 두 객체의 충돌이 일어날 때 오디오가 재생된다. 화면 아래에 "충돌발생" 메시지도 보인다.

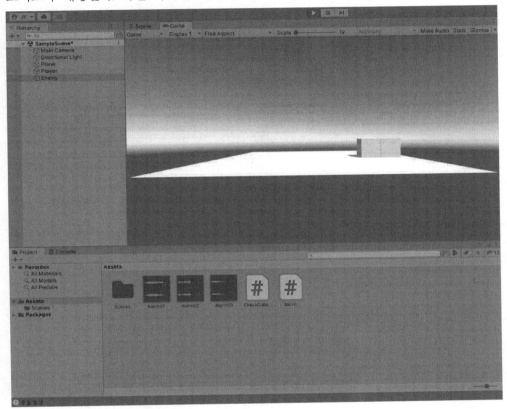

오디오 재생은 다음과 같이 이루어진다. 현재 Enemy 객체에는 AudioSource 컴포넌트와 CheckCollision 스크립트가 추가되어 있는 상태이다. 따라서 충돌 시 아래 소스에서 AudioSource 컴포넌트를 검색하면 Enemy 객체의 AudioSource 컴포넌트가 검색된다. 검색한 AudioSource 컴포넌트를 이용하여 이미 설정된 오디오 파일을 재생한다.

GetComponent<AudioSource> ().Play ();

이번에는 다른 객체들을 추가해서 서로 다른 오디오를 재생해보자.

11.5.3 객체 추가

텍스처 이미지를 활용하기 위해 앞 장에서 작업한
D:\Unity Project\Prefab\Assets\ADG_Textures 폴더를 새로 만들어진
D:\Unity Project\Audio\Assets 폴더에 복사한다.

Cube 객체 2개를 추가하고 각각의 이름을 Wall1, Wall2로 변경한다. Wall1, Wall2의
Transform 속성을 아래 그림과 같이 변경한다.

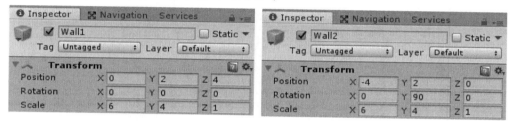

씬 뷰에 있는 모든 객체들에게 매터리얼을 적용해보자. 프로젝트 뷰에서 [+] 버튼을
클릭해 매터리얼 4개를 생성하고, 각각의 이름을 mFloor, mPlayer, mEnemy, mWall로
변경한다. 각 매터리얼에 적당한 텍스처 이미지를 할당한다. 예제에서는 다음과 같이
텍스처 이미지를 할당했다.

mFloor - wall11_Diffuse

mPlayer - wall18_Metallic

mEnemy - wall15_Ambient_Occlusion

mWall - wall04_Ambient_Occlusion

생성된 매터리얼을 각 객체에 드래그 앤드 드롭한다.

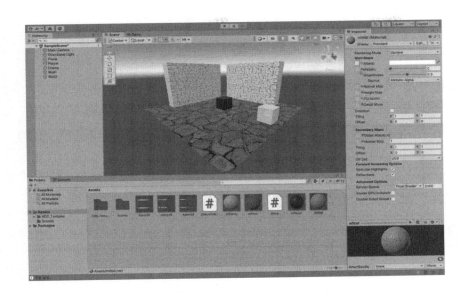

Wall1과 Wall2 객체에 Audio Source 컴포넌트를 추가한다. 하이어라키 뷰의 Wall1을
선택하고 인스펙터 뷰의 [Add Component] 버튼을 클릭해 [Audio / Audio Source]
메뉴를 선택한다. 이렇게 하면 Wall1 객체에 Audio Source 컴포넌트가 추가된다.

Wall1 객체에 대해 Audio Source 컴포넌트의 AudioClip에 Assets 폴더의 Alarm02를
드래그 앤드 드롭한다. 이번에도 Play On Awake가 체크되어 있지 않게 한다.

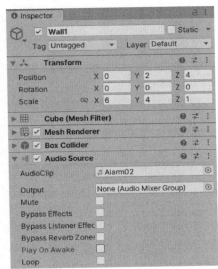

같은 방법으로 Wall2 객체에 Audio Source 컴포넌트를 추가한다. 그리고 Wall2 객체의 Audio Source 컴포넌트에 Alarm03을 드래그 앤드 드롭한다.

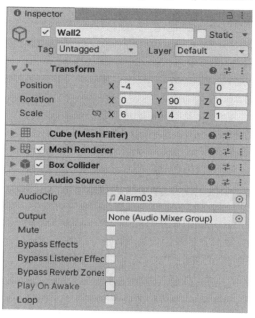

Wall1과 Wall2 객체에 CheckCollision 스크립트를 추가한다.

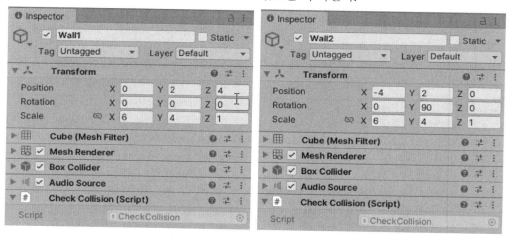

플레이 버튼을 클릭하여 게임을 시작한다. 방향키로 Player 객체를 움직여 Wall1 객체와 부딪혀 보자. Wall1 객체와 충돌하면 Alarm02.wav가 재생된다. Player 객체가

Wall2 객체와 충돌하면 Alarm03.wav가 재생된다. 이제는 부딪히는 물체가 무엇인지에 따라 재생되는 소리가 달라진다.

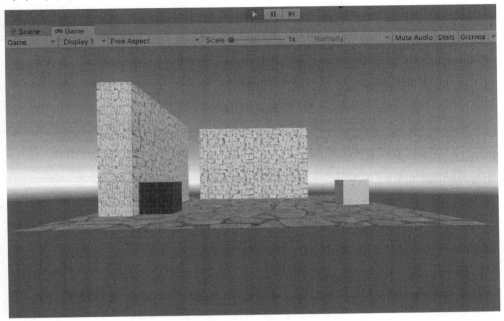

지금까지 작업한 내용을 저장한다. 씬 내용을 저장하기 위해서는 [File / Save Scene as...] 메뉴를 순서대로 선택하면 된다. 파일 이름을 Audio로 입력하고 [저장] 버튼을 클릭한다.

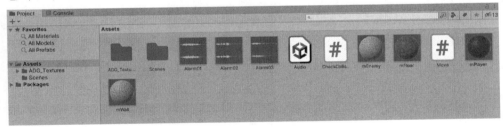

12 장. 인공지능

게임에서 NPC(Non Player Character)는 사람이 제어할 수 없다. 컴퓨터가 제어하는데 이때 필요한 기술이 인공지능이다. 특히 인공지능 관련 기술 중 길 찾기 알고리즘은 모든 게임에서 구현해야 할 정도로 필수적이다. 유니티에서는 장애물을 피해 목표 지점까지 찾아가는 기술을 쉽게 구현할 수 있다. 이번 장에서는 특정 객체가 장애물을 피해서 목표 지점까지 찾아가는 길 찾기 과정을 실습해보기로 한다.

12.1 Plane 객체 추가

프로젝트 이름이 Navigation인 새 프로젝트를 만든다.

씬에 Plane 객체를 추가한다. 하이어라키 뷰에서 추가된 Plane 객체를 선택하고 인스펙터 뷰의 Transform의 Scale을 (5, 1, 5)으로 변경한다. Scale의 값을 크게 했으므로 Plane 객체가 확장된다.

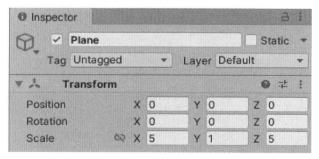

Plane 객체에 적용할 매터리얼을 만들기 위해 프로젝트 뷰에서 [+] 버튼을 클릭한다. [Material] 메뉴를 선택하고 생성된 매터리얼의 이름을 mFloor로 변경한다.

앞 장에서 작업한 텍스처 이미지를 재활용하기 위해
D:\Unity Project\Prefab\Assets\ADG_Textures 폴더를 새로 만들어진
D:\Unity Project\Navigation\Assets 폴더에 복사한다.

프로젝트 뷰에서 mFloor 매터리얼을 선택하고 오른쪽의 인스펙터 뷰에서 알베도의 작은원을 클릭한다. 텍스처 이미지 선택 창에서 적절한 이미지를 결정하고 더블클릭한다. 예제에서는 다음과 같은 텍스처 이미지를 할당했다.

mFloor – wall04_Diffuse

mFloor 매터리얼을 하이어라키 뷰의 Plane 객체에 드래그 앤드 드롭한다.

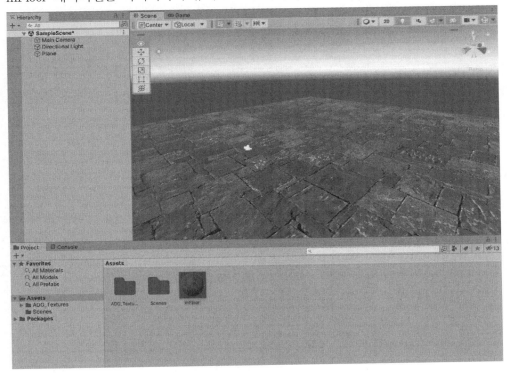

12.2 Target, NPC, 벽 객체 추가

다시 유니티에서 [GameObject / 3D Object / Cube] 메뉴를 순서대로 클릭해 Cube 객체를 하나 추가한다. 인스펙터 뷰에서 Transform의 Position을 (0, 0.5, 0)으로 변경한다.

하이어라키 뷰에서 Cube 객체의 이름을 Target으로 변경한다. 이름을 변경할 때는 F2 키를 누르면 쉽게 작업할 수 있다.

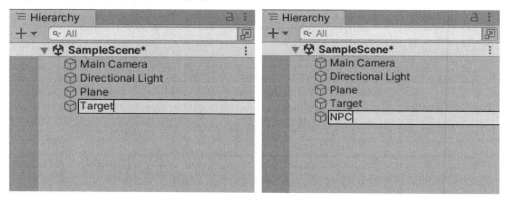

메인 메뉴에서 [GameObject / 3D Object / Capsule] 메뉴를 선택하여 Capsule을 추가한다. 하이어라키 뷰에서 캡슐의 이름을 NPC로 변경한다. NPC의 위치를 (0, 1, 0)으로 변경한다.

Target과 NPC에 매터리얼을 적용한다. Assets 폴더에 매터리얼을 2개 만들어 이름을 각각 mTarget, mNPC로 변경한다. 이후 알베도의 작은원을 클릭하여 적당한 텍스처 이미지를 적용한다. 예제에서는 다음과 같은 텍스처 이미지를 할당했다.

mTarget - wall04_Ambient_Occlusion
mNPC - wall11_Ambient_Occlusion

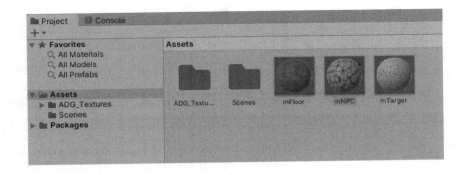

만들어진 mTarget, mNPC 매터리얼을 Target과 NPC 객체에 드래그 앤드 드롭한다.

Plane 객체 위에 장애물을 만들어보자. 작업을 쉽게 하도록 씬 기즈모의 Y를 클릭해서 위에서 보는 화면으로 바꾼다(평면도).

Target, NPC가 서로 겹쳐 보인다. 하이어라키 뷰에서 NPC를 클릭하고 오른쪽으로

이동한다.

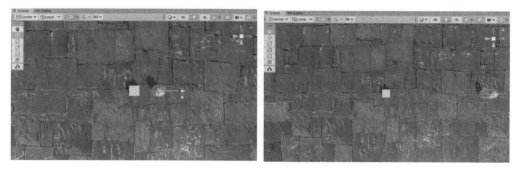

다시 하이어라키 뷰에서 Target을 클릭하고 왼쪽으로 이동한다.

[GameObject / 3D Object / Cube] 메뉴를 3번 클릭하여 3개의 Cube를 씬에 추가한다.
추가된 큐브의 이름을 Wall1, Wall2, Wall3으로 변경한다.

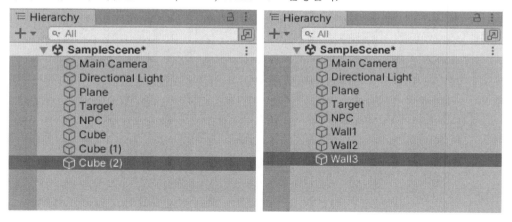

하이어라키 뷰에서 Wall1을 선택하고 인스펙터 뷰의 Transform Position을 (0, 0.5, 0)으로 변경한다. Scale의 Z 값을 10으로 변경하여 벽 모양을 만든다. 현재 선택된 Wall1을 아래 그림처럼 왼쪽으로 이동한다.

Wall2, Wall3에 대해서도 같은 작업을 수행하고 위치를 다음 그림을 보면서 적당한 곳으로 이동한다. Wall2, Wall3 객체의 Z Scale 값은 10으로 변경하여 확대한다.

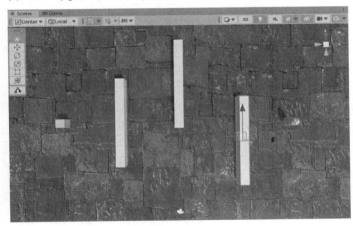

12.3 Nav Mesh Agent

메인 메뉴에서 [Window / AI / Navigation]을 선택하여 Navigation 탭을 활성화한다.

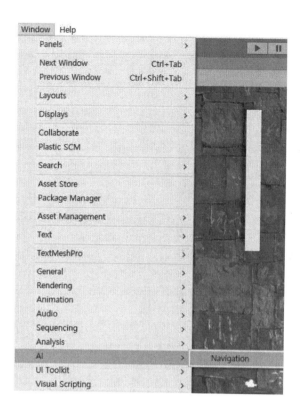

오른쪽에 Navigation 뷰가 나타나고, 씬 뷰 하단에 Navmesh Display 창이 나타난다.

하이어라키 뷰에서 Plane 객체를 선택하고 방금 활성화한 Navigation 탭에서 Navigation Static을 체크한다. Navigation Area를 Walkable를 수정한다. Plane 객체가 고정된 객체이고 걸어 다닐 수 있다는 의미이다.

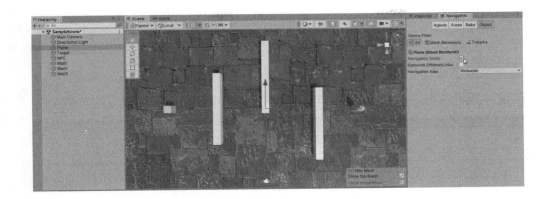

하이어라키 뷰에서 Wall1 객체를 선택하고 오른쪽의 Navigation 탭에서 Navigation Static을 체크한다. Navigation Area를 Not Walkable로 수정한다. 벽은 바닥과 마찬가지로 고정된 객체이지만 걸어 다닐 수는 없다는 의미이다. Wall2, Wall3 객체에 대해서도 Wall1 객체와 같은 작업을 수행한다.

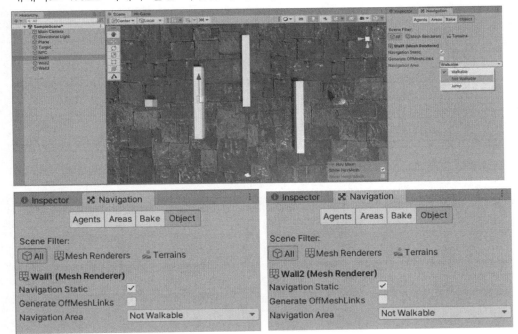

Navigation 탭의 Bake 부분을 클릭한다.

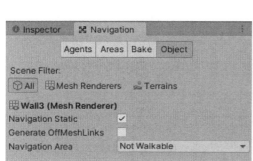

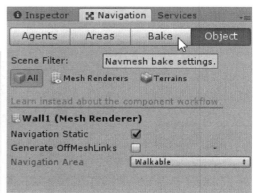

속성 값을 수정하지 말고 아래의 [Bake] 버튼을 클릭한다. Bake는 빵을 굽는 것처럼 현재 씬 뷰에 설정된 내용을 고정시키는 역할을 한다.

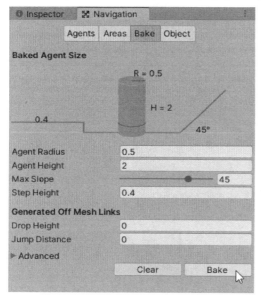

여러 속성 중에서도 계단 높이(Step Height)는 중요한 역할은 한다. 계단 높이를 1로 설정하면 높이가 1보다 큰 객체는 통과할 수 없는 장애물로 인식한다. 그러나 계단 높이를 2로 하면 통과할 수 없었던 높이가 1인 장애물을 넘어갈 수 있는 물체로 인식한다. 구역을 설정할 때에는 항상 Bake 버튼을 클릭해 설정 내용을 다시 저장해야 한다.

Bake가 완료되면 씬에 이동할 수 있는 지역과 이동할 수 없는 지역이 표시된다. 이동할 수 있는 지역은 파란색으로 표시된다.

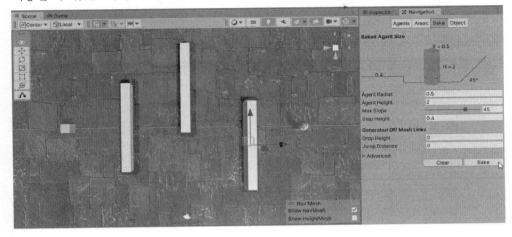

하이어라키 뷰에서 NPC를 클릭하고 오른쪽 인스펙터 뷰가 보이도록 한다.

인스펙터 뷰 아래의 [Add Component]을 눌러 [Navigation / Nav Mesh Agent] 메뉴를 선택한다. NPC 객체에 Nav Mesh Agent 컴포넌트를 추가하는 것이다.

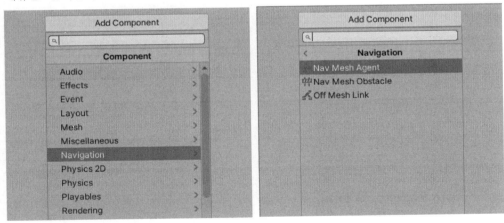

추가된 Nav Mesh Agent 컴포넌트는 아래와 같은 속성을 갖고 있다.

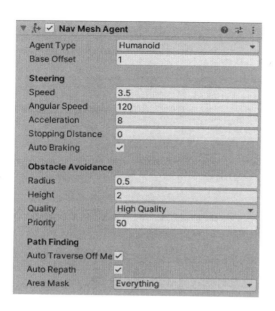

<표 12-1> Nav Mesh Agent 컴포넌트 속성

속성	내용
Speed	에이전트가 목적지를 향해 가는 이동 속도
Angular Speed	에이전트의 회전 속도. (deg/s) 단위
Acceleration	에이전트의 가속도
Stopping distance	중단 거리를 의미한다. 에이전트는 목적지와 Stopping distance 이상 떨어져 있는 동안 계속해서 움직인다.
Auto Repath	현재 경로가 유효하지 않을 경우 새 경로를 찾는다.

12.4 Navigate 스크립트

프로젝트 뷰에서 [+] 버튼을 클릭해 C# 스크립트 파일을 생성한다. 생성된 스크립트 파일 이름을 Navigate로 변경하고 이 스크립트 파일을 더블클릭하여 비주얼 스튜디오를 실행한다.

Navigate 스크립트 파일을 아래와 같이 변경한다. SetDestination(target.position) 함수는 agent가 target.position을 목적지로 찾아갈 수 있게 한다. 결국 NPC 객체가

Target으로 이동하는 스크립트이다. 이 스크립트를 NPC에 적용할 것이다.

```
public class Navigate : MonoBehaviour {
    public Transform target;
    UnityEngine.AI.NavMeshAgent agent;

    // Use this for initialization
    void Start () {
        agent = GetComponent<UnityEngine.AI.NavMeshAgent> ();
    }

    // Update is called once per frame
    void Update () {
        agent.SetDestination (target.position);
    }
}
```

작성된 Navigate 스크립트를 하이어라키 뷰의 NPC로 드래그 앤드 드롭한다. 드래그 앤드 드롭이 완료되면 NPC의 인스펙터 뷰에 Navigate 스크립트 컴포넌트가 추가된다.

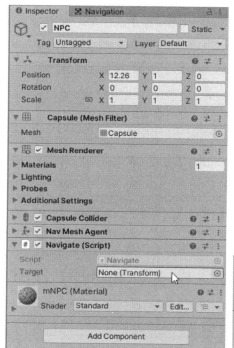

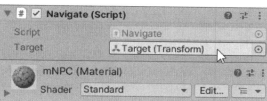

현재 추가된 스크립트 컴포넌트의 Target 부분은 None으로 되어 있다. 하이어라키 뷰의 Target 객체를 Navigate 스크립트의 Target으로 드래그 앤드 드롭한다.

플레이 버튼을 클릭해 게임을 실행한다. NPC가 Target을 찾아 가는 것을 확인할 수 있다.

길 찾기 과정을 잘 관찰하기 위해 Main Camera의 위치와 회전 값을 바꿔보자. 하이어라키 뷰의 Main Camera 객체를 선택하고, 인스펙터 뷰에서 Transform의 Position을 (0, 15, -10)으로 변경한다. 이렇게 하면 Main Camera 객체가 위로 올라간다. 또 Main Camera의 Rotation 값을 (50, 0, 0)으로 하여 X 축 방향으로 50도 회전한다. 이렇게 하면 Camera Preview에서 보는 것처럼 위에서 아래로 내려다볼 수 있다.

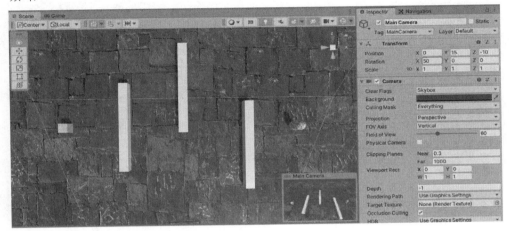

다시 플레이 버튼을 클릭해 길찾기 과정을 관찰해보자.

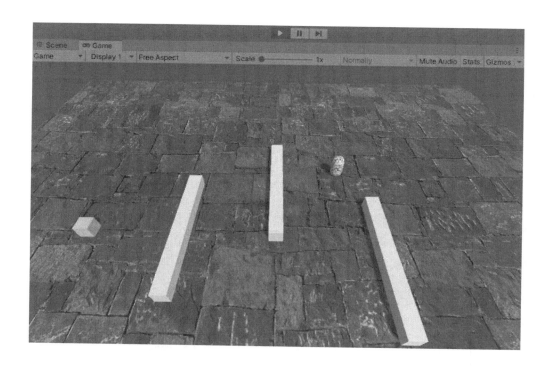

[File / Save Scene as…] 메뉴를 선택해 새로운 이름으로 씬을 저장한다. 저장할 씬 이름은 Navigation.unity이다.

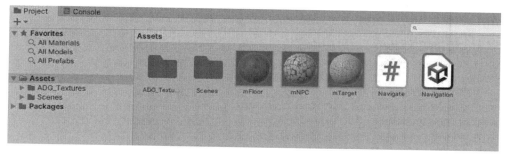

12.5 미로 벽 추가

이번에는 장애물을 조금 더 많이 배치해보자. 이런 상황에서도 과연 NPC가 타겟을 잘 찾아오는지 확인해보려 한다. 일단 [File / Save Scene as…] 메뉴를 선택해 새로운 이름으로 씬을 저장한다. 저장할 씬 이름은 Navigation2.unity이다.

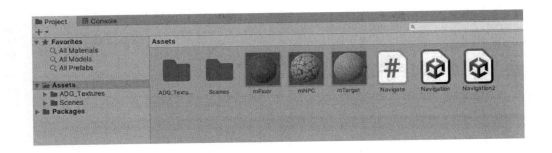

현재 씬에서 벽을 더 많이 생성한다. 벽을 생성하는 방법은 메뉴를 통해 Cube를 추가하는 방법도 있겠지만, 하이어라키 뷰에 있는 Wall1, Wall2, Wall3를 복사하는 방법이 더 좋은 방법이다. 이미 Wall1, Wall2, Wall3 객체에는 Navigation Static, Navigation Area가 설정되어 있기 때문이다. Wall1 객체를 복사하면 Wall1 객체의 속성과 같은 객체가 생성되기 된다. 복사된 객체들의 이름을 아래와 같이 변경한다.

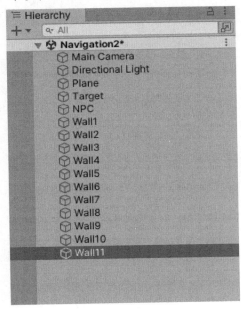

모든 벽 객체의 Navigation Static, Navigation Area 속성을 확인한다. Navigation Static은 체크되어 있어야 하고, Navigation Area는 "Not Walkable"로 설정되어 있어야 한다. 즉 벽은 고정이고, 벽으로는 걸어갈 수 없다는 의미이다.

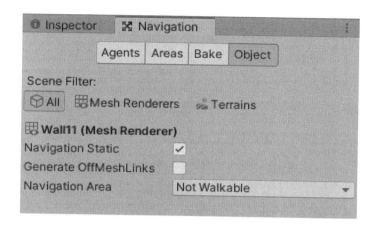

다시 [Bake] 버튼을 클릭한다. 바닥과 벽이 고정된다.

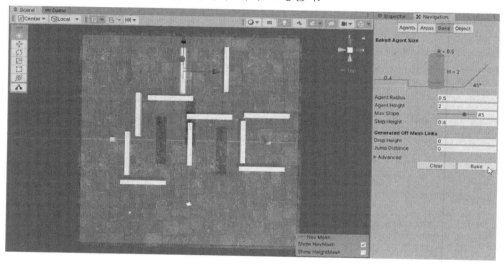

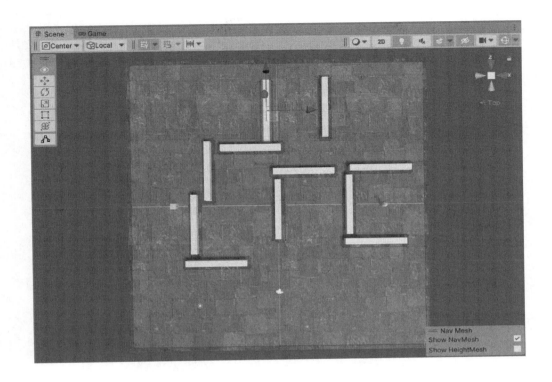

하이어라키 뷰에서 Main Camera를 선택하고 Camera Preview를 보면서 전체가
보이도록 Position과 Rotation을 아래과 같이 변경한다.

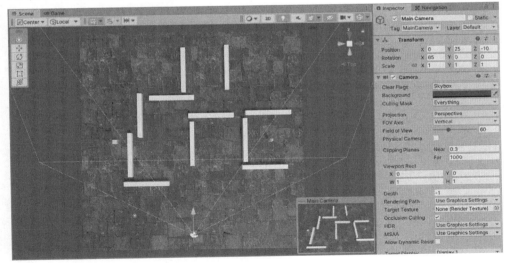

플레이 버튼을 클릭해 게임을 시작하면 미로와 같이 길이 복잡해졌음에도 불구하고 NPC가 타겟을 잘 찾아오는 것을 확인할 수 있다.

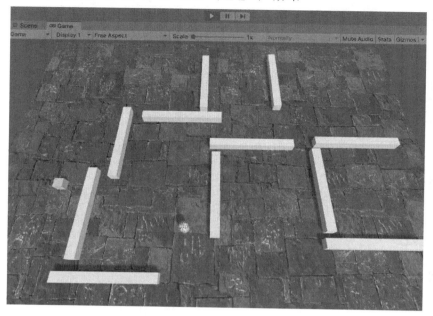

Ctrl+S 키를 눌러 작업한 내용을 저장한다.

13장. 지형

유니티의 지형 시스템(Terrain System)을 이용하면 간단한 조작을 통해 누구나 사실감 있는 지형을 만들 수 있다. 이번 장에는 유니티 지형을 직접 구현해보기로 한다. 먼저 프로젝트 이름이 Terrain인 새 프로젝트를 만든다.

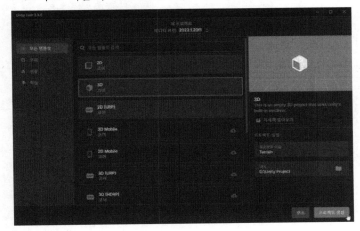

13.1 Terrain 객체 추가

유니티에서 [GameObject / 3D Object / Terrain] 메뉴를 순서대로 선택한다.

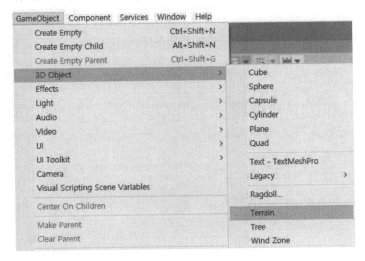

생성되는 Terrain이 씬 뷰의 오른쪽에 배치된다. Terrain이 씬 뷰의 가운데에 생성되지 않는 이유는 생성되는 Terrain의 왼쪽 꼭지점이 (0, 0, 0)이기 때문이다. Plane 객체의 경우 Plane 객체의 가운데 지점이 (0, 0, 0) 이었다.

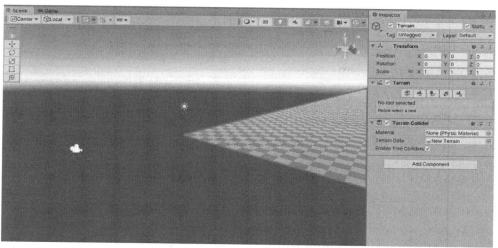

트랜스폼 툴에서 손 모양의 아이콘(제일 왼쪽 아이콘, 화면 이동)을 누르고 마우스 왼쪽 버튼을 클릭한 채, Terrain이 씬 뷰의 가운데에 위치하도록 조정한다. 마우스 휠을 누른채 움직여도 씬 뷰 화면을 조정할 수 있다. 이후 마우스 휠을 움직여 적절히 줌 인 줌 아웃을 시행한다.

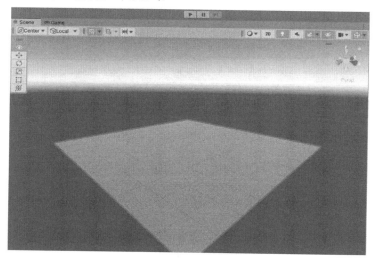

하이어라키 뷰에서 Terrain 객체를 선택하면 인스펙터 뷰에 아래 그림과 같은 Terrain 컴포넌트가 보인다.

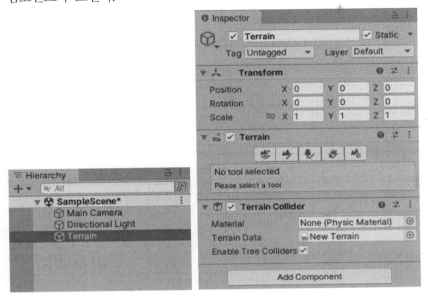

특히 Terrain 컴포넌트 중 5개의 버튼을 자세히 보기 바란다. 각각의 버튼들은 Terrain을 만들기 위해 다양한 기능을 제공한다. 지금부터 왼쪽 끝 버튼부터 오른쪽 끝 버튼까지 자세히 살펴보자.

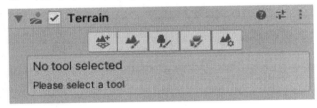

테레인 툴바는 테레인 조정을 위해 다섯 가지 옵션을 제공한다.

- Create Neighbor Terrains : 인접 테레인 타일을 만든다.
- Paint Terrain : 테레인을 만들고 페인팅한다.
- Paint Trees : 나무를 추가한다.
- Paint Details : 풀, 꽃, 돌 등의 디테일 요소를 추가한다.

- Terrain Settings : 선택한 테레인에 대한 일반 설정을 변경한다.

13.2 인접 테레인 만들기

현재 작업하고 있는 테레인과 인접한 테레인 타일을 빠르게 만들 수 있다. Terrain
컴포넌트에서 첫 번째 버튼을 클릭하고 작업한다.

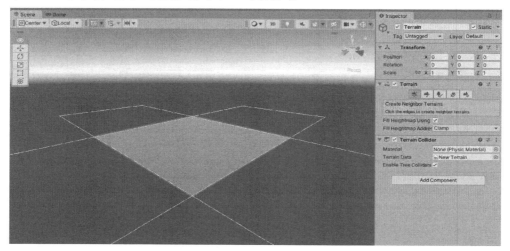

이 툴을 클릭하면 유니티는 선택한 테레인 주위 영역을 표시하여, 새로 연결할 타일을
배치할 수 있게 한다. 새 테레인 타일을 만들기 위해서는 기존 타일 옆에 있는 공간을
클릭하면 된다. 유니티는 선택한 테레인과 새 테레인 타일을 같은 그룹으로 만들고,
선택한 테레인 타일 속성을 새 테레인 타일의 속성으로 복사한다.

새 테레인이 만들어 질 때 지형의 높낮이를 어떻게 하느냐가 문제가 된다. Fill
Heightmap Using Neighbors 박스에 체크하면 새 테레인의 높이를 인접한 테레인의
높이와 크로스 블렌딩하여 만든다. 이렇게 하면 새 타일의 모서리 높이는 인접 타일의
모서리 높이와 일치하게 된다.

Fill Heightmap Address Mode 드롭다운 메뉴에서 2개의 속성을 선택할 수 있다. 이
속성은 인접한 타일의 높이를 어떻게 크로스 블렌딩할지 결정한다.

318

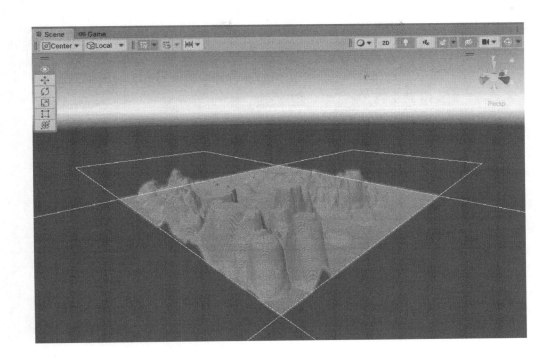

□ Clamp

새 타일은 인접 테레인의 모서리에 있는 지형과 크로스 블렌딩하여 생성된다. 각 테레인 타일은 최대 네 개의 인접 타일(위, 아래, 왼쪽, 오른쪽)을 가질 수 있다. 네 개의 인접 공간에 어떠한 타일도 없으면 각 경계에 있는 높이는 0으로 간주된다. Clamp 속성으로 위 그림의 테레인에 새 테레인을 추가하면 아래 그림처럼 표시된다. 추가되는 테레인은 원래 있던 인접한 테레인의 모서리 부분을 크로스 블렌딩한다.

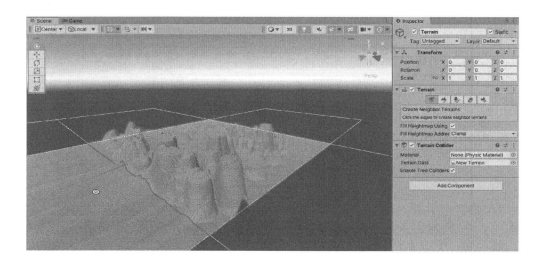

☐ Mirror

인접 테레인 타일을 각각 미러링한 후 크로스 블렌딩하여 새 타일에 대한 하이트맵을
생성한다. 네 개의 인접 공간에 어떠한 타일도 없으면 해당 타일 위치에 대한 높이는
0으로 간주된다. Mirror 속성으로 위 테레인에 테레인을 추가하면 아래 그림처럼
표시된다.

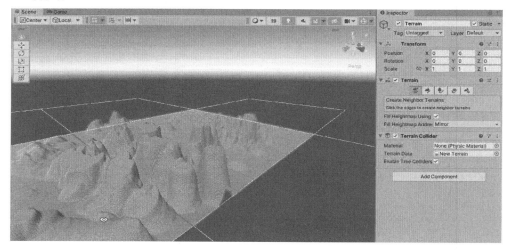

13.3 테레인 그리기

13.3.1 테레인 높이기/낮추기

테레인의 높이를 변경하려면 두 번째 버튼을 클릭하고 드롭다운 메뉴에서 [Raise or Lower Terrain]을 선택하면 된다.

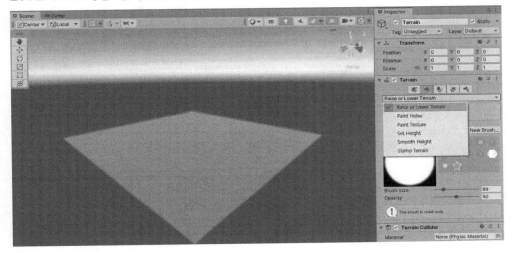

팔레트에서 브러시를 선택하고 커서를 클릭한 후 씬 뷰에서 테레인 위로 드래그하여 테레인 높이를 조정할 수 있다. Shift 키를 누른 상태로 클릭한 후 드래그하면 테레인 높이가 낮아진다.

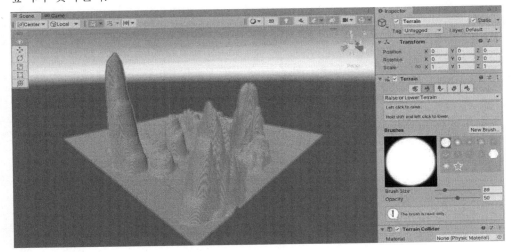

Brush Size 슬라이더를 사용하면 툴의 크기를 조정하여 거대한 산맥에서 작은 세부 요소에 이르기까지 다양한 효과를 만들 수 있다. Opacity 슬라이더는 테레인에 적용하는 브러시의 강도를 결정한다. Opacity 값을 100으로 설정하면 브러시가 완전한 강도로 적용되고 값을 50으로 설정하면 브러시의 강도가 반으로 줄어든다.

13.3.2 페인트 홀

페인트 홀 툴을 사용하여 테레인의 일부를 숨길 수 있다. 즉 동굴, 절벽 등과 같은 지형을 만들기 위해 테레인에 구멍을 그릴 수 있다. Paint Terrain 버튼이 클릭된 상태에서 Paint Holes 드롭다운 메뉴를 선택한다.

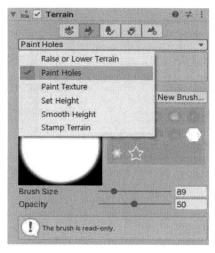

구멍을 그리기 위해서는 테레인 위로 커서를 클릭한 후 드래그하면 된다. 테레인에서 구멍을 삭제하려면 Shift 키를 누른 상태로 드래그하면 된다. 툴 크기를 조정하려면 Brush Size 슬라이더를 사용하고 테레인에 적용할 브러시의 강도를 결정하기 위해서는 Opacity 슬라이더를 사용한다.

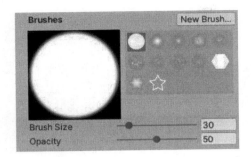

13.3.3 페인트 텍스처

페인트 텍스처 툴을 사용하면 풀, 눈, 모래 등의 텍스처를 테레인에 추가할 수 있다.
또한 타일링된 텍스처를 테레인에 직접 그릴 수도 있다.

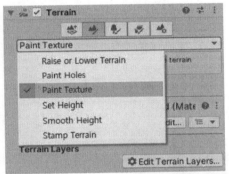

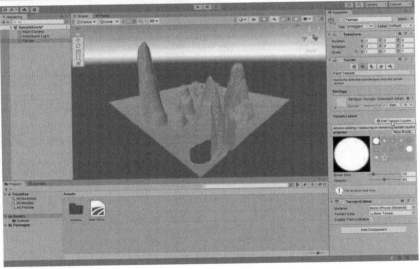

툴을 설정하려면 [Edit Terrain Layers] 버튼을 클릭하여 테레인 레이어를 추가해야
한다. 순서대로 [Create Layer...] 메뉴를 선택한다.

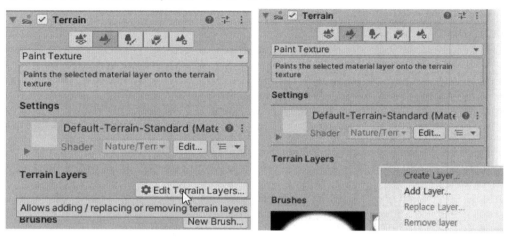

아래와 같이 텍스처를 선택할 수 있는 창이 나타난다. 그런데 현재 추가할 텍스처가
없다.

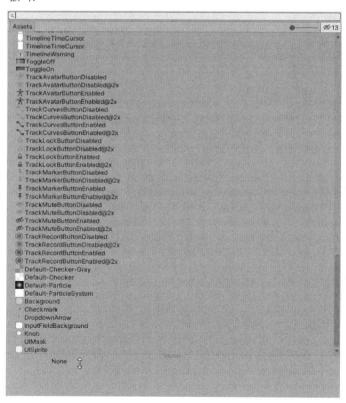

Terrain에 멋있는 텍스처를 추가하기 위해 에셋 스토어에서 적절한 텍스처를 다운로드 받아보자. 에셋 스토어를 방문하고 검색 창에 "terrain"를 입력한다. 여러 개의 검색 결과가 나오는데, 그 중 Terrain Tools를 클릭한다. 무료 애셋을 쉽게 찾기 위해서는 정렬기준을 낮은 가격순으로 설정하면 된다.

[내 에셋에 추가하기] 버튼을 클릭하고 에셋 스토어 서비스 약관에 승인한다.

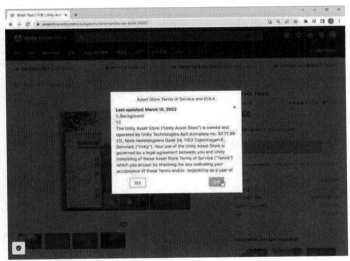

내 에셋에 추가되면 [Unity에서 열기] 버튼을 클릭한다.

패키지 매니저가 실행되면 [Download] 버튼을 클릭하고 다운로드가 끝나면 [Import]
버튼을 클릭한다.

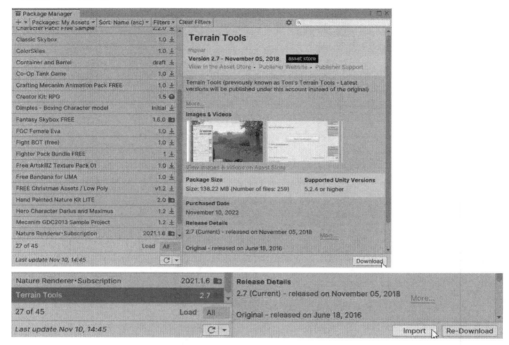

임포트 할 수 있는 Terrain Tools 세부 항목이 나타나는데 모두 선택되어 있는 상태로
[Import] 버튼을 클릭한다.

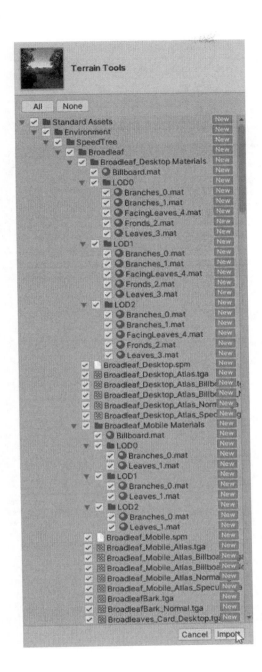

[Import] 버튼을 클릭하면 다운로드 받은 다양한 이미지가 작업 중인 프로젝트 뷰에
추가된다.

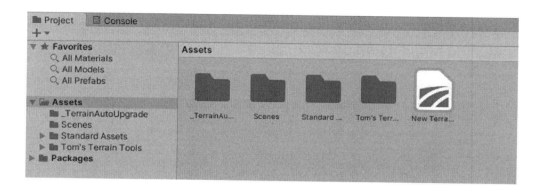

다시 [Edit Terrain Layers] 버튼을 클릭하면 아래와 같이 텍스처를 선택할 수 있는 창이 나타난다. 적당한 텍스처 이미지를 선택하고 더블클릭한다. 예제에서 선택한 텍스처 이미지는 "Grass (Meadows)"이다.

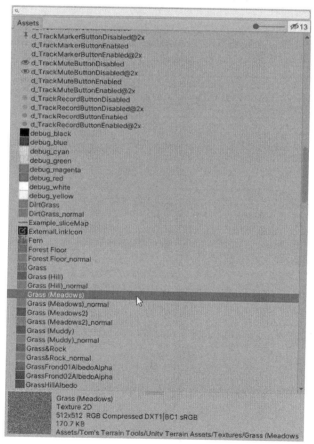

추가된 텍스처는 선택되고 바로 Terrain에 적용된다. 텍스처가 Terrain에 적용되면
아래와 같이 지형이 좀 더 현실감 있게 변한다.

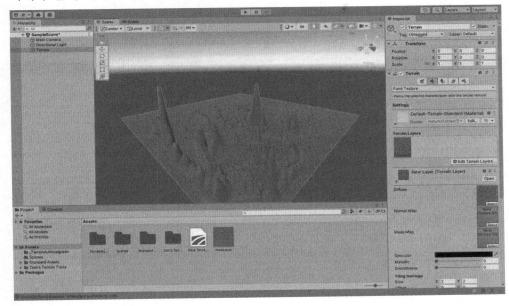

추가된 첫 번째 테레인 레이어는 테레인을 설정된 텍스처로 채운다. 여러 개의 테레인
레이어를 추가하는 것도 가능하다. 같은 방식으로 두 번째 테레인을 레이어를
생성해보자.

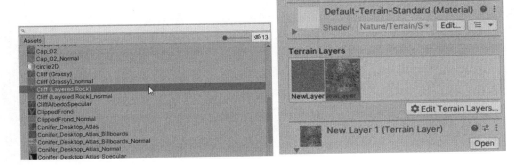

두 번째 테레인 레이어를 선택하고 씬 뷰 지형 여기저기를 마우스 왼쪽 버튼을 클릭한
채 드래그해보자. 적용되는 텍스처가 변경되는 것을 확인할 수 있다.

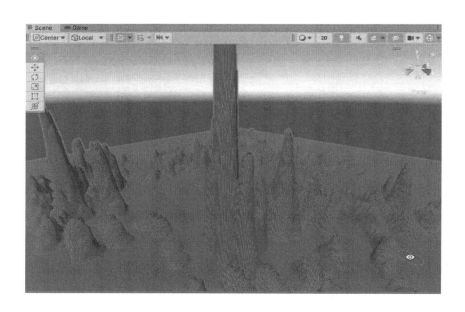

13.3.4 높이 설정

네 번째 메뉴는 지형의 높이를 미리 제한할 때 사용한다.

이 속성은 평탄한 고원 지형을 표현할 때 자주 사용한다. Height 값은 매우 중요하다. 50으로 입력하고 [Flatten All] 버튼을 클릭하면, Terrain(바닥)의 기준 높이가 50이 되면서 Terrain의 모든 지형이 평탄화된다.

기준 높이가 50으로 설정된 상태에서 Height가 100이면 바닥에서 50만큼 높은 지형이고, 0이면 지하로 50만큼 내려간 지형이다.

현재 Terrain의 기준 높이는 50이다. Height에 50을 입력 후, 적당한 브러쉬를 선택해 작업을 해보자. 마우스 왼쪽 버튼을 클릭한 채 Terrain 위를 움직이지만 아무런 반응이 없을 것이다. 현재 기준 높이가 50인데, 높이 50인 지형을 그리려고 하기 때문이다.

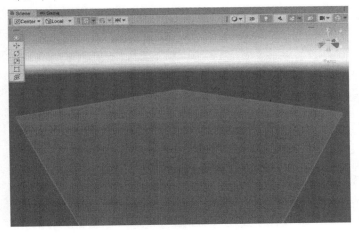

이번에는 Height 칸에 100을 입력하고 마우스 왼쪽 버튼을 클릭한 채 움직여보자. 기준 높이가 50인 상태에서 최대 높이가 100인 지형이 그려진다. 아래 그림에서 고원은 바닥으로부터 50 높이의 지형이다. 이때 높이를 100으로 설정하고 [Flatten All] 버튼을 클릭하면 안 된다.

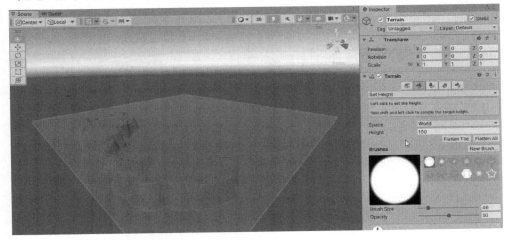

이번에는 Height를 0으로 하고 마우스 왼쪽 버튼을 클릭한 채 움직여보자. 깊이가 50인 지하 지형이 만들어진다. Terrain의 기준 높이가 50일 때, 높이가 100이면 위로 50 높이인 지형이 만들어지고, 높이가 0이면 지하 깊이가 50인 지형이 만들어진다. 이때에도 높이 0으로 설정하고 [Flatten All] 버튼을 클릭하면 안 된다.

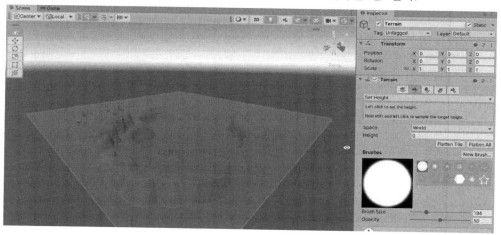

13.3.5 스무드

[Smooth Height] 메뉴를 선택하고 작업하면 지형을 부드럽게 만들 수 있다. 적당한 브러쉬를 선택 후 크기와 투명도를 입력하여 사용한다. 마우스 왼쪽 버튼을 클릭한 채 움직이면 선택된 지형이 부드럽게 변한다.

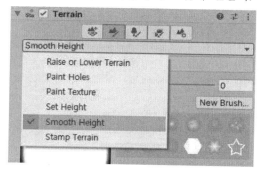

Smooth Height 속성은 하이트맵을 매끄럽게 만들고 테레인 지형을 부드럽게 만든다. 이 기능을 사용해 인근 영역을 비슷하게 맞출 수 있는데 예를 들어, 랜드스케이프를

부드럽게 만들어 급격한 변화가 덜 나타나게 할 수도 있다.

13.4 나무

지금까지 지형의 높이와 깊이를 조정했고 지형에 텍스처를 입혔다. 이번에는 나무를 배치해 보기로 하자. 에셋 스토어에서 다운로드 받은 데이터에는 나무가 포함되어 있다. 이 나무 데이터를 Terrain에 그려 보기로 하자.

세 번째 아이콘을 클릭하면 아래 그림과 같이 Trees를 추가할 수 있는 화면이 보인다.

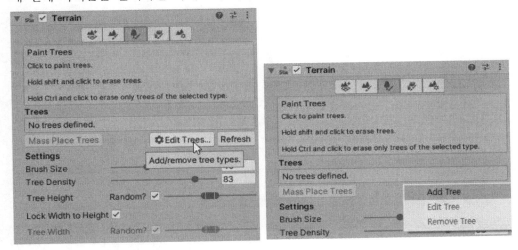

[Edit Tress...] 버튼을 클릭하고 [Add Tree] 메뉴를 선택한다.

아래의 Tree Prefab 오른쪽 원을 클릭한다. 에셋 스토어에서 다운로드 받은 트리가 보인다. ScotsPineTypeA를 더블클릭한다.

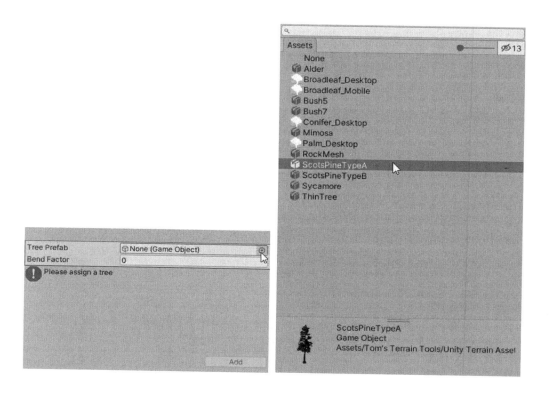

아래 그림과 같이 ScotsPineTypeA가 제대로 설정되었는지 확인하고 [Add] 버튼을 클릭한다. 이제 Terrain에 적용할 수 있는 트리가 추가되었다.

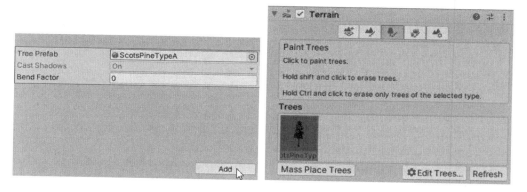

이제 원하는 지역에 마우스로 클릭하면 트리가 그려질 것이다. 지형 여기 저기에 마우스를 클릭해보자. 아래 그림과 같이 클릭한 곳마다 트리가 그려진다.

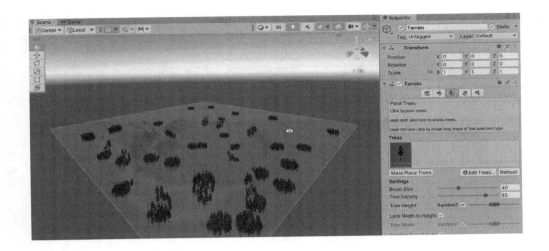

다시 [Edit Tress...] 버튼을 클릭하고 [Add Tree] 메뉴를 선택해 다른 나무를
추가해보자.

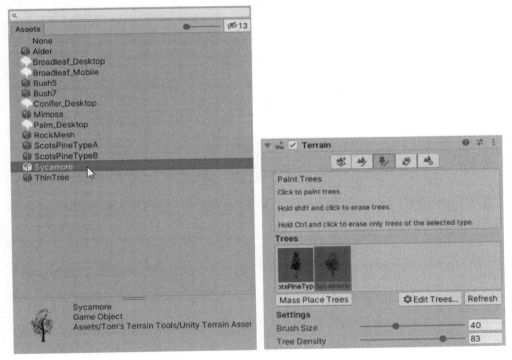

원하는 지역에 마우스로 클릭하면 트리가 그려질 것이다. 지형 여기 저기에 마우스를

클릭해보자. 아래 그림과 같이 클릭한 곳마다 트리가 그려진다.

마우스 휠을 위 아래로 움직여보자. 마우스 휠을 위로 움직이면 화면이 줌 인되고
확대된 모습을 볼 수 있다. 줌 인해서 보니 그럴 듯한 화면이 보인다.

13.5 디테일

네 번째 버튼을 클릭하고 잔디와 같은 지형을 그려보자. [Edit Details...] 버튼을 클릭하여 [Add Grass Texture] 메뉴를 선택한다. 나타나는 창에서 Detail Texture 부분의 오른쪽 작은 원을 클릭한다.

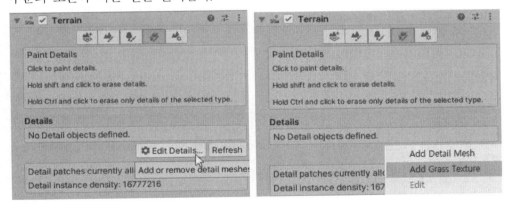

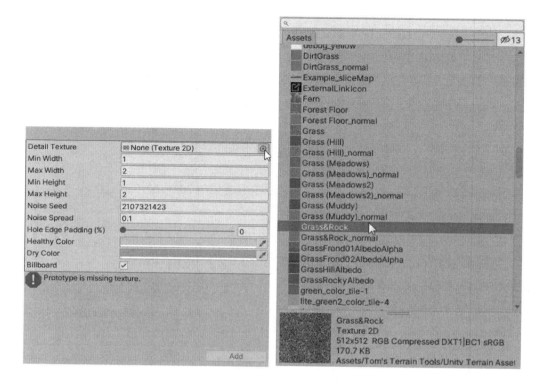

잔디밭으로 사용할 텍스처를 선택하고 더블클릭한다. 예제에서는 "Grass&Rock"을 선택했다.

Detail Texture가 제대로 설정되었는지 확인하고 [Add] 버튼을 클릭한다. Details 부분에 Grass가 추가되었다.

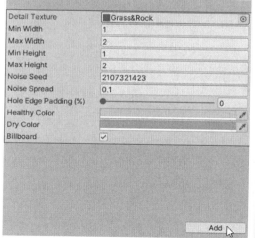

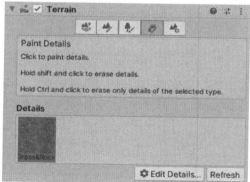

Terrain의 여기 저기를 클릭해보자. 처음에는 잔디가 제대로 보이지 않을 수 있다. 클릭했는데 잔디밭이 보이지 않는다면 잔디밭이 너무 멀리 있어 보이지 않는 것이다.

마우스 휠로 줌 인해보면 제대로 잔디밭이 그려지는 것을 확인할 수 있다. 다양한 타입의 브러시를 선택해 잔디를 그려보자.

13.6 설정

마지막 설정 버튼을 클릭한다.

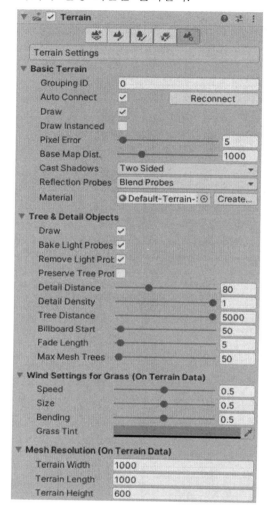

Mesh Resoulation - Terrain의 해상도를 설정한다.

□ Terrain Width

X 축 길이를 설정한다. 현재 Terrain의 X 축 길이가 1000인데, 2000으로 수정하면 X
축 길이가 2배로 늘어난다.

□ Terratin Length

Z 축 길이를 설정한다. 현재 Terrain의 Z 축 길이가 1000인데, 2000으로 수정하면 Z
축 길이가 2배로 늘어난다.

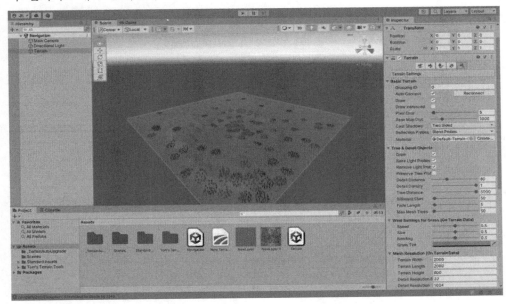

지금까지 작업한 내용을 [File / Save Scene as...] 메뉴를 선택해 Terrain.unity로
저장한다.

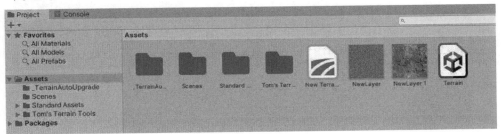

13.7 지형 탐색

앞 장에서 배운 내용을 이용하여 지금까지 만든 지형을 직접 탐색해보자. 일단 현재
씬을 [File / Save Scene as...] 메뉴를 선택해 Navigation.unity로 저장한다.

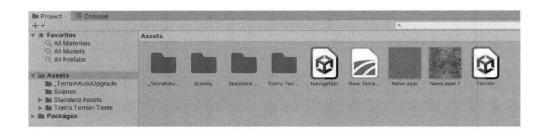

13.7.1 플레이어 추가

[GameObject / 3D Object / Cube] 메뉴를 순서대로 선택해 Cube 객체를 하나
추가한다. 씬 뷰에 Cube 객체를 추가했지만 너무 큰 지형 때문에 Cube가 어디에
있는지 찾을 수 없다.

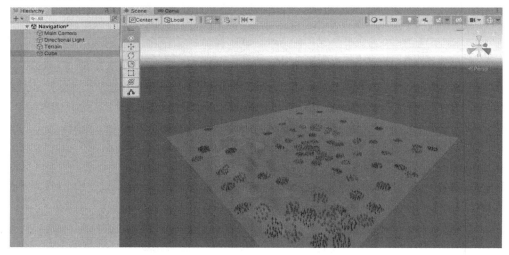

하이어라키 뷰에서 Cube를 더블클릭해보자. Cube가 어디에 있던 Cube가 있는 곳으로
씬 뷰 화면이 확대된다.

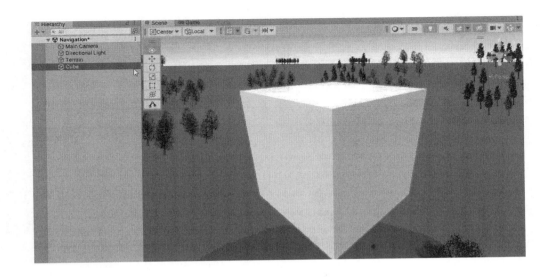

Cube의 위치를 (500, 53, 100)으로 변경해보자. Y 값을 53으로 변경하는 이유는 현재 Terrain의 기준 높이가 50으로 설정되어 있기 때문이다. Cube의 Scale 값도 (1, 1, 3)으로 변경한다.

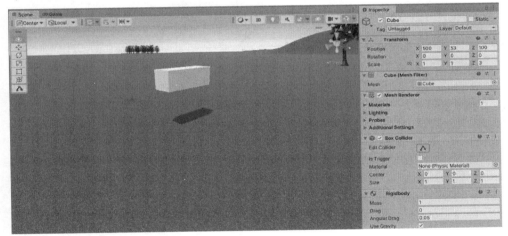

Cube 객체 위치를 변경하면 Cube 객체가 보이지 않을 수 있다. 만약 Cube가 보이지 않는다면 하이어라키 뷰의 Cube를 더블클릭하면 된다.

Cube 객체에 리디드바디를 추가하고 Use Gravity에 체크한다.

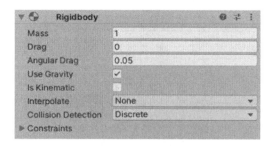

하이어라키 뷰에서 Main Camera를 클릭한다. 씬 뷰의 오른쪽 아래에 Camera Preview가 보이는데 지금까지 작업한 멋진 지형을 볼 수 없다. Main Camera의 위치가 (0, 1, -10)으로 설정되어, Terrain보다 낮은 위치에 있기 때문이다. Main Camera의 위치를 50보다 높게 수정해보자. Main Camera의 좌표를 (500, 53, 90)으로 변경한다. 카메라 좌표를 Cube 따라 변경한 것이다.

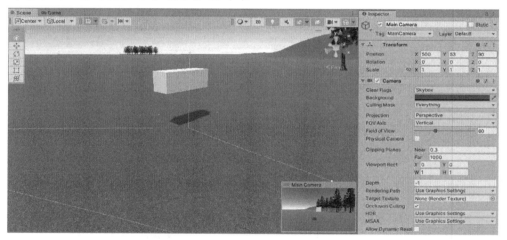

플레이 버튼을 클릭해 게임을 시작해보자. 게임을 시작하자마자 중력에 영향을 받은 Cube가 Terrain 위로 떨어진다. 이제 Cube를 움직여 보자.

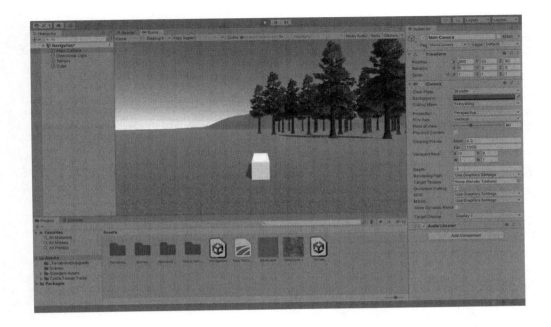

13.7.2 Moveturn 스크립트

앞 장에서 실습한 Moveturn 스크립트를 Assets 폴더로 복사한다. 그리고 Moveturn 스크립트를 Cube 객체에 드래그 앤드 드롭한다. 방향키를 누르면 또는 wasd 키를 누르면 앞뒤 좌우로 이동 가능하다. Cube 이동은 자유롭지만 내 시야에서 사라질 수도 있다. 이 문제를 해결하기 위해 시점을 1인칭으로 바꿔보자.

패키지 매니저를 실행하고 Standard Asset을 임포트하자.

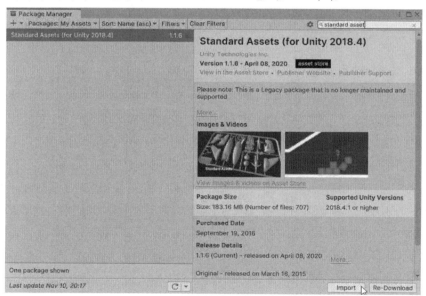

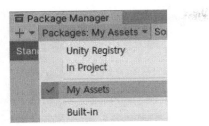

임포트하는 유틸리티 중 필요한 것은 SmoothFollow.cs이다. 다른 것은 필요없기 때문에 [None] 버튼을 클릭해 선택을 해제한다. 아래로 스크롤해 Utility 폴더의 SmoothFollow.cs만 선택하고 [Import] 버튼을 클릭한다.

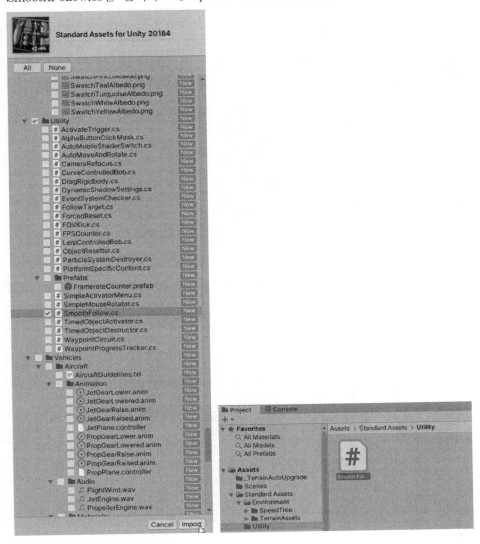

Assets 폴더에 Standard Assets 폴더가 추가되고 하위 폴더를 열어보면 SmoothFollow.cs가 있다.

13.7.3 SmoothFollow 스크립트

하이어라키 뷰에서 Main Camera를 선택하고 SmoothFollow.cs를 Main Camera로 드래그 앤드 드롭한다. Main Camera에 SmoothFollow 스크립트 컴포넌트가 추가된다. SmoothFollow 스크립트 컴포넌트의 Target에는 Cube 객체를 드래그 앤드 드롭하고, Distance에 5, Height에 1.5를 입력한다. Rotation Damping과 Height Damping에는 각각 3을 입력한다.

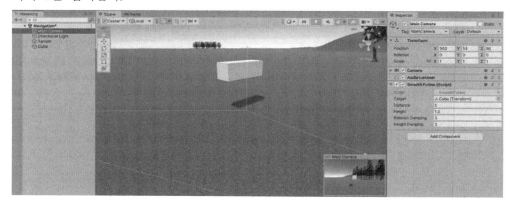

플레이 버튼을 클릭해 게임을 시작한다. 방향키를 눌러 Cube를 움직여보자. Cube가 움직이면 카메라도 따라 움직이기 때문에 Cube를 놓칠 염려는 없다. 우리가 지금까지 작업한 지형을 모두 탐색할 수 있다.

지금까지 작업한 내용을 Ctrl+S 키를 눌러 저장한다.

14장. 씬 전환

게임은 시작화면, 대기화면, 게임화면, 게임오버 화면, 랭킹화면 등 다양한 화면을 사용자에게 제공한다. 사용자가 보는 서로 다른 화면은 각각 씬으로 구성할 수 있다. 이때 한 씬에서 다른 씬으로 자연스럽게 넘어가야 하는데 이 장에서는 씬 간의 전환에 대해 살펴보겠다.

14.1 게임시작 화면

프로젝트 이름이 Scene인 새 프로젝트를 만든다.

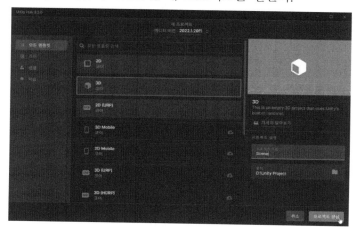

앞 장에서 작업한 D:\Unity Project\Prefab\Assets\ADG_Textures 폴더를 새로 만들어진 D:\Unity Project\Scene\Assets 폴더에 복사한다. 이렇게 복사하면 굳이 에셋 스토어에서 다운로드 받지 않아도 텍스처 이미지를 재활용할 수 있다.

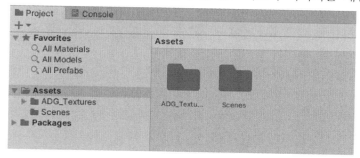

씬에 Plane, Cube 객체를 하나씩 추가한다. Cube 객체의 Y 위치 값을 0.5로 수정한다. 매터리얼을 2개 생성하여 각각의 이름을 mFloor, mCube로 변경한다. 각 매터리얼에 다운로드 받은 이미지를 적용한다. 예제에서 적용한 이미지는 아래와 같다.

mFloor - wall11_Diffuse
mCube - wall04_Metallic

mFloor, mCube 매터리얼을 Plane, Cube 객체에 각각 드래그 앤드 드롭한다. 매터리얼이 적용된 Plane, Cube 객체는 다음과 같이 보일 것이다.

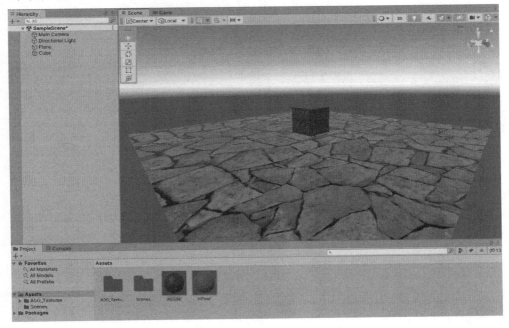

아래 그림처럼 유니티의 [GameObject / 3D Object / 3D Text] 메뉴를 순서대로 선택한다.

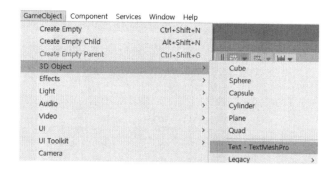

처음 Text Mesh Pro를 추가할 때 나타나는 창이다. [Import TMP Essentials] 버튼을 클릭한다.

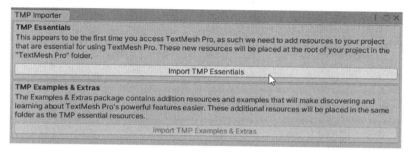

오른쪽 인스펙터 뷰의 Text 칸에 Game Start 라고 입력한다.

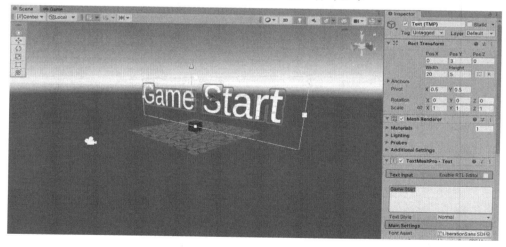

이번에는 [GameObject / UI / Button] 메뉴를 순서대로 선택하여 Button 객체를

추가한다.

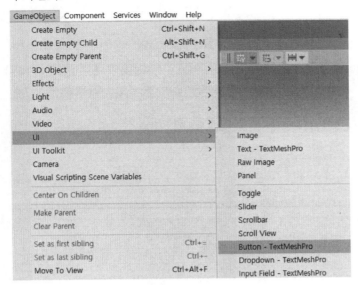

Button 객체를 추가하면 하이어라키 뷰에 Canvas와 EventSystem 객체 2개가 추가된다.

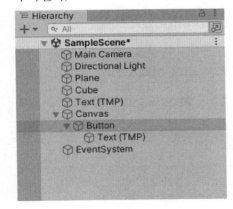

Button 객체가 씬에 추가되었지만 보이지 않는다. 마우스 휠을 아래로 움직여 줌 아웃을 실행한다. 버튼 객체가 아래 그림처럼 보일 때까지 마우스 휠을 아래로 움직이면 이번에는 Plane 객체가 보이지 않을 정도로 작아진다.

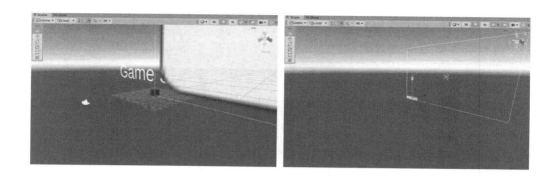

씬 뷰 상단의 2D 버튼을 클릭하면 3D 화면이 2D 화면으로 전환된다. Button 객체는 2D 객체이기 때문에 2D 화면으로 전환해서 작업해야 한다.

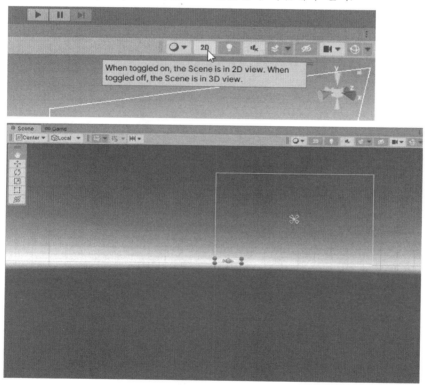

트랜스폼 툴에서 핸드 툴을 클릭하고 버튼 캔버스 영역을 화면 가운데로 옮긴다. 캔버스 영역을 마우스로 클릭한 채 드래그하면 옮길 수 있다.

이번에는 마우스 휠을 위로 움직여 줌 인하여 캔버스 영역이 씬 뷰에 가득차도록
만든다.

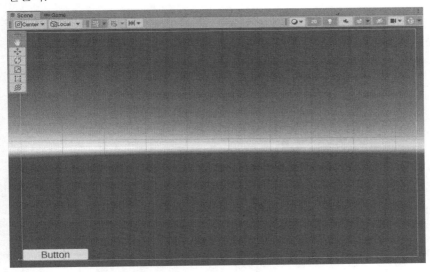

트랜스폼 툴에서 렉 툴을 클릭하고 하이어라키 뷰에서 Button 객체를 클릭한다.

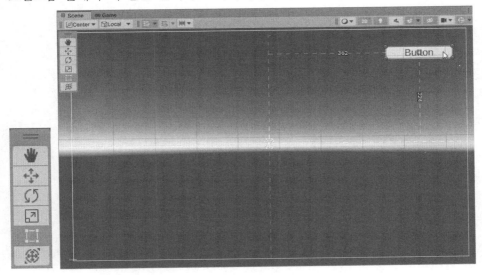

Button 객체를 클릭하여 원하는 위치로 버튼을 옮긴다. 예제에서는 우측 상단으로
Button 객체를 옮겼다. 캔버스 중앙의 위치는 $(0, 0)$ 이다.

하어라키 뷰에서 Button의 하위 객체인 Text를 클릭하고 인스펙터 뷰에서 Text 칸에 [Go to Games]이라고 입력한다. Font Size를 30으로 변경하여 크게 보이도록 만든다. 아래 부분에 있는 Color를 클릭하여 원하는 색을 설정할 수 있다. 폰트 크기가 30으로 변경되면 버튼에 Text가 제대로 표시되지 않는다. 하이어라키 뷰에서 Button 객체를 클릭하고 Button의 크기를 조절한다.

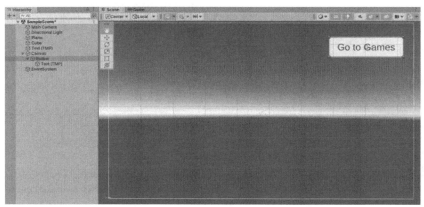

씬 뷰 상단의 Game 탭을 클릭하여 작업한 내용을 확인한다.

지금까지 작업한 내용을 저장한다. 저장하기 위해서 [File / Save Scene as...] 메뉴를 선택한다. 파일 이름 칸에 Scene01이라고 입력하고 [저장] 버튼을 클릭한다.

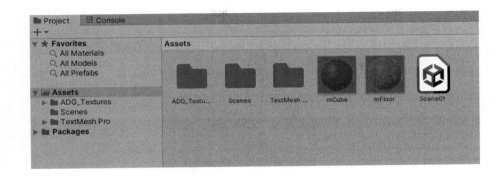

씬을 프로그램에서 호출하려면 각 씬이 등록되어 있어야 한다. 씬을 등록하는 방법은 다음과 같다. [File / Build Settings...] 메뉴를 순서대로 클릭한다.

나타나는 창에서 [Add Open Scene] 버튼을 클릭한다. [Add Open Scene] 버튼을 클릭하면 현재 작업하고 있는 씬이 등록된다.

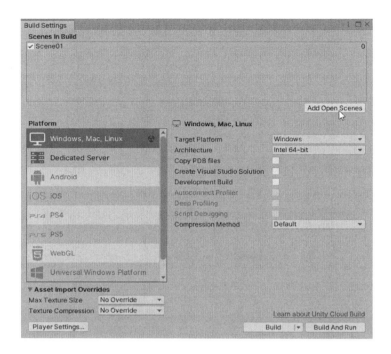

14.2 게임 화면

씬 뷰 상단의 2D 버튼을 다시 클릭해 3D 작업 화면으로 전환한다. 트랜스폼 툴에서
변환 툴을 클릭한다. 하이어라키 뷰에서 Text(TMP) 객체를 더블클릭하여 Text(TMP)
객체가 화면에 나타나도록 한다. Text(TMP) 객체 위치의 Y 값을 2로 변경하고,
Text를 [I'm playing a game]으로 변경한다.

이번에는 하이어라키 뷰에서 Cube 객체를 선택하고 X축으로 6만큼, Y축으로 2만큼 확대한다. Cube 객체의 Y와 Z 위치도 1과 4로 변경하면 아래와 같이 Cube가 확대된 것을 확인할 수 있다.

Button 객체의 하위 객체인 Text 객체를 더블클릭하고 Text를 [Go to game start]으로 변경한다.

지금까지 작업한 내용을 저장한다. 씬 내용을 저장하기 위해서는 [File / Save Scene as...] 메뉴를 순서대로 선택하면 된다. 파일 이름을 Scene02라고 입력하고 [저장] 버튼을 클릭한다. 앞에서와 같이 Scene02 씬도 등록한다.

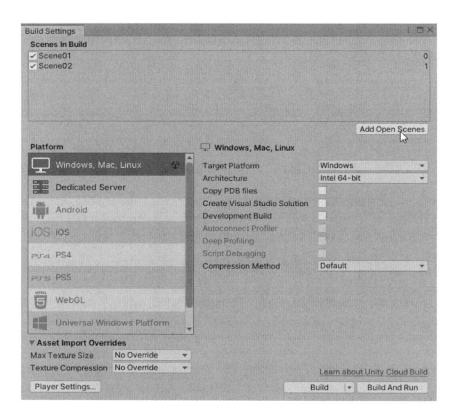

14.3 씬 간의 전환

프로젝트 뷰에서 Scene01을 더블클릭하여 Scene01 씬이 화면에 나타나도록 한다. 프로젝트 뷰에서 [+] 버튼을 클릭해 C# 스크립트를 생성하고 이름을 ChangeScene으로 변경한다. 프로젝트 뷰의 ChangeScene 스크립트 아이콘을 더블클릭하여 비주얼 스튜디오를 실행한다. 그리고 비주얼 스튜디오에서 다음과 같이 프로그래밍한다.

```
public class ChangeScene : MonoBehaviour {

    public void ChangeScene01 () {
        Application.LoadLevel("Scene01");
    }
```

```
    public void ChangeScene02 () {
        Application.LoadLevel("Scene02");
    }
}
```

ChangeScene 스크립트를 Main Camera 객체에 드래그 앤드 드롭한다. 하이어라키 뷰에서 Button 객체를 클릭하고 인스펙터 뷰의 Button 컴포넌트의 On Click의 + 기호를 클릭한다.

Runtime Only 아래에 있는 작은 원을 클릭한다. 나타나는 창에서 Scene 탭을 클릭하고 Main Camera 객체를 더블클릭하여 선택한다.

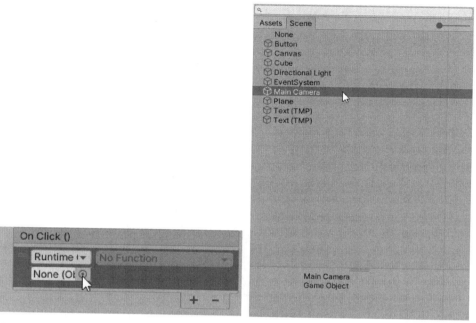

No Function 부분을 클릭하고 [ChangeScene / ChangeScene02] 메뉴를 순서대로 선택한다.

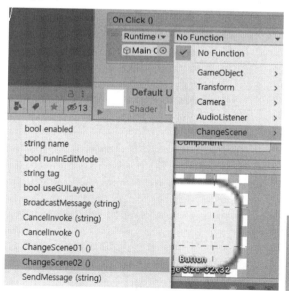

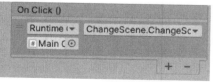

이렇게 하면 버튼을 클릭할 때 ChangeScene02 메서드가 실행된다. 구체적으로 Main Camera 객체에 포함되어 있는 ChangeScene 스크립트의 ChangeScene02 메서드가 실행된다. ChangeScene02 메서드는 Scene02 씬을 로드하는 작업을 수행한다.

등록한 씬을 로드할 때 사용하는 메서드는 Application.LoadLevel("Scene01");이다. 파라미터로 로드할 씬 이름을 입력하면 된다.

지금까지 작업한 내용을 [Ctrl+S] 키를 눌러 저장한다.

두번째 씬에서도 같은 작업을 한다. 프로젝트 뷰의 Scene02 씬을 더블클릭하여 Scene02가 나타나게 한다. Main Camera 객체에 ChangeScene 스크립트를 드래그 앤드 드롭한다.

하이어라키 뷰에서 Button 객체를 클릭하고, 인스펙터 뷰의 Button 컴포넌트의 On Click의 [+] 기호를 클릭한다. Runtime Only 아래에 있는 작은 원을 클릭한다. 나타나는 창에서 Scene 탭을 클릭하고 Main Camera 객체를 더블클릭하여 선택한다. No Function 부분을 클릭하고 [ChangeScene / ChangeScene01] 메뉴를 순서대로 선택한다.

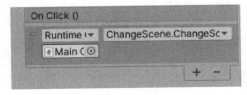

Scene02 씬에 위치한 버튼을 클릭하면 이번에는 ChangeScene01 메서드가 실행된다. ChangeScene01 메서드는 Scene01 씬을 로드하는 작업을 수행한다. 지금까지 작업한 내용을 [Ctrl+S] 키를 눌러 저장한다.

프로젝트 뷰에서 Scene01 씬을 더블클릭하여 화면에 Scene01 씬이 다시 나타나게 한다. 플레이 버튼을 클릭해 게임을 시작한다. 게임이 시작되면 게임시작 화면(Scene01 씬)이 나타난다.

[Go to Games] 버튼을 클릭하면 Scene02 씬으로 화면이 전환된다.

다시 [게임시작 화면으로 이동] 버튼을 클릭하면 게임시작 화면으로 전환되는 것을 확인할 수 있다.

15 장. 레거시 타입(Legacy Type) 애니메이션

3D 공간상에서 입체물을 만들고 수정하는 것을 모델링이라 한다. 모델링 작업은 주로 와이어 프레임 상태에서 시작한다. 모델링은 매터리얼이나 리소스 등을 변경하는 작업도 포함한다. 이번 장에서는 모델링 객체를 임포트하고 그 객체의 애니메이션을 구현하는 실습을 해보겠다.

15.1 SpartanKing 객체

프로젝트 이름이 LegacyAnimation인 새 프로젝트를 만든다.

유니티에서 에셋 스토어를 실행한다. Animated Spartan King를 검색어로 입력하고, 검색 결과를 현재 프로젝트로 임포트한다.

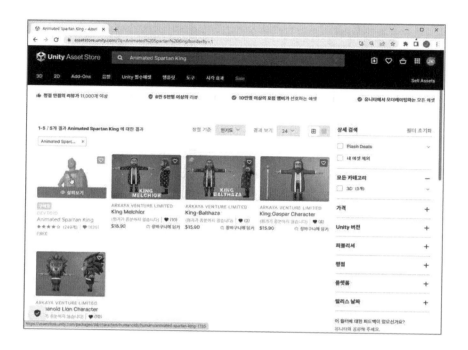

패키지 매니저에서 [import] 버튼을 클릭하고 나타나는 창에서 다시 한번 [Import]
버튼을 클릭한다.

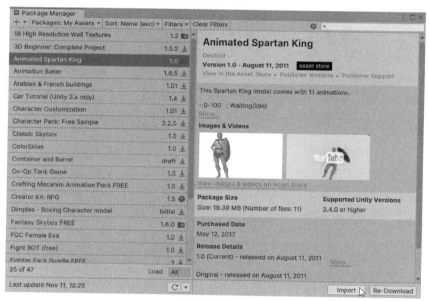

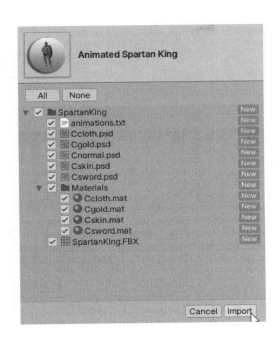

씬 뷰 탭을 클릭하고 프로젝트 뷰에서 SpartanKing 폴더에 있는 SpartanKing을 하이어라키 뷰로 이동한다. SpartanKing이 너무 작아 잘 보이지 않으므로 스케일 값을 조정하여 크게 보이게 만든다. 예제에서는 Scale 값을 15로 설정했다. Scale의 X, Y, Z 값을 15로 변경한다.

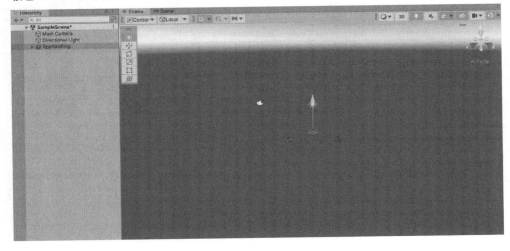

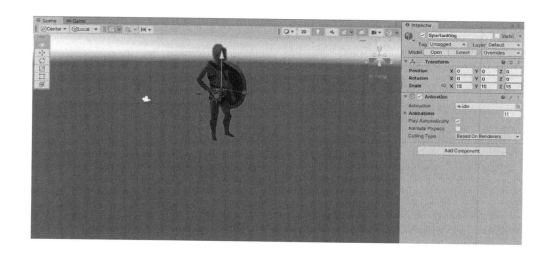

유니티에서 플레이 버튼을 클릭해 게임을 시작해보자. 게임이 시작되면 애니메이트되는 SpartanKing을 볼 수 있다. 현재 실행되는 것은 Idle 애니메이션이다.

플레이 되고 있는 중에 Transform에서 Rotation Y 값을 180으로 변경해보자. Y 축을 기준으로 180도 회전하면 SpartanKing 객체의 앞면을 볼 수 있다.

지금까지 작업한 내용을 [File / Save Scene as...] 메뉴를 순서대로 선택해 Modeling.unity로 저장한다.

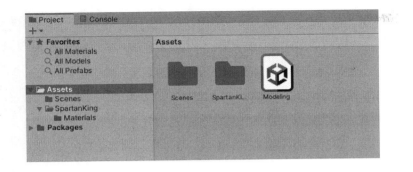

15.2 애니메이션 실행

게임을 중지하고 프로젝트 뷰에 있는 SpartanKing을 클릭하여 인스펙터 뷰를 살펴보자.

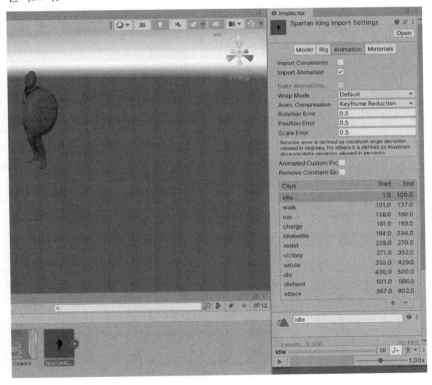

Rig 탭을 클릭하면 Animation Type을 확인할 수 있다. 유니티의 애니메이션은 크게 2가지로 분류할 수 있다. 하나는 레거시 타입의 애니메이션이고, 다른 하나는 메카님(Mecanim) 애니메이션이다.

레거시 타입의 애니메이션은 모델링에 포함되어 있는 애니메이션을 구현하는 방식이고, 메카님 애니메이션은 휴머노이드 타입으로 애니메이션을 구현하는 방식이다. 이번 절에서는 레거시 타입의 애니메이션을 구현해보자. 화면에 4개의 버튼을 추가하고 각 버튼을 클릭하면 서로 다른 애니메이션이 실행되도록 만들어 보겠다.

[GameObject / UI / Button] 메뉴를 순서대로 선택해서 Button 객체를 추가하고 이름을 butIdle로 변경한다.

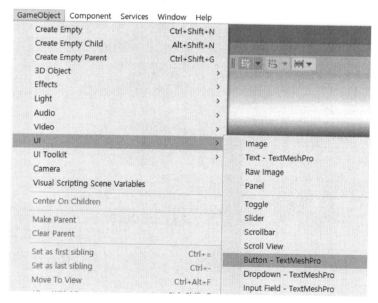

2D 버튼을 클릭하고 마우스 휠을 아래로 움직여 줌 아웃을 실행한다.

트랜스폼 툴의 핸드 툴을 이용하여 Canvas 영역을 가운데로 옮긴다. 그리고 마우스
휠을 다시 위로 움직여 Canvas 영역이 씬 뷰에 가득차게 만든다.

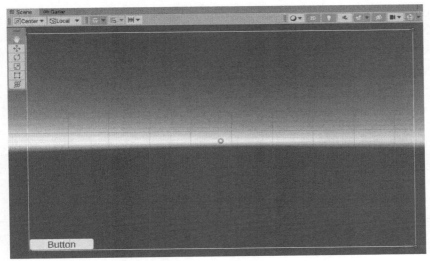

하이어라키 뷰의 butIdle 객체를 선택하고, 트랜스폼 툴의 렉 툴을 클릭한다. butIdle
버튼을 클릭한 채로 왼쪽 상단으로 옮긴다. 하이어하키 뷰에서 butIdle 객체의 Text를
클릭하고 인스펙터 뷰의 Text 칸에 Idle이라고 입력한다.

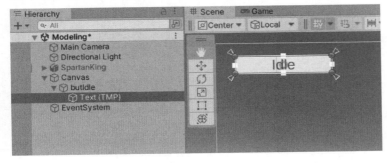

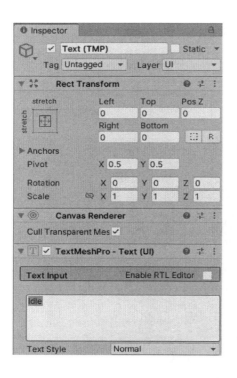

[GameObject / UI / Button] 메뉴를 순서대로 선택해서 Button 객체를 추가하고 이름을 butWalk로 변경한다.

하이어라키 뷰의 butWalk 객체를 선택한다. 이때 트랜스폼 툴의 렉 툴이 선택되어 있는지 확인한다.

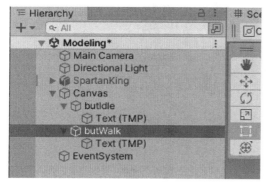

butWalk 버튼을 클릭한 채로 왼쪽 상단으로 옮긴다. 하이어하키 뷰에서 butWalk

객체의 Text를 클릭하고 인스펙터 뷰의 Text 칸에 Walk라고 입력한다.

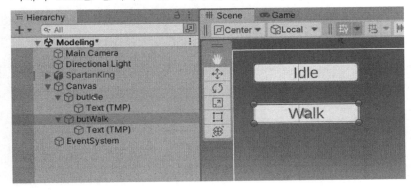

마찬가지로 [GameObject / UI / Button] 메뉴를 순서대로 선택해서 Button 객체를 추가하고 이름을 butRun으로 변경한다. 씬 뷰에서 butRun 객체를 클릭한 채 왼쪽 상단으로 옮긴다. 하이어하키 뷰에서 butRun 객체의 Text를 클릭하고 인스펙터 뷰의 Text 칸에 Run이라고 입력한다. 동일한 방식으로 마지막 버튼인 butAttack 버튼을 추가한다.

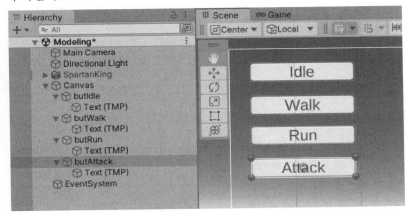

하이어라키 뷰에서 SpartanKing 객체를 선택한다. 인스펙터 뷰를 보면 다음을 확인할 수 있다.

현재 이 Animation 컴포넌트에는 모두 11개의 애니메이션이 포함되어 있고, 기본 애니메이션은 idle이다. 기본 애니메이션 오른쪽의 작은 원을 클릭하면 기본 애니메이션을 바꿀 수 있다. [Play Automatically] 옵션이 체크되어 있기 때문에 게임을 시작하면 자동으로 애니메이션이 재생된다. 애니메이션은 한 번만 동작하고 멈춘다.

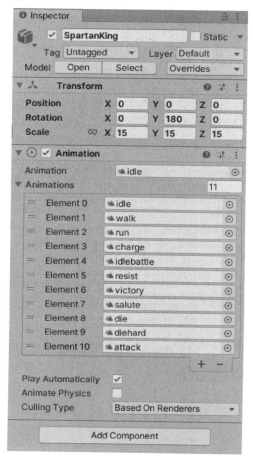

프로젝트 뷰에서 SpartanKing 내의 idle 애니메이션을 선택한다.

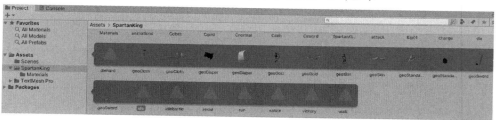

인스펙터 뷰에서 Edit 버튼을 클릭한다.

Wrap Mode가 Default로 설정되어 있는데 이를 Loop으로 변경한다. 그리고 [Apply] 버튼을 클릭한다. 이렇게 하면 게임 플레이할 때 애니메이션이 한 번이 아니고, 반복해서 실행된다.

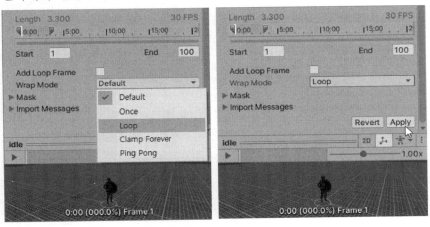

유니티에서 플레이 버튼을 클릭해 게임을 시작해보자. 게임이 시작되자마자 이번에는 애니메이션이 반복해서 실행되는 것을 확인할 수 있다.

프로젝트 뷰의 [+] 버튼을 클릭해 [C# Script] 메뉴를 선택한다. 파일 이름을 ChangeAnimation으로 변경하고 더블클릭하면 비주얼 스튜디오가 실행된다.

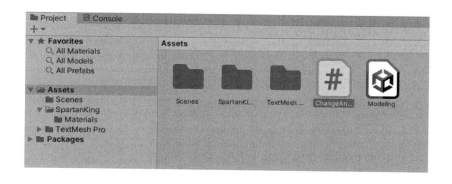

비주얼 스튜디오에서 ChangeAnimation 스크립트를 아래와 같이 프로그래밍한다.

```
public class ChangeAnimation : MonoBehaviour {

    public void AnimateIdle () {
        GetComponent<Animation>().Play("idle");
    }

    public void AnimateWalk () {
        GetComponent<Animation>().Play("walk");
    }

    public void AnimateRun () {
        GetComponent<Animation>().Play("run");
    }

    public void AnimateAttack () {
        GetComponent<Animation>().Play("attack");
    }
}
```

Spartan King에 ChangeAnimation 스크립트를 드래그 앤드 드롭한다.

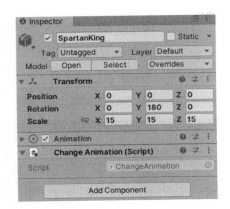

이제 위 4개의 버튼과 ChangeAnimation 스크립트의 메서드를 서로 연결해보자. 하이어라키 뷰에서 butIdle을 선택하고 인스펙터 뷰 On Click()의 [+] 기호를 클릭한다.

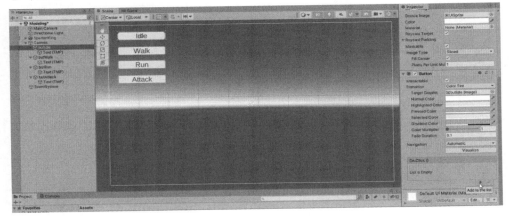

Runtime Only 아래에 있는 작은 원을 클릭한다. 나타나는 창에서 Scene 탭을 클릭하고 SpartanKing 객체를 더블클릭하여 선택한다.

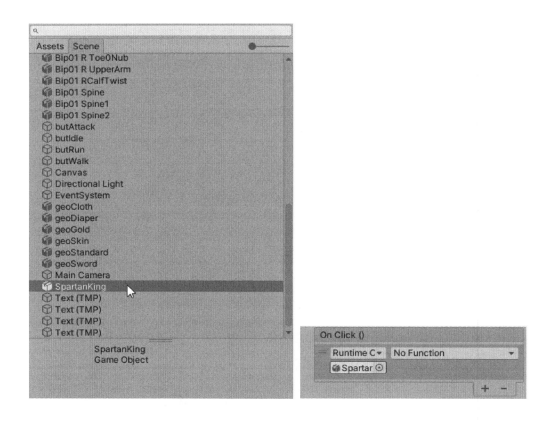

No Function 부분을 클릭하고 [ChangeAnimation / AnimateIdle] 메뉴를 순서대로
선택한다.

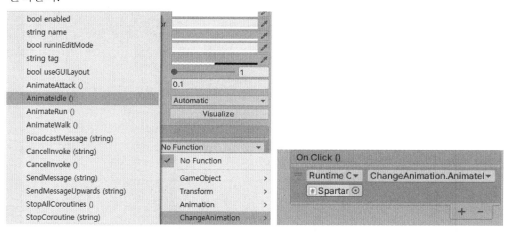

378

이렇게 하면 butIdle 버튼을 클릭할 때 AnimateIdle() 메서드가 실행된다. 구체적으로 SpartanKing 객체에 포함되어 있는 ChangeAnimation 스크립트의 AnimateIdle() 메서드가 실행되는 것이다. AnimateIdle 메서드는 Idle 애니메이션을 재생하는 작업을 수행한다.

이번에는 Walk 애니메이션을 구현해보자. 하이어라키 뷰에서 butWalk를 선택하고 인스펙터 뷰 On Click()의 [+] 기호를 클릭한다.

Runtime Only 아래에 있는 작은 원을 클릭한다. 나타나는 창에서 Scene 탭을 클릭하고 SpartanKing 객체를 더블클릭하여 선택한다.

No Function 부분을 클릭하고 [ChangeAnimation / AnimateWalk] 메뉴를 순서대로 선택한다.

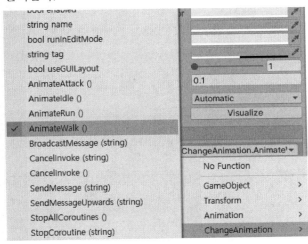

이렇게 하면 버튼을 클릭할 때 AnimateWalk() 메서드가 실행된다.

같은 방식으로 run과 attack 애니메이션을 구현한다. 4개의 애니메이션 구현이 완료되면 플레이 버튼을 클릭해 게임을 시작한다.

Idle 버튼을 클릭하면 Idle 애니메이션이 반복해서 재생된다. 앞에서 Idle 애니메이션의 Wrap Mode를 Loop로 설정해놓았기 때문이다. Walk, Run, Attack 애니메이션은 한 번만 실행된다. 물론 Wrap Mode를 Loop로 설정하면 반복해서 재생된다.

지금까지 작업한 내용을 [File / Save Scene as...] 메뉴를 순서대로 선택해 FixedAnimation.unity로 저장한다.

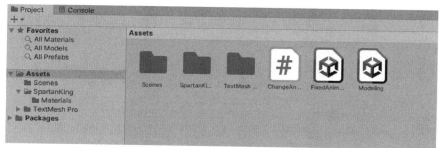

15.3 캐릭터 이동과 애니메이션

하이어라키 뷰에서 Canvas와 EventSystem 객체를 제거한다. SpartanKing 객체에 적용된 ChangeAnimation 스크립트도 제거한다. SpartanKing 객체를 더블클릭하여 SpartanKing 객체가 씬 화면 가운데에 위치하도록 한다.

인스펙터 뷰의 [Add Component] 버튼을 클릭한다. 나타나는 메뉴에서 [Physics]
메뉴와 [Character Controller] 메뉴를 순서대로 선택하면 SpartanKing 객체에 캐릭터
콘트롤러가 추가된다.

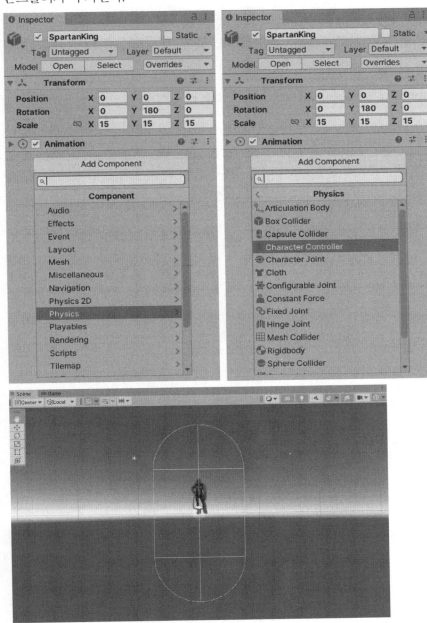

2D로 본 씬 뷰

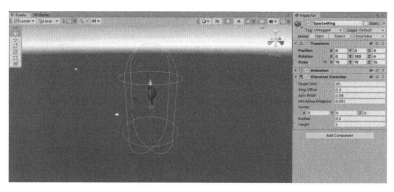

3D로 본 씬 뷰

기본으로 추가되는 캐릭터 콘트롤러의 반지름은 0.5이고 높이는 2이다. 이 크기는 SpartanKing 객체에 너무 크다. SpartanKing 객체 크기에 알맞게 반지름과 높이를 조절한다.

Center, Radius, Height의 값을 조절하여 캐릭터 콘트롤러의 크기를 조절한다. 예제에서는 다음과 같이 크기를 조절했다.

Center (0, 0.25, 0)
Radius 0.2
Height 0.5

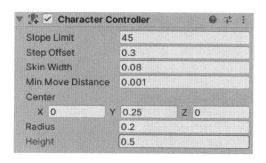

유니티 화면에서 바닥으로 사용할 Plane 객체를 하나 추가한다. Plane 객체를

추가하기 위해서는 [GameObject / 3D Object / Plane] 메뉴를 순서대로 선택하면
된다. Plane 객체의 크기를 확대한다. Scale의 X와 Z 값을 각각 5로 변경했다.

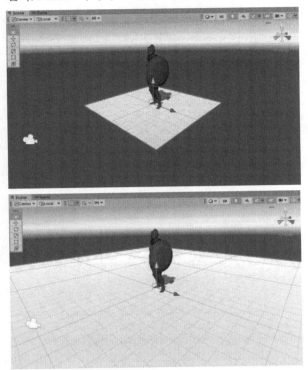

앞 장에서 사용한 ADG_Textures 폴더를 프로젝트 뷰로 복사한다. 매터리얼을 2개
생성하여 각각의 이름을 mFloor, mCube로 변경한다. 각 매터리얼에 복사한 이미지를
적용한다. 예제에서 적용한 이미지는 아래와 같다.

mFloor - wall11_Diffuse
mCube - wall04_Metallic

mFloor 매터리얼을 Plane 객체에 드래그 앤드 드롭한다. Cube 객체를 하나 추가하고
mCube 매터리얼을 적용한다. Cube 객체의 transform 값을 다음과 같이 변경한다.

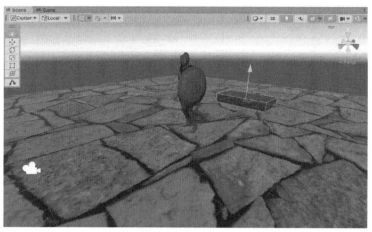

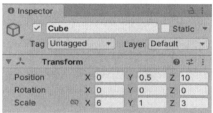

프로젝트 뷰에서 [+] 버튼을 클릭해 C# 스크립트를 생성하고 이름을 MoveCharacter로 변경한다. 프로젝트 뷰의 MoveCharacter 스크립트 아이콘을 더블클릭하여 비주얼 스튜디오를 실행한다. 비주얼 스튜디오에서 다음과 같이 프로그래밍한다.

```
public class MoveCharacter : MonoBehaviour {
    float moveSpeed = 8.0f;
    float gravity = 100.0f;
    float jumpSpeed = 30.0f;
    private Vector3 velocity;

    CharacterController controller;

    void Start ()
```

```
{
    controller = GetComponent<CharacterController>();
    GetComponent<Animation>()["walk"].speed = 2.0f;
}

void Update ()
{
    if (controller.isGrounded)
    {
        velocity = new Vector3(Input.GetAxis("Horizontal"), 0,
                                    Input.GetAxis("Vertical"));
        velocity *= moveSpeed;

        if (Input.GetButtonUp ("Fire1")) {
            GetComponent<Animation>().Play("attack");
        }
        else if (Input.GetButtonDown("Jump")) {
            velocity.y = jumpSpeed;
            GetComponent<Animation>().Play("victory");
        }
        else if (velocity.magnitude > 0.5) {
            GetComponent<Animation>().CrossFade("walk", 0.1f);
            transform.LookAt(transform.position + velocity);
        }
        else {
            GetComponent<Animation>().CrossFade("idle", 1.4f);
        }
    }

    velocity.y -= gravity * Time.deltaTime;
```

```
        controller.Move(velocity * Time.deltaTime);
    }
}
```

비주얼 스튜디오에서 작업한 내용을 저장하고 MoveCharacter 스크립트 파일을
SpartanKing 객체에 드래그 앤드 드롭한다. Main Camera의 위치를 위로 올려 게임
화면을 잘 관찰할 수 있게 만들자.

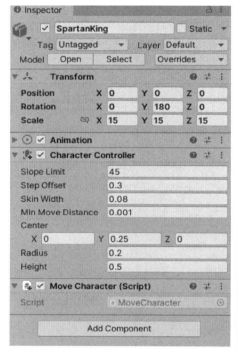

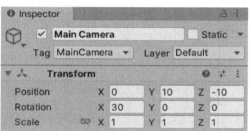

플레이 버튼을 클릭해 게임을 시작한다. 마우스 왼쪽 버튼을 클릭하면 attack
애니메이션이 실행된다. 스페이스바 키를 누르면 점프를 하면서 victory 애니메이션이
실행된다. 방향 키를 누르면 캐릭터가 걷기(walk 애니메이션) 시작하고 방향 키를
떼면 idle 애니메이션이 실행된다.

캐릭터 앞에 놓여 있는 Cube는 걸어서는 올라갈 수 없다. 스페이스바 키와 방향 키를

누르면 Cube 위에 올라갈 수 있다. 게임 실행시 캐릭터 콘트롤러가 나타나는데 Game 탭 우측 상단의 Gizmos 버튼을 클릭하면 캐릭터 콘트롤러가 보이지 않게 할 수 있다.

```
controller = GetComponent<CharacterController>();
GetComponent<Animation>()["walk"].speed = 2.0f;
```

프로그램을 시작하면 CharacterController 컴포넌트를 검색한다. MoveCharacter 스크립트 파일이 SpartanKing 객체에 적용되어 있기 때문에 SpartanKing 객체의 CharacterController 컴포넌트가 검색된다. Animation 컴포넌트를 검색해 walk 애니메이션 속도를 2로 설정한다. 현재 SpartanKing 객체에 추가로 적용된 컴포넌트는 아래 그림과 같이 Animation, Character Controller, MoveCharacter 스크립트이다.

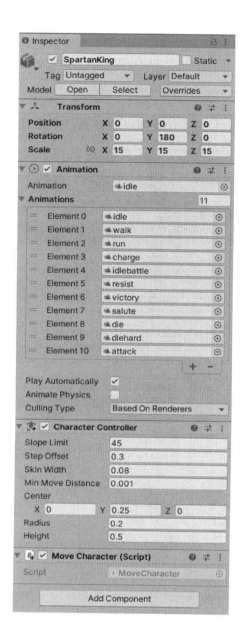

사용자가 방향 키를 눌렀는지 체크한다. 왼쪽, 오른쪽 방향 키는 X 값으로 설정하고, 위, 아래 방향 키는 Z 값으로 설정한다.

velocity = new Vector3(Input.GetAxis("Horizontal"), 0,
                                        Input.GetAxis("Vertical"));

사용자가 왼쪽 마우스 버튼을 클릭하면 attack 애니메이션을 실행한다.

```
if (Input.GetButtonUp ("Fire1")) {
    GetComponent<Animation>().Play("attack");
}
```

사용자가 스페이스바 키를 누르면 캐릭터의 위치를 Y 축 방향으로 이동하고 victory 애니메이션을 실행한다. Jump는 스페이스바 키를 의미한다.

```
else if (Input.GetButtonDown("Jump")) {
    velocity.y = jumpSpeed;
    GetComponent<Animation>().Play("victory");
}
```

방향 키를 눌러서 velocity 벡터의 크기가 0.5 보다 크면 walk 애니메이션을 실행하고, 방향 키가 눌러진 곳으로 트랜스폼을 향하게 한다. 트랜스폼은 SpartanKing 객체이다.

```
else if (velocity.magnitude > 0.5) {
    GetComponent<Animation>().CrossFade("walk", 0.1f);
    transform.LookAt(transform.position + velocity);
}
```

아무런 조건이 주어지지 않으면 idle 애니메이션을 실행한다. CrossFade() 메서드는 자연스러운 애니메이션 전환 기능을 제공한다. 위의 소스에서 현재의 애니메이션이 idle 애니메이션으로 전환될 때 1.4초가 소요된다. 갑자기 다른 애니메이션이 실행되는 것이 아니라 일정 시간이 지난 후 다른 애니메이션이 실행되기 때문에 애니메이션 전환이 매우 자연스럽다. 반면 Play("idle") 메서드를 실행하면, 현재 실행되고 있는 애니메이션이 있다고 하더라도 현재 애니메이션 실행을 즉시 멈추고 idle 애니메이션을 실행한다.

```
else {
    GetComponent<Animation>().CrossFade("idle", 1.4f);
}
```

캐릭터가 공중에 떠 있을 경우 바닥에 내려오게 한다.

```
velocity.y -= gravity * Time.deltaTime;
```

캐릭터 콘트롤러를 움직이게 한다. SpartanKing 객체에는 캐릭터 콘트롤러가 적용되어
있기 때문에 결국 SpartanKing 객체가 움직인다.

```
controller.Move(velocity * Time.deltaTime);
```

지금까지 작업한 내용을 [File / Save Scene as...] 메뉴를 순서대로 선택해
MovedAnimation.unity로 저장한다.

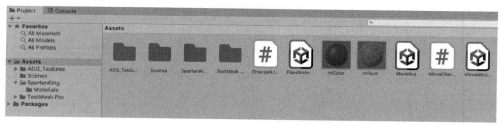

16장. 메카님 애니메이션

앞 장에서 레거시 타입의 애니메이션과 메카님 애니메이션에 대해 배웠다. 레거시 타입의 애니메이션은 모델링에 포함되어 있는 애니메이션을 구현하는 방식이고, 메카님 애니메이션은 휴머노이드 타입으로 애니메이션을 구현하는 방식이다.

이번 절에서는 휴머노이드 타입으로 애니메이션을 구현해보자. 보통 머리, 팔, 다리, 몸통 등을 갖춘 인간형은 휴머노이드 타입으로 애니메이션을 구현한다.

16.1 UI 버튼 만들기

메카님 애니메이션을 공부하기 위해 프로젝트 이름이 MecanimAnimation인 새 프로젝트를 만든다.

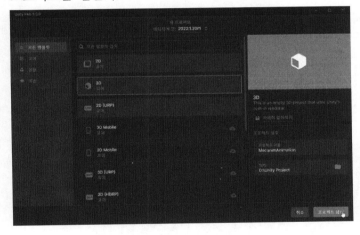

유니티에서 [GameObject / UI / Button] 메뉴를 순서대로 클릭해 Button 객체를 하나 추가한다.

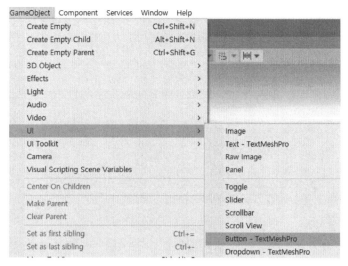

씬 뷰 상단의 2D 부분을 클릭한다.

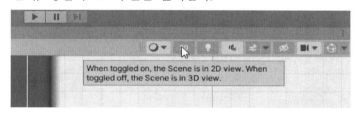

아래 그림과 같이 Canvas 영역이 보일 때까지 마우스 휠을 아래로 내려 줌 아웃한다.
트랜스폼 툴에서 첫 번째 툴인 뷰 툴을 클릭한다.

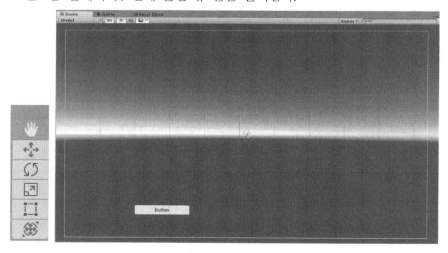

씬 뷰에서 Canvas 영역을 클릭하여 화면 가운데에 위치하도록 옮긴다. 마우스로 Canvas 영역을 클릭하여 드래그 앤드 드롭하면 된다.

이번에는 마우스 휠을 위로 움직여 Canvas 영역이 씬 뷰에 가득 차도록 줌 인한다. 트랜스폼 툴에서 렉 툴을 클릭한다.

버튼을 Canvas 영역의 왼쪽 상단으로 옮긴다. 하이어라키 뷰에서 Button을 클릭하고 아래 그림을 참조하여 적당한 곳으로 이동한다. 하이어라키 뷰에서 Button 객체의 하위 Text 부분을 클릭하고 Text 내용을 아래 그림과 같이 Idle Animation으로 변경한다. 다시 하이어라키 뷰에서 Button 이름을 butIdle로 변경한다.

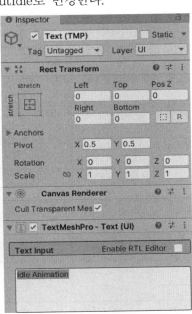

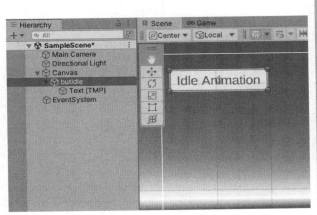

하이어라키 뷰에서 butIdle을 선택하고 Ctrl+D 키를 누른다. Ctrl+D 키는 복사를 의미한다. 복사된 버튼의 이름을 butWalk로 변경하고 Text 내용을 아래 그림과 같이 Walk Animation으로 변경한다. butWalk의 위치를 아래 그림처럼 위치시킨다.

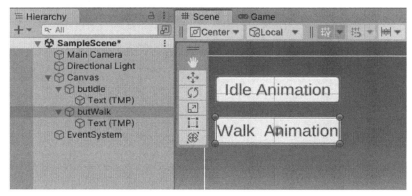

계속해서 butWalk를 Ctrl+D 키를 2번 누른다. 복사된 각 버튼의 이름을 butRun, butJump로 변경한다. 각 버튼의 Text는 Run Animation, Jump Animation으로 변경한다.

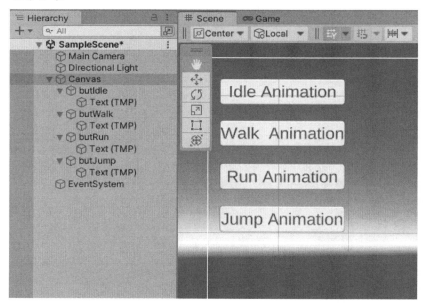

16.2 Robot Kyle 객체

에셋 스토어를 실행하여 Space Robot Kyle을 검색한다. 아래 그림의 [Unity에서 열기]
버튼을 클릭하면 패키지 매니저가 실행된다.

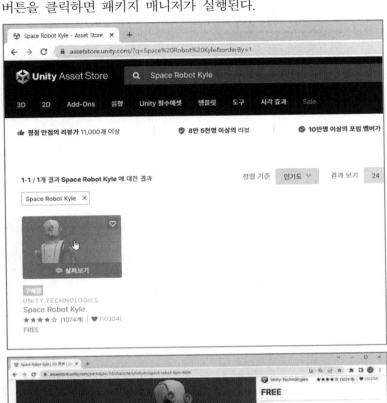

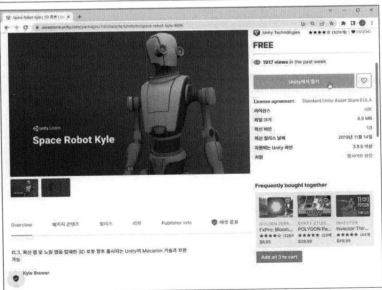

패키지 매니저에서 [import] 버튼을 클릭하고 나타나는 창에서 [import] 버튼을 클릭한다.

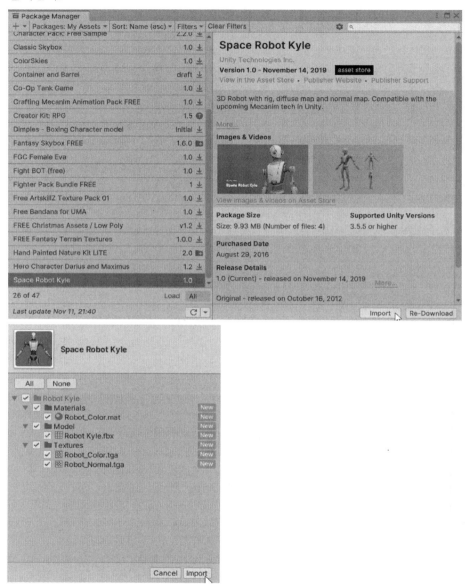

프로젝트 뷰에 Robot Kyle 폴더가 생성되었다.

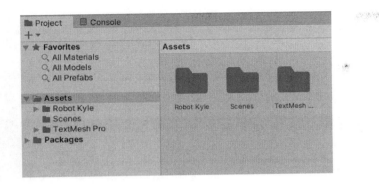

씬 뷰 탭을 클릭한다. 프로젝트 뷰에서 Assets / Robot Kyle / Model 폴더의 Robot
Kyle을 클릭한다.

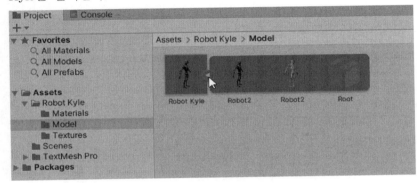

인스펙터 뷰에서 Rig 탭을 클릭하고 Animation Type을 Legacy에서 Humanoid로
변경한다. 그리고 [Apply] 버튼을 클릭한다.

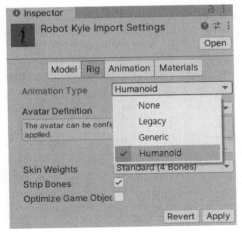

Animation Type을 Legacy에서 Humanoid로 변경했더니 프로젝트 뷰의 Robot Kyle에
Robot Kyle Avatar가 자동으로 생성되었다.

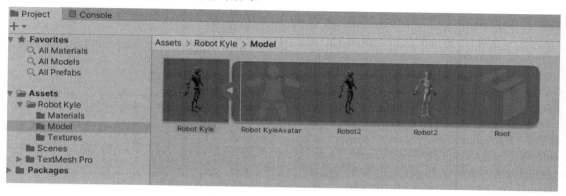

프로젝트 뷰에 있는 Robot Kyle을 하이어라키 뷰로 드래그 앤드 드롭한다.

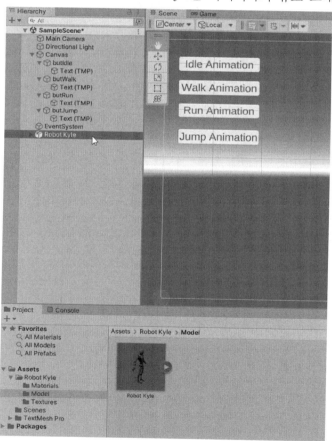

Main Camera의 위치를 (0, 1, -3)으로 변경하여 Robot Kyle 객체를 크게 볼 수 있게 만든다.

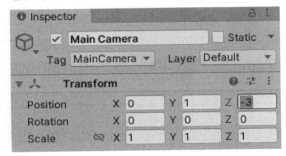

Robot Kyle 객체를 더블클릭하고 Y 축을 기준으로 180도 회전시켜 앞면을 볼 수 있게 한다. 게임 뷰 탭을 클릭하여 지금까지 작업한 내용을 확인한다.

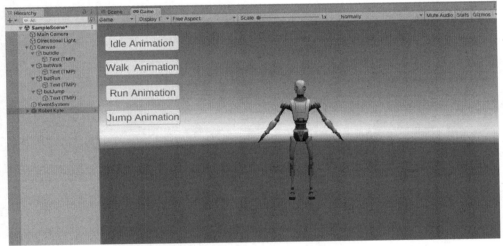

16.3 애니메이터 콘트롤러

하이어라키 뷰에서 Robot Kyle 객체를 선택하고 인스펙터 뷰를 살펴보면 Animator 컴포넌트를 찾을 수 있다. 현재 Controller가 비어 있다.

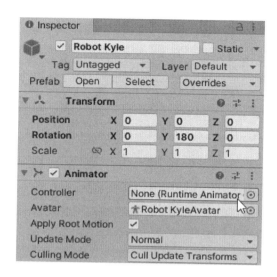

유니티에서 기본으로 제공하는 휴머노이드 타입의 애니메이션을 사용해보자. 패키지 매니저를 실행하고 검색어 입력 칸에 standard라고 입력한다. 앞에서 다운로드 받은 Standard Assets을 임포트한다.

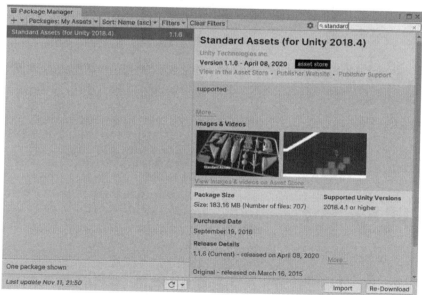

전체가 선택된 상태에서 임포트한다.

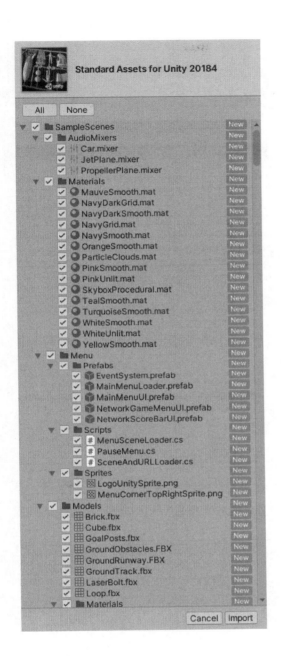

임포트가 완료되면 Assets / Standard Assets / Characters / ThirdPersonCharacter / Animation 폴더를 살펴보자.

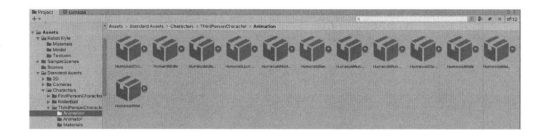

프로젝트 뷰에서 Asset 폴더를 클릭하고 [+] 버튼을 클릭한다. 나타나는 메뉴에서 [Animator Controller]를 선택한다.

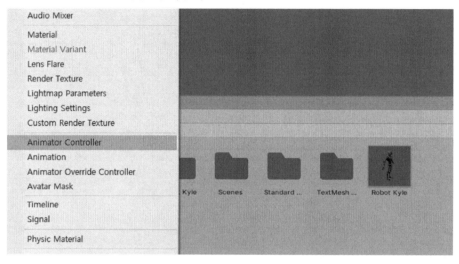

추가된 Animator 이름을 KyleAnimator로 변경한다.

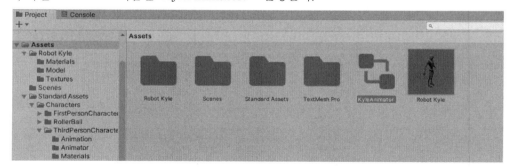

생성된 KyleAnimator를 더블클릭하면 아래 그림과 같은 애니메이터 뷰가 나타난다.

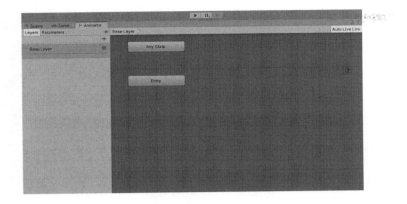

화면을 옮기고 싶으면 Alt 키를 누른채 왼쪽 마우스 버튼을 클릭하고 드래그 앤드 드롭하면 된다. [Animator] 탭을 클릭한 채로 이동하면 화면을 새 창으로 분리할 수 있다. 아래 그림에서 눈모양을 클릭하면 화면을 크게 사용할 수 있다.

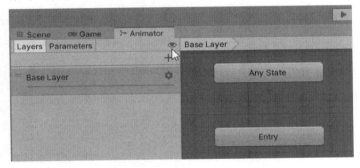

다시 아래 아이콘을 클릭하면 원래의 모습으로 돌아간다.

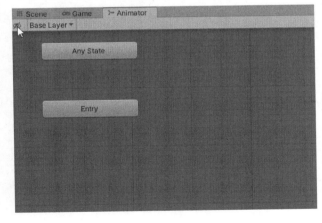

Assets / Standard Assets / Characters / ThirdPersonCharacter / Animation 폴더 내의
애니메이션 중 HumanoidIdle 애니메이션을 애니메이터 뷰로 드래그 앤드 드롭한다.
자동으로 Entry에서 HumanoidIdle로 향하는 화살표가 생성된다.

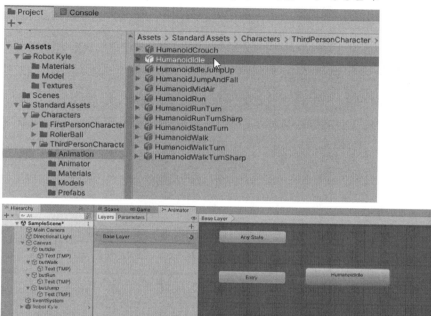

이번에는 HumanoidWalk, HumanoidRun 애니메이션을 애니메이터 뷰로 드래그 앤드
드롭하여 아래 그림과 같이 배치한다.

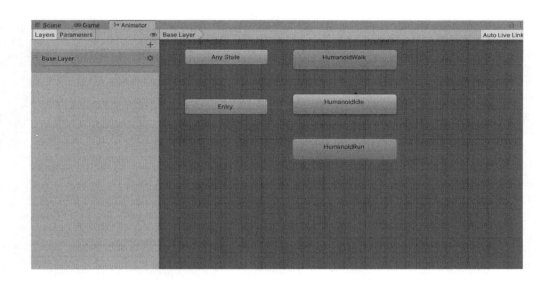

마지막으로 HumanoidIdleJumpUp 애니메이션을 애니메이터 뷰로 드래그 앤드 드롭한다. HumanoidIdleJumpUp 애니메이션을 드래그 앤드 드롭하면 각 애니메이션이 아래 그림과 같이 뭉쳐진 형태로 배치된다.

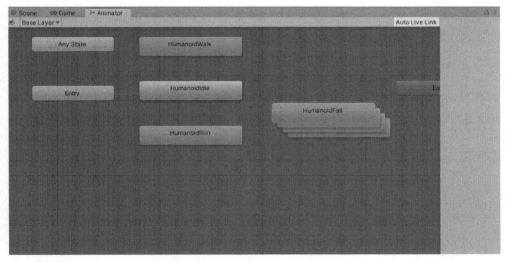

뭉쳐져 있는 각 애니메이션을 아래 그림처럼 분리해서 배치해본다.

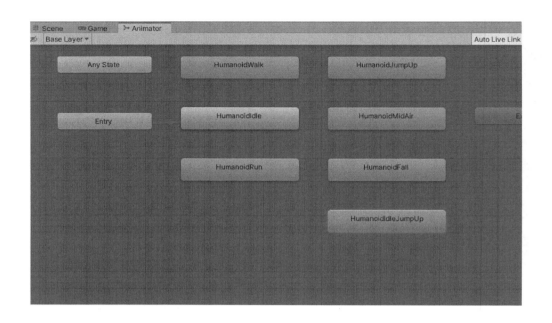

4개의 애니메이션 중 HumanoidIdleJumpUp은 필요 없기 때문에 아래 그림과 같이 제거한다.

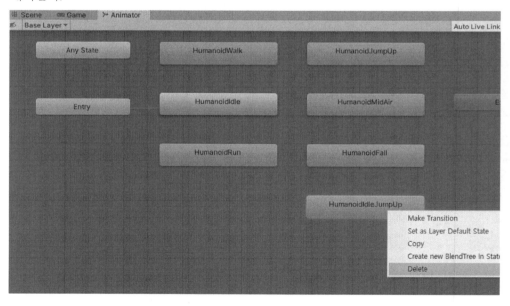

HumanoidIdle을 선택한 후 마우스 오른쪽 버튼을 클릭한다. 팝업 메뉴가 나오면

[Make Transition] 메뉴를 선택하고 HumanoidWalk에 연결한다. HumanoidWalk를
마우스 왼쪽 버튼으로 클릭하면 된다.

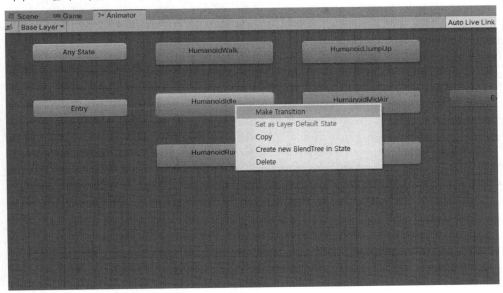

Make Transition이 제대로 수행되면 HumanoidIdle에서 HumanoidWalk로의 화살표가
표시된다.

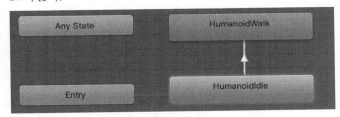

같은 방법으로 아래 그림과 같이 트랜지션을 생성한다.

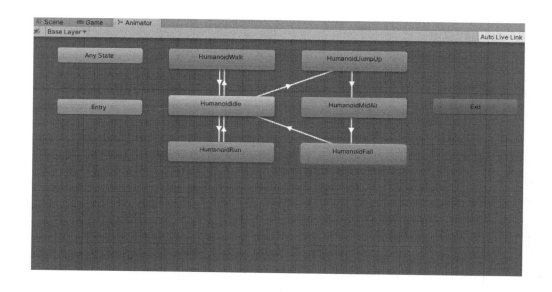

어떤 한 애니메이션에서 다른 애니메이션으로 전환하기 위해서는 조건이 필요하다. 조건을 설정하기 위해서 보통은 변수를 이용한다. 변수를 등록하는 방법은 다음과 같다.

아래 아이콘을 클릭하여 파라미터를 생성할 수 있는 창을 표시한다. Parameters 탭을 클릭하고 [+] 기호를 눌러준다. 변수의 타입을 정할 수 있는데 Int를 선택하고 변수의 이름을 step으로 변경한다. 변수를 마우스로 클릭하면 이름을 변경할 수 있다.

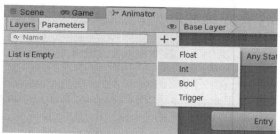

408

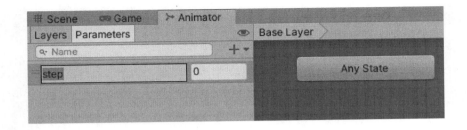

화살표를 트랜지션이라고 하는데 트랜지션을 마우스로 클릭하면 화살표 색이 파란색으로 변한다.

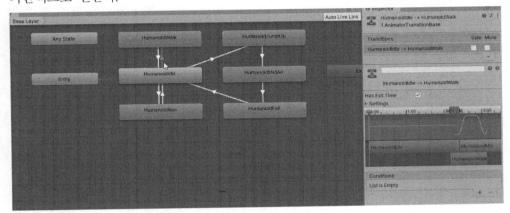

HumanoidIdle에서 HumanoidWalk로의 트랜지션을 클릭하고 인스펙터 뷰에서 [Has Exit Time]을 해제한다. Conditions의 [+] 기호를 클릭하고 Equals와 값 1을 설정한다. 이렇게 하면 step 변수의 값이 1과 같아질 때 HumanoidIdle에서 HumanoidWalk로의 트랜지션이 일어난다.

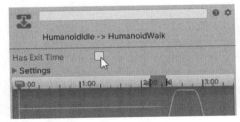
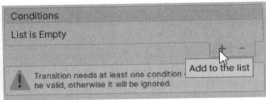

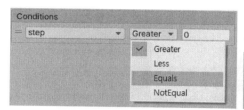
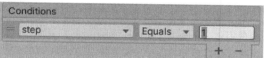

이번에는 HumanoidWalk에서 HumanoidIdle로의 트랜지션을 클릭하고 인스펙터 뷰에서 [Has Exit Time]을 해제한다. Conditions의 [+] 기호를 클릭하고 Equals와 값 0을 설정한다. step 변수의 값이 0과 같아질 때 HumanoidWalk에서 HumanoidIdle로의 트랜지션이 일어나게 된다.

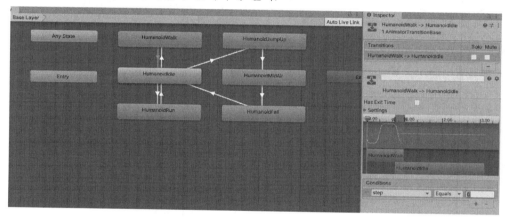

HumanoidIdle에서 HumanoidWalk로의 트랜지션의 의미는 다음과 같다.

트랜지션이란 한 애니메이션에서 다른 애니메이션으로 전환될 때의 동작을 정의하는 것이다. 인스펙터 뷰의 [Has Exit Time]을 체크하면 한 애니메이션 실행이 끝나야 다음 애니메이션으로 전환될 수 있다. 해제하면 한 애니메이션이 실행되고 있는 중에 다른 애니메이션으로 전환될 수 있다. Conditions은 애니메이션이 전환되는 조건을 의미한다. 예제에서 애니메이션이 전환되는 조건은 step 변수가 1일 때이다.

같은 방식으로 HumanoidIdle에서 HumanoidRun로의 트랜지션과 HumanoidRun에서

HumanoidIdle로의 트랜지션을 완성한다.

HumanoidIdle -> HumanoidRun

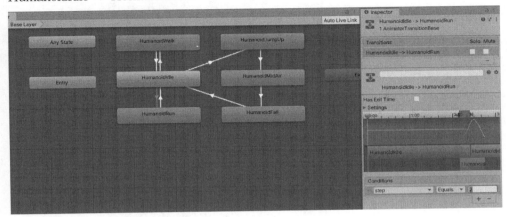

HumanoidRun -> HumanoidIdle

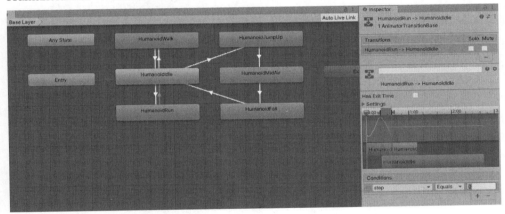

또 HumanoidIdle에서 HumanoidJumpUp로의 트랜지션, HumanoidJumpUp에서 HumanoidMidAir로의 트랜지션, HumanoidMidAir에서 HumanoidFall로의 트랜지션, HumanoidFall에서 HumanoidIdle로의 트랜지션도 완성한다.

HumanoidIdle -> HumanoidJumpUp

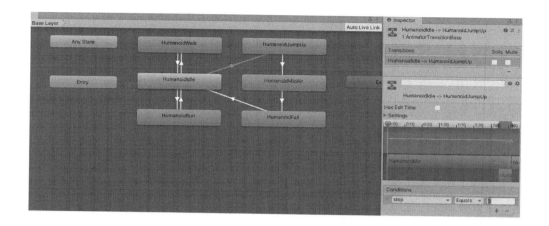

HumanoidJumpUp -> HumanoidMidAir

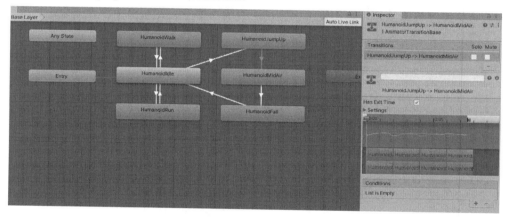

HumanoidMidAir -> HumanoidFall

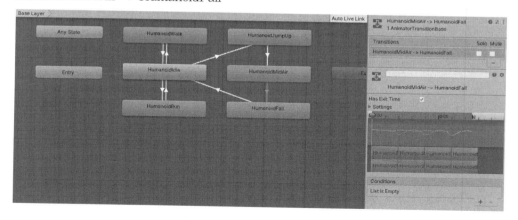

HumanoidFall -> HumanoidIdle

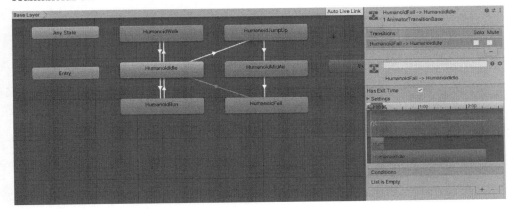

하이어라키 뷰에서 Robot Kyle를 선택한다. 프로젝트 뷰에 있는 KyleAnimator를
인스펙터 뷰의 Animator 컴포넌트 내 Controller로 드래그 앤드 드롭한다.

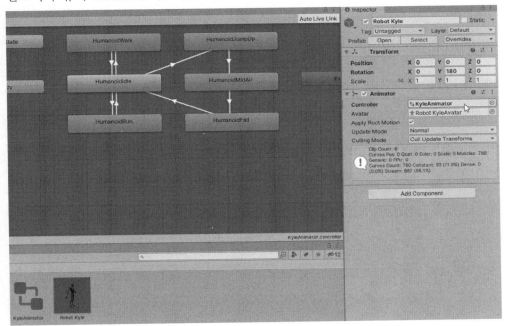

16.4 버튼과 메서드

프로젝트 뷰의 [+] 버튼을 클릭해 [C# Script] 메뉴를 선택한다. 파일 이름을

MecanimStep으로 변경하고 더블클릭하여 비주얼 스튜디오를 실행한다. 비주얼 스튜디오에서 다음과 같이 프로그래밍한다. 프로그래밍이 완료되면 저장하고 Robot Kyle 객체에 드래그 앤드 드롭한다.

```
public class MecanimStep : MonoBehaviour {
    Animator myanim;

    void Start () {
        myanim = GetComponent<Animator>();
    }

    public void MecanimIdle() {
        myanim.SetInteger("step", 0);
    }

    public void MecanimWalk() {
        myanim.SetInteger("step", 1);
    }

    public void MecanimRun() {
        myanim.SetInteger("step", 2);
    }

    public void MecanimJump() {
        myanim.SetInteger("step", 3);
    }
}
```

MecanimStep 스크립트를 드래그 앤드 드롭할 때 아래의 에러가 나오면 더블클릭하여 해당 소스를 띄운다.

아래 소스에서 11번째 라인에 있는 GUIText를 더는 사용하지 않는다. GUIText
대신에 Text를 사용하면 문제가 해결된다.

```
1    using System;
2    using UnityEngine;
3
4    #pragma warning disable 618
5    namespace UnityStandardAssets.Utility
6    {
7        public class SimpleActivatorMenu : MonoBehaviour
8        {
9            // An incredibly simple menu which, when given references
10           // to gameobjects in the scene
11           public GUIText camSwitchButton;
12           public GameObject[] objects;
```

아래 13번째 라인처럼 GUIText 대신에 Text를 사용하고 3번째 라인에 using
UnityEngine.UI;을 추가하면 된다.

```
1    using System;
2    using UnityEngine;
3    using UnityEngine.UI; //이 부분을 추가한다.
4
5    #pragma warning disable 618
6    namespace UnityStandardAssets.Utility
7    {
8        public class SimpleActivatorMenu : MonoBehaviour
9        {
10           // An incredibly simple menu which, when given references
11           // to gameobjects in the scene
12           //public GUIText camSwitchButton; // 이 라인은 삭제한다.
13           public Text camSwitchButton; // 이 라인을 추가한다.
14           public GameObject[] objects;
15
```

다시 MecanimStep 스크립트를 Robot Kyle 객체에 드래그 앤드 드롭한다.

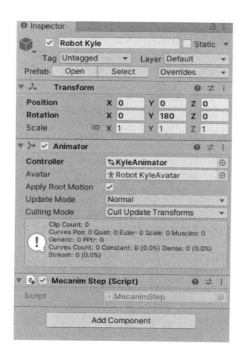

이제 앞에서 추가한 4개의 버튼(butIdle, butWalk, butRun, butJump)과 스크립트의 각 메서드를 연결해보자. butIdle 버튼을 클릭하면 MecanimIdle() 메서드를 호출하게 만들어야 한다. butWalk 버튼은 MecanimWalk() 메서드를, butRun 버튼은 MecanimRun() 메서드를, butJump 버튼은 MecanimJump() 메서드를 호출하게 만들어보자.

하이어라키 뷰의 butIdle 버튼을 클릭하고 인스펙터 뷰의 Button 컴포넌트의 On Click의 [+] 기호를 클릭한다.

Runtime Only 아래에 있는 작은 원을 클릭한다. 나타나는 창에서 Scene 탭을

클릭하고 Robot Kyle 객체를 더블클릭하여 선택한다.

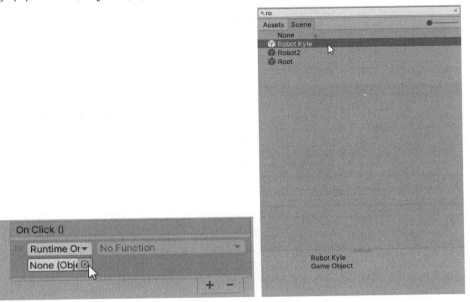

No Function 부분을 클릭하고 [MecanimStep / MecanimIdle] 메뉴를 순서대로 선택한다.

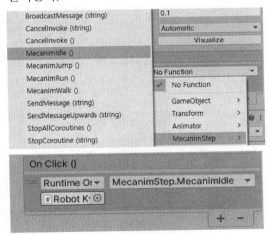

이제 butIdle 버튼을 클릭하면 Robot Kyle 객체에 적용된 MecanimStep 스크립트가 실행된다. 구체적으로 MecanimStep 스크립트 내 MecanimIdle() 메서드가 실행될

것이다. MecanimIdle() 메서드에서는 step 변수를 0으로 설정한다. step 변수의 값이 0이면 HumanoidIdle 애니메이션이 실행될 것이다.

butWalk, butRun, butJump 버튼을 각각 MecanimWalk(), MecanimRun(), MecanimJump() 메서드와 연결한다.

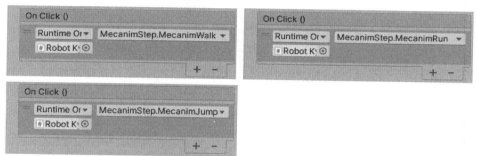

플레이 버튼을 클릭해 게임을 시작한다. 게임이 시작되면 Idle 애니메이션이 실행된다. Robot Kyle이 제자리에 있으니 별 문제가 없다.

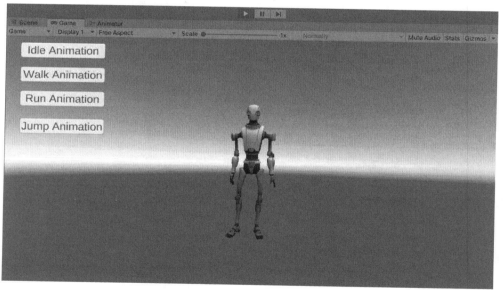

이번에는 [Walk Animation] 버튼을 클릭해보자. Robot Kyle이 앞으로 걸어 나오면서 화면을 벗어나 버린다. Robot Kyle 객체의 애니메이션을 계속 관찰하기 위해서는

Robot Kyle 객체가 화면을 벗어나면 안된다. 제자리에서 실행되는 애니메이션을
구현해보자.

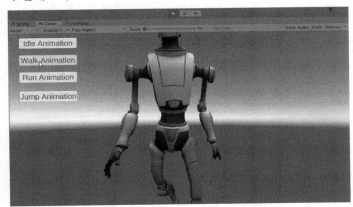

하이어라키 뷰에서 Robot Kyle 객체를 선택하고 인스펙터 뷰의 Animator 컴포넌트를
살펴보자. [Apply Root Motion] 부분이 체크되어 있는데, 이 부분이 체크되어 있으면
객체가 힘을 받을 때 실제 이동을 하게 된다. [Apply Root Motion] 부분이 체크되어
있지 않으면 애니메이션이 제자리에서 실행된다.

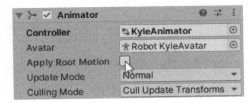

[Apply Root Motion] 부분을 해제하고 플레이 버튼을 클릭해 게임을 다시 시작한다.
[Walk Animation] 버튼을 클릭하면 Robot Kyle 객체는 제자리에서 걷는다. 다시 [Idle
Animation] 버튼을 클릭하고 [Run Animation] 버튼을 클릭해보자. 뛰는 Robot Kyle
객체를 확인할 수 있다.

이번에는 [Idle Animation] 버튼을 클릭하고 [Jump Animation] 버튼을 클릭한다.
Robot Kyle 객체가 점프하는 화면을 볼 수 있다.

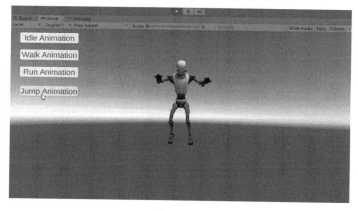

16.5 애니메이터 콘트롤러 수정

현재 애니메이션 상태 변화는 다음과 같다. HumanoidIdle에서 step 변수 값이 1이면
HumanoidWalk 상태로 전환된다. HumanoidWalk 상태에서는 HumanoidIdle 상태로
전환되지 않고서는 HumanoidRun이나 HumanoidJumpUp 상태로 전환될 수 없다.
마찬가지로 HumanoidRun 상태에서는 HumanoidWalk나 HumanoidJumpUp 상태로
전환될 수 없다. 반드시 HumanoidIdle 상태로 전환한 후 다음 상태로 넘어가야 한다.

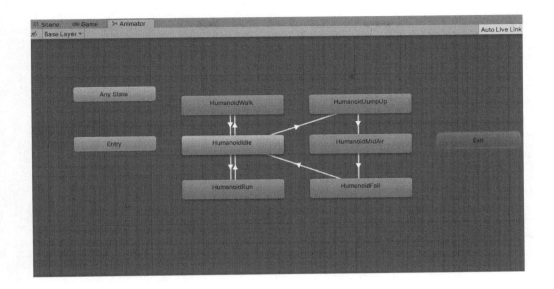

아래 그림과 같이 HumanoidRun를 왼쪽으로 조금 옮기고 HumanoidWalk에서 HumanoidRun으로 Make Transition을 생성해보자. [Has Exit Time]을 해제하고 Conditions에 step 변수, Equals 2를 추가한다.

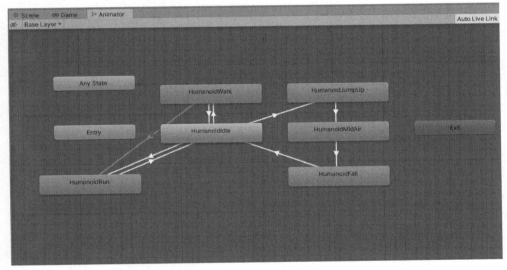

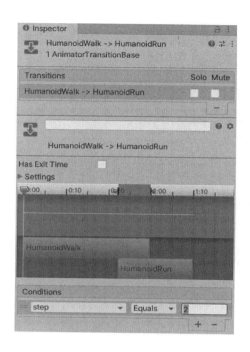

반대로 HumanoidRun에서 HumanoidWalk로 Make Transition을 생성한다. [Has Exit Time]을 해제하고 Conditions에 step 변수, Equals 1을 추가한다.

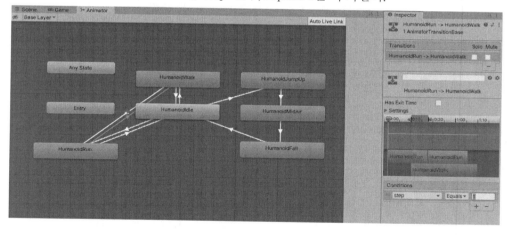

이렇게 하면 HumanoidWalk 상태에서 step 변수가 2가 되면 HumanoidRun 상태로 전환된다. 또 HumanoidRun 상태에서 step 변수가 1이 되면 HumanoidWalk 상태로 전환된다.

이제 HumanoidWalk 상태에서 HumanoidRun 상태로 바로 전환될 수 있고 그 반대도 가능해졌다. 플레이 버튼을 클릭해 게임을 다시 시작한다.

[Walk Animation] 버튼을 클릭해 Robot Kyle 객체가 걷는 것을 확인한다. 이제 [Run Animation] 버튼을 클릭하면 바로 뛰는 동작으로 전환된다. 물론 뛰는 동작 중에 [Walk Animation] 버튼을 다시 클릭하면 걷기 동작으로 바로 전환된다.

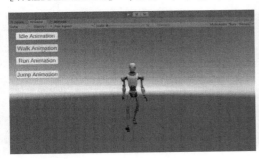

지금까지 작업한 내용을 저장한다. 씬 내용을 저장하기 위해서는 [File / Save Scene as...] 메뉴를 순서대로 선택하면 된다. 파일 이름을 MecanimStep라고 입력하고 [저장] 버튼을 클릭한다.

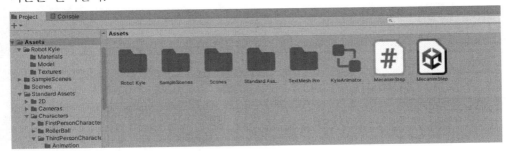

16.6 블렌드 트리

새로운 실습을 하기 위해 현재 씬에서 불필요한 객체들을 제거한다. 하이어라키 뷰에서 Canvas 객체와 EventSystem 객체를 제거한다. 씬 뷰 상단의 2D 버튼을 다시 클릭해 3D 모드로 변경한다.

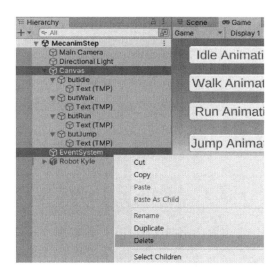

하이어라키 뷰에서 Robot Kyle 객체를 선택하고 인스펙터 뷰의 Transform 컴포넌트를
리셋한다.

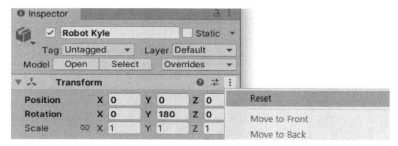

그리고 Robot Kyle 객체를 더블클릭하여 씬 화면 중앙에 위치하도록 한다. 그리고
바닥으로 사용할 Plane 객체를 하나 추가한다. Plane 객체를 추가하기 위해서는
[GameObject / 3D Object / Plane] 메뉴를 순서대로 선택하면 된다.

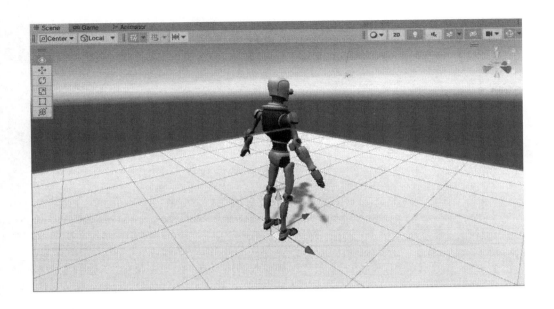

앞 장에서 작업한 D:\Unity Project\Prefab\Assets\ADG_Textures 폴더를 현재
작업하고 있는 D:\Unity Project\MecanimAnimation\Assets 폴더에 복사한다.

프로젝트 뷰에서 [+] 버튼을 클릭해 [Material] 메뉴를 선택한다. Assets 폴더에
만들어진 새로운 매터리얼의 이름을 mFloor로 변경하고 적당한 텍스처 이미지를
적용한다. 예제에서 적용한 이미지는 아래와 같다.

mFloor – wall04_Diffuse

생성된 mFloor를 Plane 객체에 드래그 앤드 드롭한다. Plane 객체의 Scale 값을
아래와 같이 확대한다.

Robot Kyle 객체에 적용할 새로운 애니메이터를 만들어보자. 프로젝트 뷰에서 [+] 버튼을 클릭해 [Animator Controller] 메뉴를 선택한다. Assets 폴더에 만들어진 새로운 애니메이터의 이름을 KyleMoveAnimator로 변경한다.

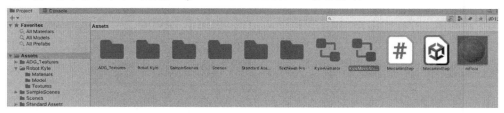

KyleMoveAnimator를 더블클릭하여 애니메이터 뷰를 띄우고 프로젝트 뷰의 Assets / Standard Assets / Characters / ThirdPersonCharacter / Animation 폴더의 HumanoidIdle를 애니메이터 뷰로 드래그 앤드 드롭한다.

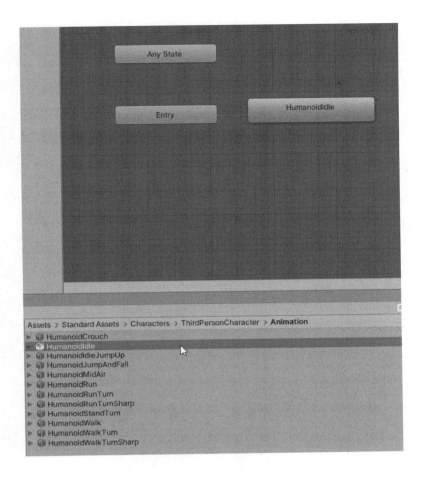

애니메이터의 빈 공간에 마우스 오른쪽 버튼을 클릭한다. 나타나는 메뉴에서 [Create State / From New Blend Tree] 메뉴를 순서대로 선택하면 Blend Tree 블록이 하나 생성된다.

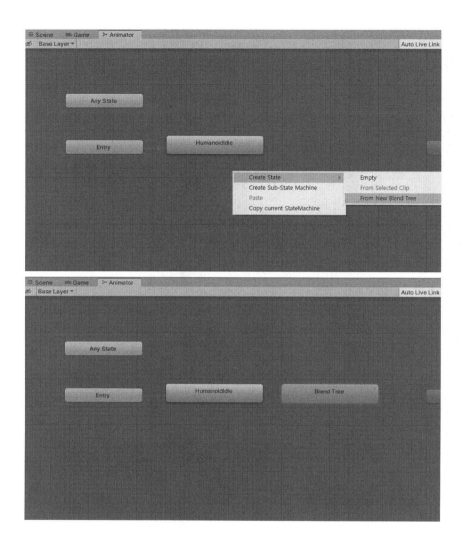

Blend Tree 블록의 이름을 아래 그림과 같이 MoveWalk로 변경한다.

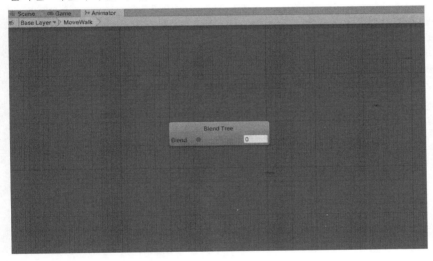

이제 MoveWalk 블록을 더블클릭해보자. MoveWalk 블록을 더블클릭하면 MoveWalk 블록을 세분화시킬 수 있는 화면이 나타난다.

Robot Kyle 객체가 왼쪽, 직진, 오른쪽 방향으로 걸을 수 있게 만들 예정이다. 왼쪽, 직진, 오른쪽 방향을 의미하는 move_direction 변수를 하나 만들기로 하자. move_direction 변수 값이 −1이면 왼쪽 방향으로 걷고, 0이면 직진 방향으로 걷고, +1이면 오른쪽 방향으로 걷게 만들 것이다.

아래 그림에서 Blend 문자를 클릭하면 파라미터 이름을 변경할 수 있다. Blend를

move_direction으로 변경한다.

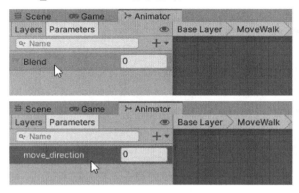

애니메이터 뷰에서 Blend Tree 블록을 클릭하고 인스펙터 뷰를 보자.

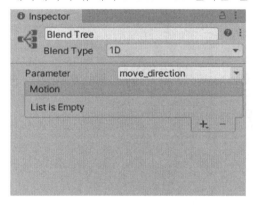

Motion 아래 부분의 + 기호를 클릭하고 나타나는 메뉴에서 [New Blend Tree]를 선택한다.

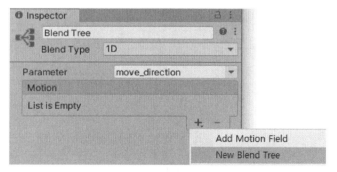

새로운 블렌드 트리가 추가되었다.

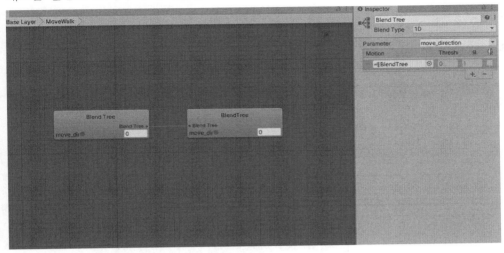

같은 과정을 거쳐 블렌드 트리 2개를 더 추가한다.

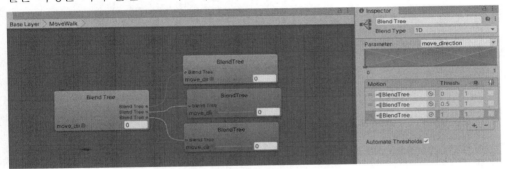

프로젝트 뷰에서 HumanoidWalkLeft, HumanoidWalk, HumanoidWalkRight를
인스펙터 뷰의 Motion으로 순서대로 드래그 앤드 드롭한다.

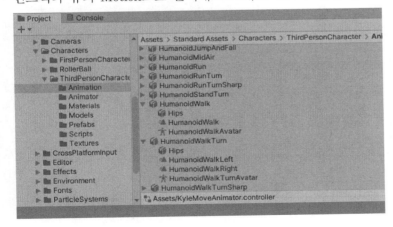

드래그 앤드 드롭을 하면 작업을 취소할 수 없다는 대화상자가 나타나는데 [Delete] 버튼을 클릭한다.

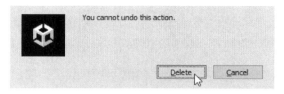

아래 그림과 같이 첫 번째 Motion에는 HumanoidWalkLeft를, 두 번째 Motion에는 HumanoidWalk를, 세 번째 Motion에는 HumanoidWalkRight를 드래그 앤드 드롭한다.

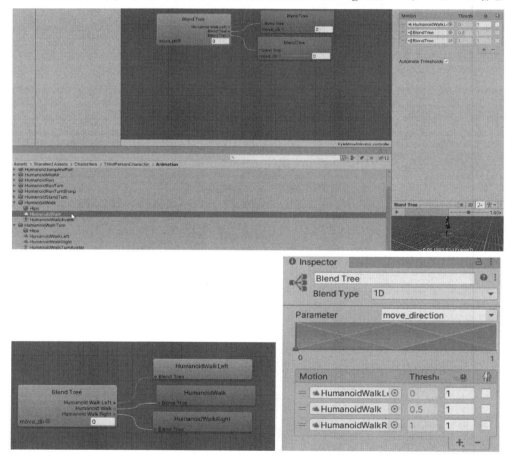

인스펙터 뷰의 Parameter의 왼쪽은 현재 0이다. 0을 클릭하면 숫자를 변경할 수

있는데 0을 −1로 변경한다. 이 작업은 파라미터 값의 범위를 0~1에서 −1~1로 변경한 것이다.

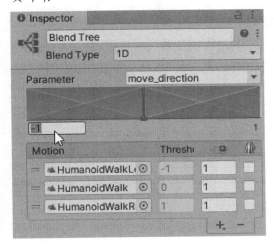

애니메이터 뷰에서 Base Layer를 클릭해 전 단계로 이동한다.

HumanoidIdle 블록을 마우스 오른쪽 버튼으로 클릭한다. 나타나는 메뉴에서 [Make Transition]을 선택하여 HumanoidIdle에서 MoveWalk로 트랜지션을 만든다.

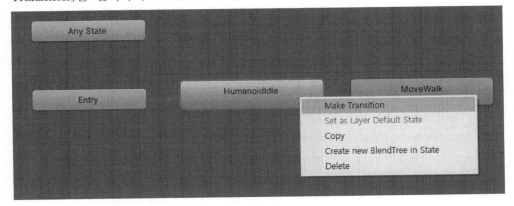

반대로 MoveWalk에서 HumanoidIdle로도 트랜지션을 만든다.

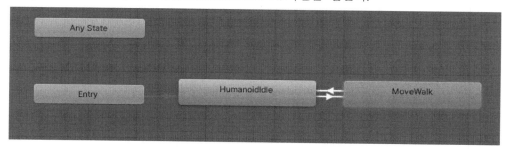

Parameters에서 [+] 기호를 클릭하고 [Float]를 선택한다. 변수 이름을 speed로 변경한다. 스크립트을 이용해 speed 변수 값을 바꿀 수 있게 하자. 위 방향 키를 누르면 speed 변수 값이 1이 되고 위 방향 키를 누르지 않으면 speed 변수 값이 0이 되게 할 것이다. 프로그램에서는 speed 값이 0보다 크면 걷기 시작하고, 0.1보다 작으면 Idle 상태로 전환하게 할 것이다.

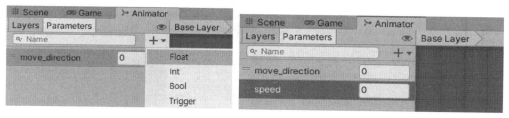

애니메이터 뷰에서 HumanoidIdle에서 MoveWalk로 향하는 화살표를 클릭한다. 그리고 인스펙션 뷰의 [Has Exit Time] 부분의 체크를 해제하고, Conditions 아래의 [+] 기호를 클릭한다.

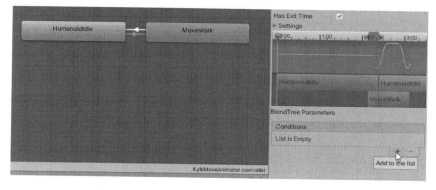

move_direction 변수 오른쪽 화살표를 클릭하고 [speed] 변수를 선택한다. 사용자가 위 방향 키를 누르면 speed의 속도가 증가하고, 0 보다 크면 걷기 애니메이션이 일어난다.

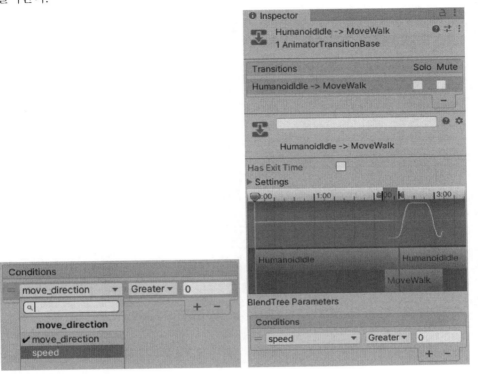

이번에는 MoveWalk에서 HumanoidIdle로 향하는 화살표를 클릭한다. 그리고 인스펙션 뷰의 [Has Exit Time] 부분의 체크를 해제하고, Conditions 아래의 [+] 기호를 클릭한다. speed가 0.1보다 작을 때 HumanoidIdle 애니메이션이 실행되도록 설정한다.

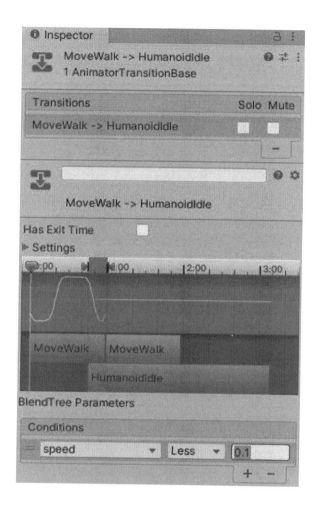

하이어라키 뷰에서 Robot Kyle을 선택하고 프로젝트 뷰에서 지금까지 작업한 KyleMoveAnimator 애니메이터를 인스펙터 뷰의 Animator / Controller에 드래그 앤드 드롭한다. 현재 Animator / Controller에는 앞 절에서 학습한 KyleAnimator가 설정되어 있다.

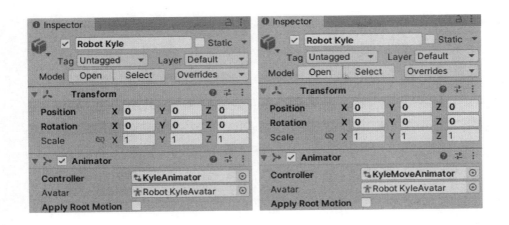

프로젝트 뷰에서 [+] 버튼을 클릭해 C# 스크립트를 생성하고, 스크립트 이름을
MecanimMove로 변경한다.

```
public class MecanimMove : MonoBehaviour {
    private Animator anim;

    void Start ()
    {
        anim = GetComponent<Animator>();
    }

    void FixedUpdate ()
    {
        float h = Input.GetAxis("Horizontal");
        float v = Input.GetAxis("Vertical");
        anim.SetFloat("speed", v);
        anim.SetFloat("move_direction", h);
    }
}
```

Update() 함수가 호출되고 다시 호출될 때까지의 경과 시간은 장치 성능에 따라 달라진다. 즉 Update() 함수가 호출되고 다시 호출될 때까지의 경과 시간이 일정하지 않은데 이 시간을 일정하게 만들 필요가 있다. 주로 물리 객체를 처리할 때 이런 필요가 생기는데 이를 위해 FixedUpdate() 메서드를 이용한다. FixedUpdate() 메서드를 사용하면 Time.deltaTime이 일정하다. 유니티에서는 기본 값으로 0.02초로 설정되어 있으며 변경 가능하다.

Robot Kyle 객체의 인스펙터 뷰에 추가되어 있는 MecanimStep 스크립트를 제거한다.

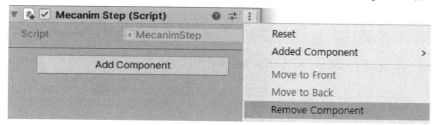

방금 작업한 MecanimMove 스크립트를 Robot Kyle 객체에 드래그 앤드 드롭한다.

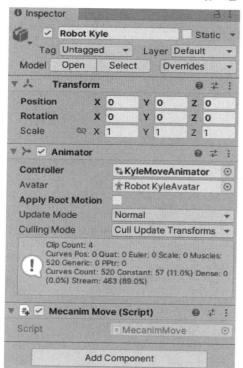

유니티에서 플레이 버튼을 클릭해 게임을 시작해보자. 왼쪽, 오른쪽, 위 방향 키를 눌러 보면 걷기 애니메이션이 시작되는데 제자리에서만 걷고 있다. 플레이 버튼을 다시 클릭해 게임을 중지하고, Robot Kyle 객체의 Animator 컴포넌트의 [Apply Root Motion]을 체크해서 Robot Kyle 객체가 실제 이동할 수 있게 한다.

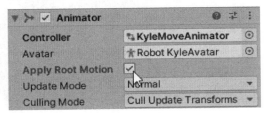

다시 플레이 버튼을 클릭해 게임을 시작한다. 첫 번째 그림은 Idle 상태이다. 위 방향 키와 왼쪽 방향 키를 누르면 왼쪽으로 걸어가는 애니메이션을 시행한다. 그리고 위 방향 키와 오른쪽 방향 키를 누르면 오른쪽으로 걸어가는 애니메이션을 시행한다.

지금까지 작업한 내용을 저장한다. 저장하기 위해서 [File / Save Scene as...] 메뉴를 선택한다. 파일 이름 칸에 MecanimMove라고 입력하고 [저장] 버튼을 클릭한다.

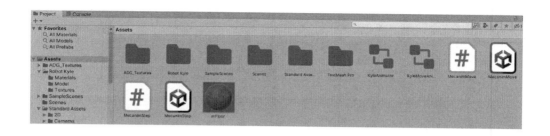

17 장. RPG Creator Kit

코딩을 많이 하지 않으면서 게임을 만들 수는 없을까? 유니티에서는 게임성에 집중할 수 있도록 게임을 구현할 때 필요한 공통 요소를 도구 형태로 지원한다. 이 도구를 Creator Kit라고 한다. 현재 Puzzle, RPG, FPS 등의 Creator Kit을 이용할 수 있다.

Creator Kit는 유니티를 처음 접하는 개발자들이 유니티를 쉽게 이해하고 사용법을 익히는데 그 목적이 있다. 에셋 스토어를 방문해 creator kit rpg를 검색한다. 그리고 아래 그림의 검색 결과를 클릭한다.

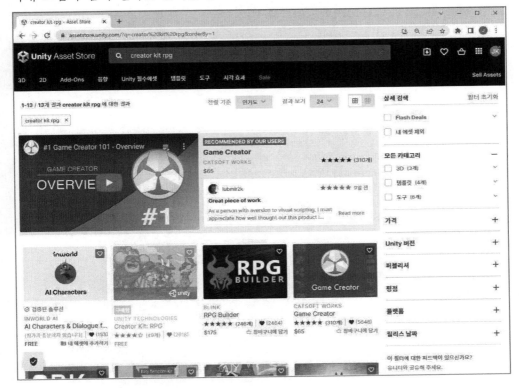

[Unity에서 열기] 버튼을 클릭하면 패키지 매니저가 실행된다.

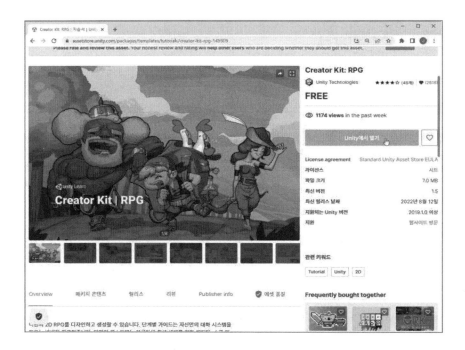

[Import] 버튼을 클릭하고 별개의 프로젝트로 만들기 위해 [Switch Project] 버튼을
클릭한다.

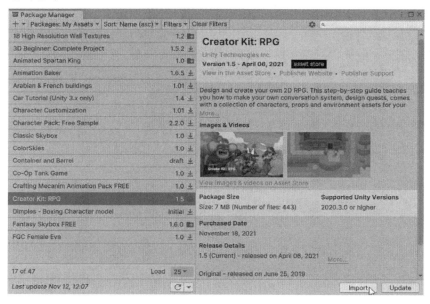

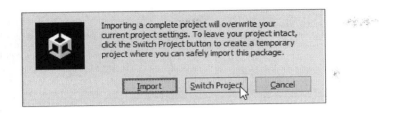

성공적으로 프로젝트가 생성되면 아래와 같이 보일 것이다.

이번 장에서는 RPG Creator Kit을 이용해 RPG 게임을 어떻게 만들어 나가는지 실습을 통해 학습해보자. 아래의 순서로 프로젝트를 실습한다.

1) RPG Creator Kit 시작하기

2) 맵 만들기

3) NPC 추가하기

4) 퀘스트와 스토리

17.1 RPG Creator Kit 시작하기

17.1.1 게임 실행하기

1) 프로젝트 뷰에서 Assets / Creator Kit - RPG / Scenes 폴더로 이동한다.

2) SampleScene Scene 아이콘을 더블클릭한다.

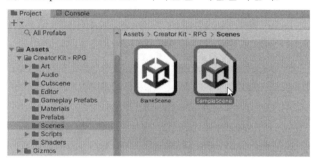

3) 유니티 플레이 버튼을 클릭한다. 게임이 시작되면 음악과 함께 아래의 화면이
보인다.

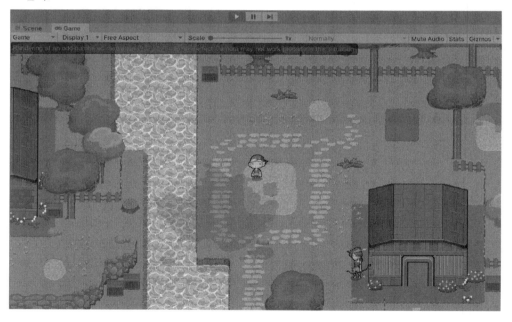

게임 조작법은 아래와 같다.

- 방향키를 이용해 캐릭터를 움직일 수 있다.
- 아이템을 얻기 위해 이동할 수 있다.
- 다른 캐릭터에게 걸어갈 수 있다.
- 대화 옵션을 선택할 때 방향키를 이용한다.
- 대화창을 없애거나 선택해야 할 때에는 스페이스바를 이용한다.
- 퀘스트를 완료하기 위해서 NPC를 찾아야 한다.

4) 게임을 종료하기 위해서는 유니티 플레이 버튼을 다시 클릭하면 된다.

17.1.2 새 씬 만들기

게임 맵을 만들 템플릿을 살펴보자. 먼저 템플릿 씬을 복사한다. 프로젝트 뷰에서 Assets / Creator Kit - RPG / Scenes 폴더로 이동한다.

1) BlankScene 템플릿을 선택하고 유니티 메뉴에서 Edit / Duplicate 메뉴를 선택한다. 또는 프로젝트 뷰에서 BlankScene 템플릿을 선택하고 Ctrl+D 키를 눌러도 된다. BlankScene 템플릿이 복사되어 BlankScene1 템플릿이 생성되었다.

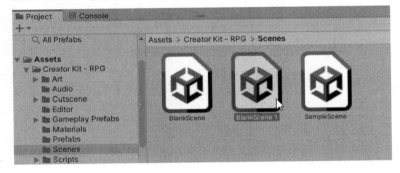

2) 프로젝트 뷰에서 새 씬(BlankScene)을 마우스 오른쪽 버튼으로 누르고 나타나는 메뉴에서 Rename을 선택한다. 씬 이름을 변경한다. 예제에서는 TestScene이라고 변경했다.

3) 편집하기 위해 새 씬을 더블클릭한다.

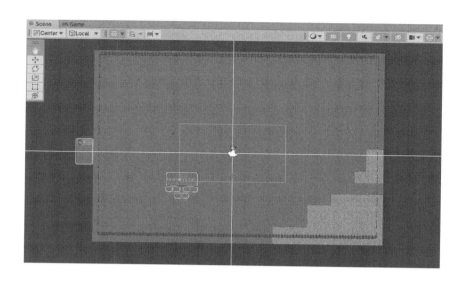

17.1.3 템플릿 씬 살펴보기

게임 맵을 만들기 전에 씬 템플릿을 살펴보자.

1) Collection GameObjects

하이어라키 뷰는 씬에 있는 모든 게임 객체를 표시한다. 특히 Collection 이름이 붙은 게임 객체는 개발자가 타일 맵을 만들 때 게임 구성 요소를 체계적으로 정리하기 위해 사용하는 일종의 컨테이너이다. 개발자가 게임 구성 요소를 추가하면 Collection 게임 객체에 저장된다.

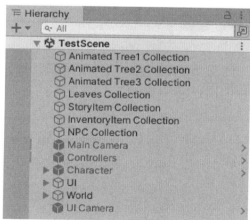

2) Prefab GameObjects

Collection 게임 객체 아래에 파란색 아이콘이 3개 있다.

- Main Camera
- Controllers
- Character

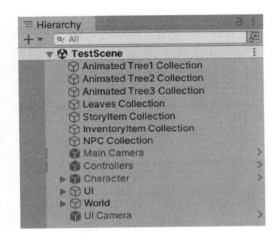

프리팹 객체는 미리 만들어져 있고, 개발자가 필요할 때 복사해서 사용할 수 있는 일종의 템플릿이다.

3) UI 게임 객체

UI 게임 객체는 사용자 인터페이스를 설정할 수 있는 프리팹 게임 객체를 포함하고 있다. UI 게임 객체는 게이머가 스크린에서 보는 것을 제어한다.

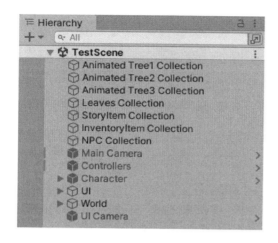

4) World 게임 객체

World 게임 객체는 타일 맵이라고 불리는 자식 프리팹을 포함하고 있다. 사용할 수 있는 타일 맵은 4개의 게임 객체이다.

- Background
- Midground
- Fences
- Foreground

17.2 타일 맵

17.2.1 타일 맵 팔레트

RPG 게임을 만들기 위해서는 타일 팔레트를 사용해야 한다. 타일 팔레트는 배경을 꾸밀 타일 이미지이다.

1) 유니티 메뉴에서 [Window / 2D / Tile Palette] 메뉴를 선택하면 아래 그림과 같이 타일 팔레트 윈도우가 나타난다.

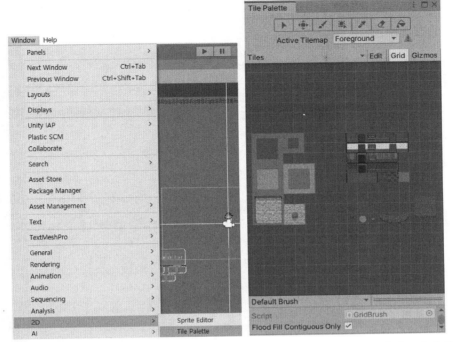

2) 타일 팔레트 윈도우 이름을 클릭해서 인스펙터 뷰로 드래그한다. 이렇게 하면 타일 팔레트 윈도우가 인스펙터 뷰 옆에 위치(dock)할 것이다.

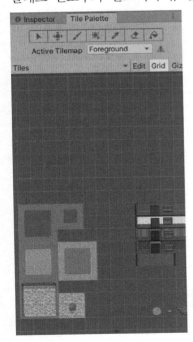

타일 팔레트에서는 4개의 서로 다른 종류의 타일을 제공한다.

- 백그라운드 지형 - 잔디, 사막, 물(grass, desert, and water)
- 집 - 벽과 바닥(walls, flooring)
- 땅 - 작은 바위, 큰 풀(a small rock cliff, tall grass)
- 기타 아이템 - 울타리, 때 묻은 원, 오솔길(fences, dirt circles, footpaths)

위 4개의 타일 맵의 레이어는 서로 다르다. 따라서 아래에 그려진 타일은 위 타일 때문에 보이지 않게 된다. 타일 팔레트는 아래와 같이 4개의 레이어를 제공한다.

- Background
- Midground
- Fences
- Foreground

17.2.2 타일 맵 그리기

타일 팔레트 작업은 아래 타일 팔레트 툴바와 단축키를 이용하여 수행한다.

1) 타일 팔레트 툴바

타일 팔레트 툴바에는 여러 개의 유용한 툴이 있다.

- 선택 툴(Select Tool), ▶

한 개 이상의 타일을 선택하기 위해 사용한다. 여러 개의 타일을 선택하기 위해서는 한 타일을 클릭하고 드래그하면 된다.

- 이동 툴(Move Tool),

타일 맵에서 타일을 다른 위치로 이동할 때 사용한다. 타일을 이동하기 위해서는 선택 툴을 사용해 타일을 선택하고 이동 툴을 클릭한 뒤 원하는 위치로 드래그하면 된다.

- 그리기 툴(Paintbrush Tool),

타일 팔레트에서 선택된 타일을 씬 뷰에 그릴 때 사용한다.

- 박스 그리기 툴(Fill Box Tool),

그리기 툴과 비슷한 동작을 한다. 차이점은 박스 그리기 툴은 사각형 단위로 타일을 그릴 수 있기 때문에 넓은 타일 맵을 작성할 때 효과적이다.

- 피커 툴(Picker Tool),

한 개 이상의 타일을 선택할 때 사용한다. 씬에서 특정 타일을 선택하면 바로 그리기 툴로 변하면서 그릴 수 있다.

- Eraser Tool,

씬 뷰에 그려진 타일을 지울 때 사용한다.

- Fill Tool,

한 개 이상 선택된 타일로 넓은 지역을 그릴 때 사용한다.

2) 키보드와 마우스 단축키

씬 뷰나 타일 팔레트 원도우에서 아래와 같은 단축키를 사용할 수 있다.

- Alt + 왼쪽 마우스 버튼 드래그 - 화면 이동(pan)
- 마우스 휠을 누르고 드래그 - 화면 이동(pan)

▪ 마우스 휠을 위로 아래로 회전 – 줌 인 또는 줌 아웃

17.2.3 백그라운드 타일 맵 그리기

백그라운드 타일 맵은 잔디나 집 바닥과 같이 플레이어 캐릭터가 있을 수 있는 공간이다. 백그라운드 타일 맵 실습을 다음 순으로 진행해보자.

1) 하이어라키 뷰에서 World / Tilemaps / Background 게임 객체를 선택한다.

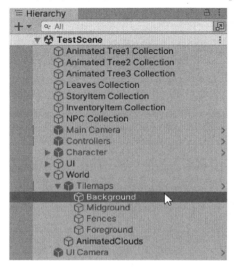

2) 타일 팔레트 윈도우의 액티브 타일 맵 드롭다운 메뉴에서 Background가 선택되었는지 확인한다. 만약 타일 맵 윈도우에서 드롭다운 메뉴를 바꾸고자 한다면 [Open in Prefab Mode] 대화상자가 나타나는데 [Scene] 버튼을 클릭하면 된다.

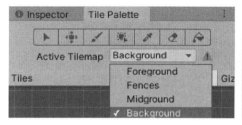 

3) 이제 백그라운드에서 작업할 준비가 되었다. 타일 팔레트에서 타일을 선택하고 씬

뷰에서 그리면 된다. 아래 화면에서 왼쪽 박스의 타일로 배경을 그리면 된다. 한 개의 타일 또는 여러 개의 타일을 동시에 그릴 수 있다.

4) 아래 그림은 배경 타일을 이용하여 작업한 화면이다.

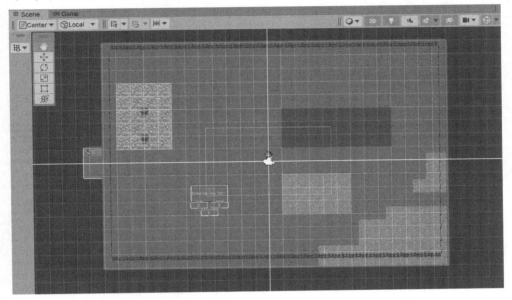

5) Ctrl + S 키를 눌러 씬을 저장한다.

17.2.4 집 추가하기

사람이 살 수 있는 집을 추가해보자. 백그라운드 타일 맵에서 시작한다.

1) 하이어라키 뷰에서 Background 타일 맵이 선택되었는지 확인한다.

2) 타일 팔레트 윈도우에서 액티브 타일 맵 드롭다운 메뉴가 Background인지 확인한다.

3) 아래의 타일들이 집을 그릴 때 사용할 수 있는 타일이다.

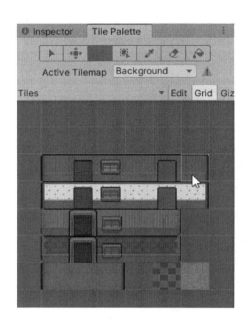

아래 그림은 집을 그릴 때 사용하는 타일의 종류이다. 바닥은 Background 타일 맵이고, 벽은 Midground 타일 맵이다.

	Left side / corner	Middle	Right side / corner
Floor			
Wall			

더 멋진 게임을 만들 수 있게 문과 창문으로 사용할 수 있는 타일도 있다. 문과 창문으로 플레이어 캐릭터가 이동할 수는 없다. 실제로 플레이어 캐릭터가 집에 들어올 수 있는 문은 뒤에서 설명한다.

4) 백그라운드 타일 맵에서 바닥을 그린다. 그리기 툴(Paintbrush Tool, 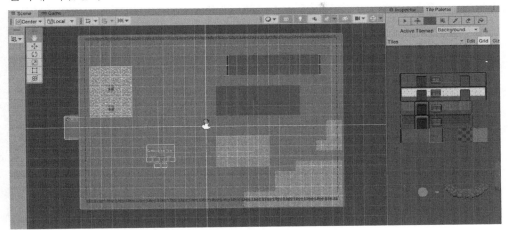)을 클릭해 작업한다.

5) 바닥 그리기가 끝나면 벽을 그린다. 벽은 플레이어 캐릭터의 이동을 막는 충돌체 역할도 해야 하기 때문에 Midground 타일 맵으로 그려야 한다. 하이어라키 뷰에서 Midground를 선택한다.

6) 타일 팔레트 윈도우와 액티브 타일 맵의 드롭다운 메뉴가 Midground 인지 확인한다.

7) 벽을 그린다.

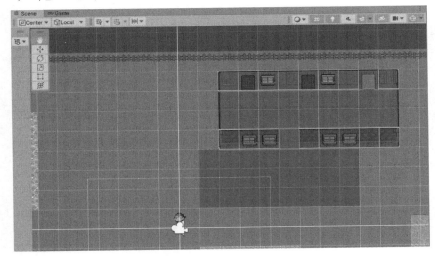

8) Ctrl + S 키를 눌러 씬을 저장한다. 지금까지 작업한 내용은 아래와 같다. 아래 한 칸은 플레이어가 다닐 수 있게 바닥 타일로 그린다.

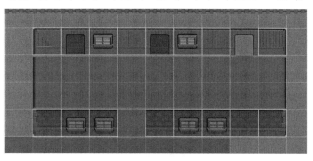

17.2.5 지붕 추가하기

지붕과 문은 바닥이나 벽보다 더 복잡하다.

1) 하이어라키 뷰에서 World 게임 객체를 선택하고 마우스 오른쪽 버튼을 클릭해 나타나는 메뉴에서 [Create Empty]를 선택한다. World 객체 아래에 [GameObject] 자식이 만들어진다.

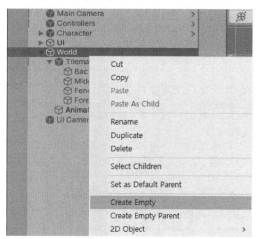

2) F2 키를 눌러 이름을 [Objects]로 변경한다.

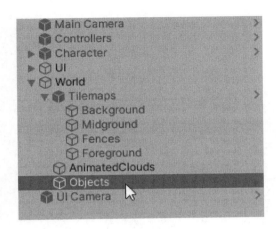

3) 프로젝트 뷰에서 Assets / Creator Kit - RPG / Prefabs으로 이동하여 HouseRoof

프리팹을 선택한다.

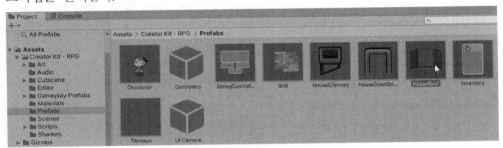

4) 프로젝트 뷰의 HouseRoof 프리팹을 하이어라키 뷰의 Objects로 드래그 앤드

드롭한다.

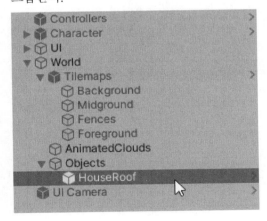

5) 하이어라키 뷰에서 HouseRoof 객체를 선택하고 마우스 커서를 씬 뷰로 이동하고 F 키를 누른다. 이렇게 하면 씬 뷰에서 선택된 객체가 크게 보여질 것이다.

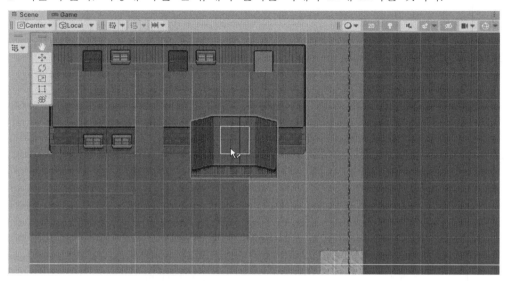

6) 지붕을 옮기고 싶다면 유니티의 이동 툴을 누르고 지붕을 옮기면 된다. 단축키는 W 이다.

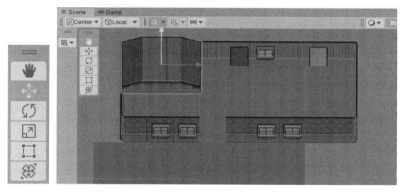

씬 뷰에서 지붕을 집의 한 쪽 끝에 맞도록 위치시킨다. 아래 그림에서는 지붕을 왼쪽 상단에 맞췄다.

7) 지붕의 크기를 조절하기 위해서는 렉트 변형툴(Rect Transform Tool)을 사용하면

된다. 단축키는 T 이다. 창문이나 문을 놓아야 하기 때문에 지붕이 집 바닥 전체를 가리지 않도록 한다.

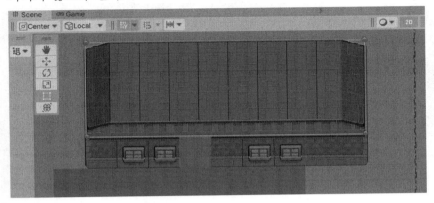

8) 추가한 지붕 객체를 지우고 싶다면 하이어라키 뷰에서 지붕 객체를 선택하고 마우스 오른쪽 버튼을 클릭한다. 나타나는 메뉴에서 Delete 메뉴를 선택하면 된다. 또는 하이어라키 뷰에서 지붕 객체를 선택하고 Delete 키를 눌러도 된다.

17.3 페이드 효과

17.3.1 지붕에 페이드 효과 주기

플레이 버튼을 클릭해 게임을 시작한다. 방향키를 눌러 플레이어 캐릭터가 집 안으로 들어갈 수 있게 움직여 보자. 아래 그림은 플레이어 캐릭터가 집안으로 들어가기 전 화면인데, 막상 집 안으로 들어가면 플레이어 캐릭터가 보이지 않아 답답하다. 지붕에 페이드 효과를 줘 플레이어 캐릭터가 집 안에 있어도 보일 수 있게 만들어 보자.

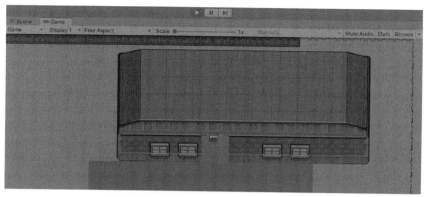

1) 하이어라키 뷰에서 HouseRoof 객체를 선택한다.

2) 인스펙터 뷰에서 Sprite Renderer 컴포넌트를 찾아 Order in Layer 파라미터 값을 1000으로 한다.

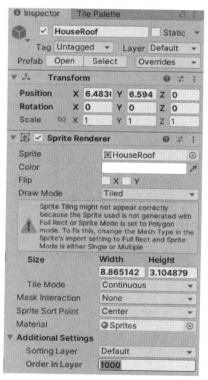

Order in Layer 값이 1000이 됐으니 플레이어 캐릭터가 집 안으로 들어갔을 때 지붕은 다른 어떤 객체보다 제일 위에 있게 될 것이다. Order in Layer 값이 작은 객체는 아래에 있고 Order in Layer 값이 큰 객체는 위에 있기 때문이다.

3) 플레이어 캐릭터가 지붕 밑으로 들어갔을 때를 감지해야 한다. 이를 위해 아래 그림처럼 Box Collider 2D 컴포넌트를 HouseRoof 객체에 추가한다.

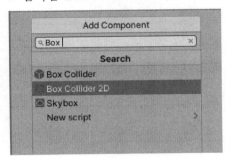

4) 인스펙터 뷰에서 Is Trigger 부분을 체크한다.

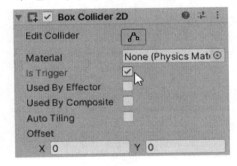

콜라이더(Colliders)는 충돌이 발생했는지 체크한다. 이 경우 Box Collider 2D는 플레이어 캐릭터가 지붕과 충돌했을 때를 감지한다.

5) [Add Component] 버튼을 다시 클릭해 Fading Sprite 컴포넌트를 검색해 추가한다. 이 스크립트는 플레이어 캐릭터가 지붕과 충돌했을 때 지붕을 투명하게 보여준다.

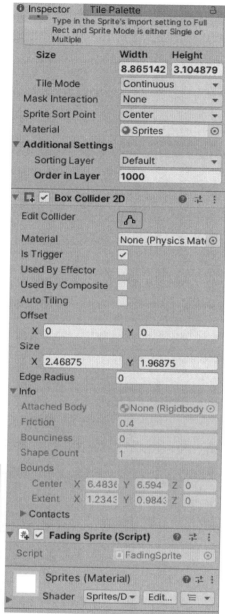

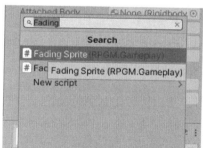

6) Ctrl + S 키를 눌러 씬을 저장한다.

7) 유니티 플레이 버튼을 클릭해 게임을 시작한다. 플레이어 캐릭터를 움직여 집

안으로 들어가게 한다. 플레이어 캐릭터가 집 안으로 들어가면 지붕이 투명하게 보이고 게이머는 플레이어 캐릭터를 볼 수 있다.

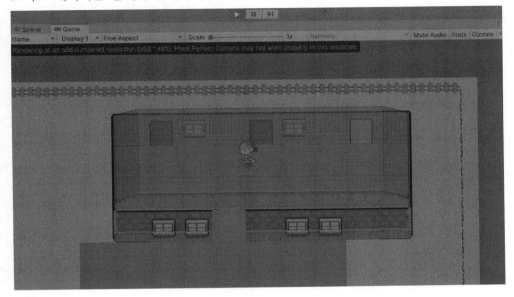

17.3.2 페이드 효과 조정하기

지금까지 작업한 내용은 작은 크기의 집에서는 잘 동작한다. 그러나 큰 집이어서 지붕의 크기를 늘린 경우라면 페이드 효과가 제대로 동작하지 않을 수 있다. 플레이어 캐릭터를 집 안에서 이리 저리 움직여 보자. 지붕을 늘린 경우라면 플레이어 캐릭터가 움직일 때 보이지 않을 수 있다. 이것은 Box Collider 2D 컴포넌트의 크기가 확대되지 않았기 때문이다. 정상적으로 동작하기 위해서는 콜라이더의 크기도 조정해 주어야 한다.

1) 하이어라키 뷰에서 World / Objects 로 이동한다. 전 단계에서 씬에 추가한 HouseRoof 객체를 선택한다.

2) 인스펙터 뷰에서 HouseRoof 객체에서 Box Collider 2D 컴포넌트를 찾는다.

3) Edit Collider 버튼을 클릭한다.

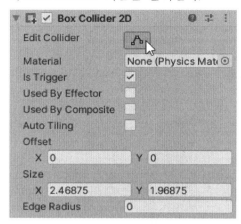

4) 씬 뷰에서 지붕 내 녹색의 콜라이더 박스를 볼 수 있다. 작은 사각형을 클릭해서 지붕의 크기에 맞게 확대시킨다.

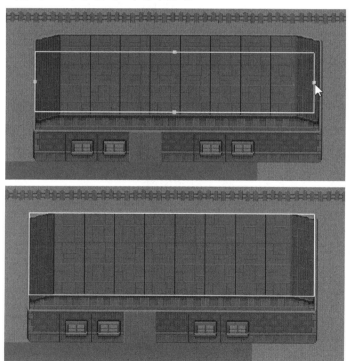

5) 씬을 다시 저장하고 플레이 버튼을 클릭해 게임을 시작한다. 플레이어 캐릭터를 집 안에서 오른쪽 끝까지 이동했을 때 지붕이 투명해지는지 다시 확인한다.

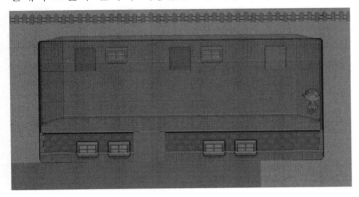

17.4 객체 추가

17.4.1 문 추가하기

문도 지붕과 비슷한 방법으로 만들 수 있다. 문도 프리팹으로 제공된다.

1) 프로젝트 뷰에서 Assets / Creator Kit - RPG / Prefabs 폴더로 이동한다.

2) 프로젝트 뷰에서 HouseOpenDoor 프리팹을 하이어라키 뷰의 Objects 폴더로 드래그 앤드 드롭한다.

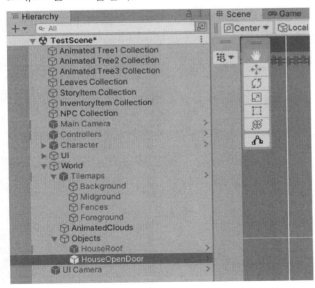

3) 하이어라키 뷰에서 HouseOpenDoor 객체를 선택하고 커서를 씬 뷰로 이동하고 F키를 누른다. 씬 뷰에 있는 HouseOpenDoor 객체가 포커싱된다.

4. HouseOpenDoor 객체를 이동하기 위해 유니티의 이동 툴(Move Tool, 단축키: W)을 사용한다. 씬 뷰에서 HouseOpenDoor 객체를 만들고 있는 집의 출입구로 이동하고 크기를 조절한다. 크기를 조절하기 위해서는 렉트 변형 툴(Rect Transform Tool, 단축키: T)을 사용하면 된다. 문의 위치가 잘 보이지 않으면 아래 그림처럼 지붕을 살짝 이동시켜 본다.

문이 놓여질 위치에 HouseOpenDoor 객체를 놓고 지붕 객체를 다시 적절하게 이동하거나 지붕 객체의 크기를 다시 조정한다. 지붕 객체의 크기를 조정하면 콜라이더의 크기는 재조정해야 한다.

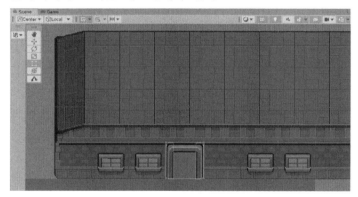

아래 그림은 최종 완성된 집의 모습이다.

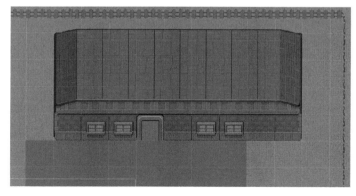

5) 플레이 버튼을 클릭해 게임을 시작한다.

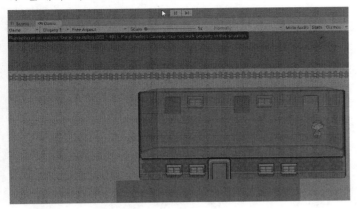

6) 씬의 내용을 저장한다. 이제는 문의 위치를 쉽게 찾을 수 있고, 지붕의 페이드 효과도 잘 동작하는 것을 확인할 수 있다.

17.4.2 굴뚝 추가하기

집을 멋지게 꾸미기 위해 굴뚝을 만들어보자.

1) 프로젝트 뷰에서 Assets / Creator Kit - RPG / Prefabs 폴더로 이동한다.

2) 프로젝트 뷰에서 HouseChimney 객체를 하이어라키 뷰의 Objects 폴더로 드래그 앤드 드롭한다. 지금까지 지붕, 문을 설치했고 마지막으로 굴뚝을 설치할 것이다.

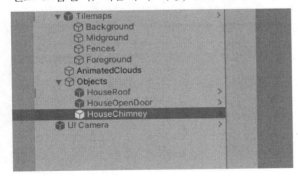

3) 씬 뷰에서 이동 툴과 렉트 변형 툴을 사용하여 굴뚝을 적당한 위치로 옮기고 크기도 조절한다.

4) 지붕에 페이드 효과를 준 것 처럼 굴뚝에도 같은 방식으로 페이드 효과를 준다. 먼저 굴뚝 객체에 Box Collider 2D 컴포넌트와 Fading Sprite 컴포넌트를 순서대로 추가한다. Box Collider 2D 컴포넌트에서 Is Trigger 부분을 체크한다. 이렇게 해야 플레이어 캐릭터가 굴뚝 밑까지 이동 가능하고 굴뚝 밑에 있다고 하더라도 플레이어 캐릭터를 볼 수 있다.

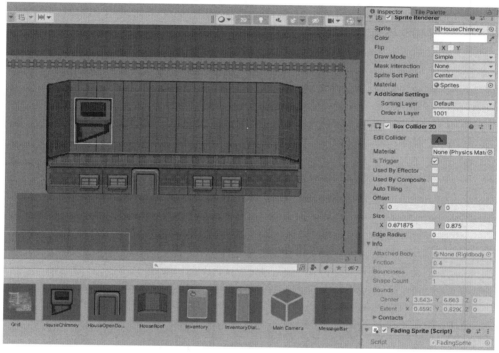

5) 씬 내용을 저장하고 플레이 버튼을 클릭해 게임을 시작한다. 플레이어 캐릭터가 집 안 굴뚝 밑으로 이동할 때 굴뚝이 투명하게 보이는지 확인해보자.

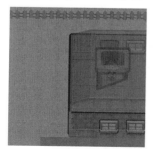

17.4.3 펜스 추가하기

계속해서 펜스 객체를 게임에 추가해 본다.

1) 하이어라키 뷰에서 World / Tilemaps / Fences 폴더로 이동한다.

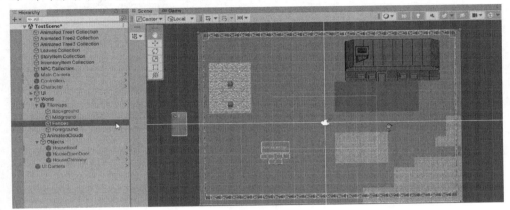

2) 타일 팔레트 윈도우에서 Active Tilemap 필드가 Fences인지 확인한다.

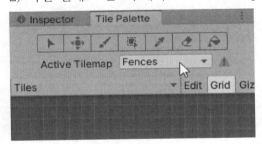

3) 타일 팔레트 윈도우에서 펜스 타일을 선택한다.

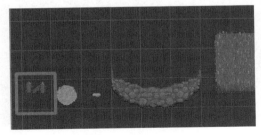

4) 씬 뷰에서 정원의 경계를 펜스 타일로 그린다. 펜스 타일로 그려진 부분은
플레이어 캐릭터가 이동할 수 없다.

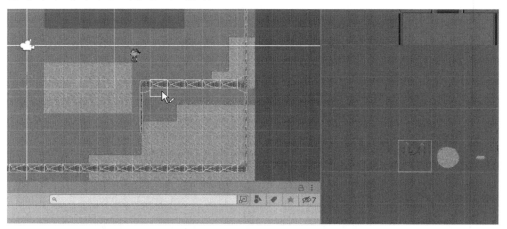

5) 플레이 버튼을 클릭해 게임을 시작한다. 플레이어 캐릭터를 움직여 펜스가 있는
곳으로 이동해본다. 플레이어 캐릭터가 펜스로 이동할 수 없음을 확인한다.

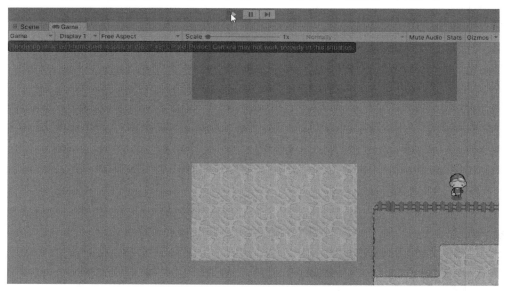

6) 씬을 저장한다.

17.4.4 오솔길 추가하기

오솔길은 게임 배경을 꾸미는 데 사용하지만, 플레이어 캐릭터가 이동해야 할 길을 안내하는 데에도 사용할 수 있다.

1) 하이어라키 뷰에서 World / Tilemaps / Midground 폴더로 이동한다.

2) 타일 팔레트 윈도우에서 Active Tilemap 필드를 Midground로 변경되었는지 확인한다..

3) 타일 팔레트 윈도우에서 오솔길(Footpath) 타일을 선택하고 씬 뷰에서 오솔길 타일을 그린다.

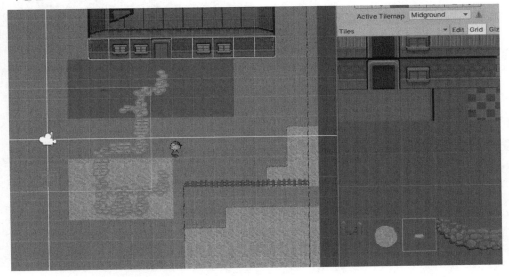

4) 씬 내용을 저장한다.

17.4.5 땅의 성질 표현하기

타일 맵 팔레트에는 작은 암석 이미지가 있다. 이 암석으로는 플레이어 캐릭터가 이동할 수 없다.

1) 하이어라키 뷰에서, World / Tilemaps / Midground 폴더로 이동한다. Active Tilemap 필드가 Midground으로 설정되었는지 확인한다.

2) 타일 맵 팔레트 윈도우에서 암석(Rock Cliff) 타일을 선택하고 씬 뷰에 암석을 그린다.

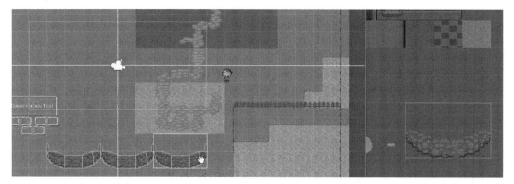

3) 하이어라키 뷰에서 Background 객체를 선택한다. Active Tilemap 필드가 Background인지 확인한다.

4) 씬 내용을 저장한다.

5) 플레이 버튼을 클릭해 게임을 시작한다. 플레이어 캐릭터를 암석으로 이동한다. 암석을 통과하지 못함을 확인한다.

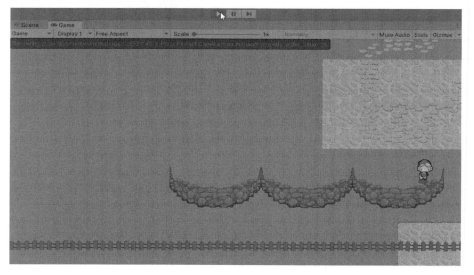

17.5 애니메이션 객체

17.5.1 식물 추가하기

이 기능은 프리팹처럼 동작한다.

1) 씬 뷰에서 나무를 추가시키고 싶은 위치에 마우스 오른쪽 버튼을 클릭한다.

2) 나타나는 메뉴에서 Environment / Add Animated Tree1 Here 메뉴를 선택한다.

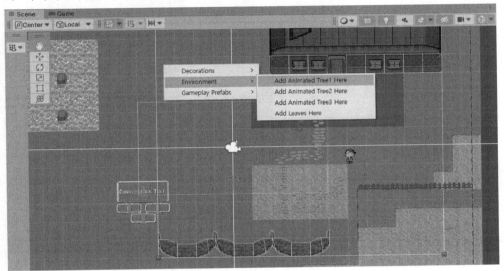

나무가 그려지고 자동으로 Animated Tree1 Collection 컨테이너 객체에 추가된다.

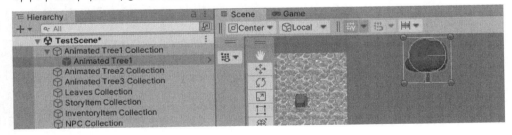

3) 나무의 위치를 변경하고 싶으면 이동 툴(Move Tool)을 이용하면 된다. 나무 가운데

노란 사각형 부분을 클릭하고 원하는 위치로 이동한다.

4) 같은 방식으로 3개의 다른 형태의 나무를 추가할 수 있다.

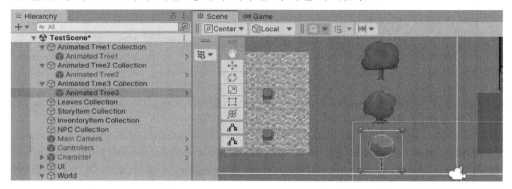

17.5.2 구름 추가하기

1) 프로젝트 뷰에서 Assets / Creator Kit – RPG / Art / Sprites / Environment 폴더로 이동한다.

2) 사용 가능한 구름은 아래 3가지 형태이다.

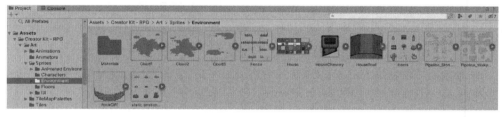

3) 하이어라키 뷰에서 World 객체 아래 있는 AnimatedClouds 폴더로 이동한다.

4) 선택한 구름 스프라이트를 프로젝트 뷰에서 하이어라키 뷰의 AnimatedClouds 객체로 드래그 앤드 드롭한다.

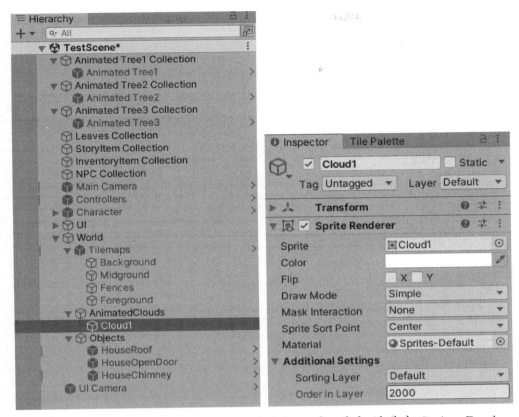

5) 하이어라키 뷰에서 Cloud 객체를 선택하고 인스펙터 뷰에서 Sprite Renderer 컴포넌트를 찾는다. Order in Layer 파라미터 값을 2000으로 설정한다. Order in Layer 값이 2000 이면 씬에서 구름 객체가 다른 어떤 것보다도 가장 위에 있는 객체임을 의미한다.

6) 이동 툴을 선택하고 씬 뷰에서 구름 객체를 원하는 위치로 옮긴다. 구름 객체를 집 오른쪽에 놓아 보자. 플레이 버튼을 클릭해 게임이 시작되면 구름 객체는 오른쪽에서 왼쪽으로 이동한다. 이때 구름 객체의 Order in Layer 값은 2000이고, 집 지붕의 Order in Layer 값은 1000이다.

구름 객체의 Order in Layer 값이 더 크기 때문에 구름 객체는 지붕 객체보다 더 위에 있다. 만약 구름 객체의 Order in Layer 값이 지붕 객체의 값보다 작으면 구름이 지붕에 가려져 보이지 않게 된다.

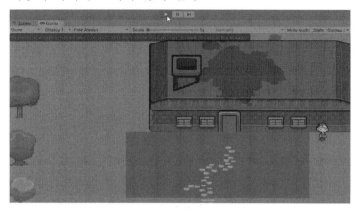

7) 렉트 변형 툴을 이용하여 구름 객체의 크기를 변경할 수 있다.

8) 씬 내용을 저장한다.

17.6 장식 객체

17.6.1 선인장 추가하기

게임이 더 풍성해지도록 다양한 장식 객체를 추가해 보자.

1) 하이어라키 뷰에서 Objects 객체를 선택한다.

2) 씬 뷰의 원하는 위치에 마우스 오른쪽 버튼을 클릭하고 나타나는 메뉴에서 [Decorations / Add Bush0 Here] 메뉴를 선택한다. 그 위치에 새로운 장식 객체가 나타날 것이다.

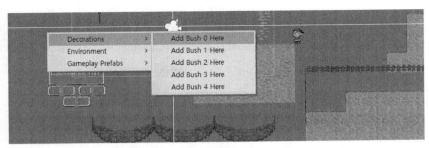

Bush 0 객체가 Objects 컨테이너의 자식으로 자동으로 추가된다.

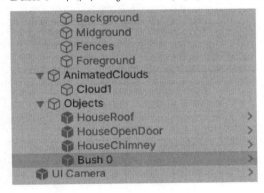

4) 같은 방식으로 총 5개의 다른 형태의 Bush를 추가할 수 있다.

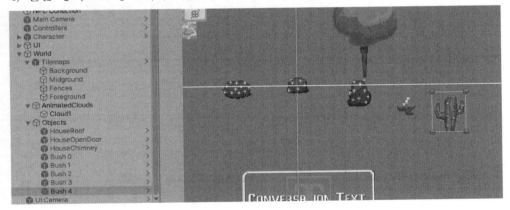

17.6.2 장식 객체 복사하기

1) 하이어라키 뷰에서 복사할 객체를 찾는다.

2) 마우스 오른쪽 버튼을 클릭하고 나타나는 메뉴에서 Duplicate를 선택한다. 복사하기 위한 다른 방법으로 하이어라키 뷰에서 객체를 선택하고 Ctrl + D 키를 눌러도 된다.

3) 인스펙터 뷰에서 복사한 Sprite Renderer 컴포넌트에서 Sprite 필드 오른쪽에 있는 작은 원 버튼을 클릭한다. 나타나는 윈도우에서 원하는 스프라이트를 선택해도 된다.

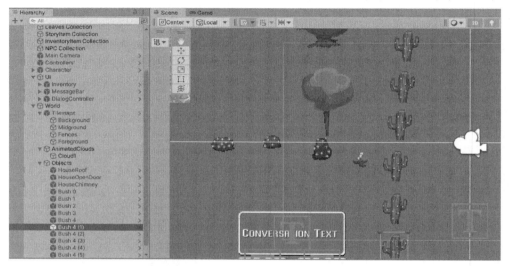

4) 하이어라키 뷰에서 스프라이트 객체의 이름을 적절한 이름으로 변경해도 된다.

5) 변경된 씬 내용을 저장한다.

18 장. NPC 와 퀘스트

18.1 NPC

18.1.1 NPC 추가하기

게임 상에 NPC를 추가하기 위해 다음 순으로 작업한다.

1) 씬 뷰에서 원하는 위치에 마우스 오른쪽 버튼을 클릭한다.

2) 나타나는 메뉴에서 [Gameplay Prefabs / Add NPC Here] 메뉴를 클릭한다. 클릭한 위치에 NPC가 나타날 것이다.

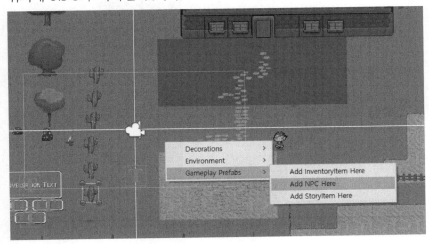

3) NPC 위치를 조정하고 싶다면 사각형 부분을 클릭해서 원하는 위치로 이동하면 된다.

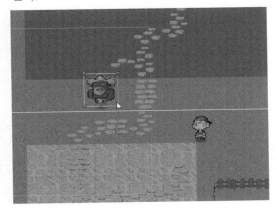

4) 씬 내용을 저장한다.

5) 플레이 버튼을 클릭해 게임을 시작한다. 플레이어 캐릭터를 움직여 NPC에 접근하면 Hello 대화를 확인할 수 있다. 스페이스바 키를 눌러 대화 창을 닫는다.

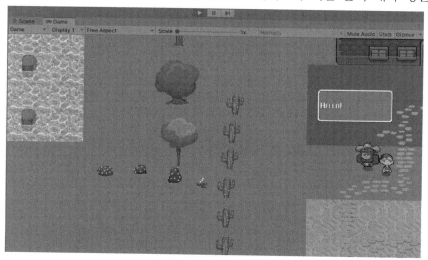

18.1.2 NPC 애니메이터

유니티 Creator Kit에서 사용가능한 NPC는 아래 3개이다.

- 전사 (Warrior, the default NPC)
- 도둑 (Thief, the default player character)
- 궁수 (Archer)

각 캐릭터 움직임은 조금씩 다르다. 현재 추가되어 있는 NPC(전사)의 예를 살펴보자.

1) 하이어라키 뷰에서 NPC를 선택한다. NPC 객체는 NPC Collection 아래에 있다. 인스펙터 뷰의 Animator 컴포넌트 내에서 Controller 속성을 찾는다. Controller 속성 오른쪽에 있는 작은 원을 클릭한다.

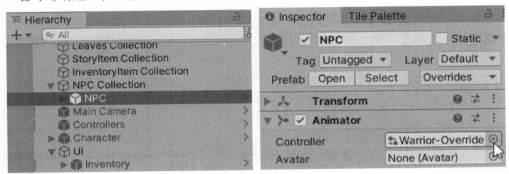

2) 나타나는 창에서 Archer-Override 애니메이터 콘트롤러를 선택하고 창을 닫는다. 각 애니메이터 콘트롤러는 캐릭터 콘트롤러 특징에 맞게 움직인다.

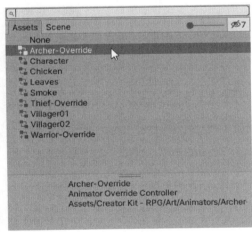

NPC의 콘트롤러를 Archer로 바꿨지만 씬 뷰에서의 NPC는 여전히 전사 캐릭터이다. 그러나 플레이 버튼을 클릭해 게임을 시작하면 스프라이트가 궁수로 바뀐다.

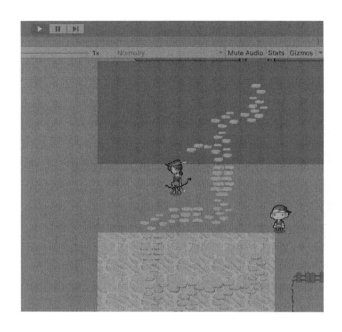

4) Ctrl + S 키를 눌러 씬 내용을 저장한다.

18.1.3 NPC 대화 만들기

NPC와 대화를 나누는 것은 RPG 게임에서 아주 중요하다. 일반적으로 NPC는 대화를 통해 퀘스트, 아이템, 때론 유용한 정보를 전달해 준다. 현재 만들고 있는 게임에 아래와 같은 대화를 넣어보자. 실습을 위해 가급적 영어를 사용한다.

플레이어 캐릭터가 NPC에 접근할 때 NPC는 아래와 같이 말을 건다.

Greetings, traveller!
안녕하세요, 여행자님!

인사말을 받은 플레이어 캐릭터는 2가지 다른 말을 할 수 있다. 둘 중 하나만 선택해야 한다.

Hello dapper archer! / The weather is fine.

안녕하세요, 멋진 궁수님! / 날씨가 참 좋습니다.

만약 플레이어 캐릭터가 Hello dapper archer! 라고 말을 하면 NPC는 플레이어 캐릭터에게 아래와 같은 퀘스트를 제시한다.

Why thank you! Please will you get me an apple?

아~ 고맙습니다! 내게 사과를 하나 가져다 줄 수 있겠어요?

플레이어 캐릭터가 The weather is fine. 라고 말을 하면 NPC는 플레이어 캐릭터에게 아래와 같이 말을 한다. 이때에는 퀘스트가 주어지지 않는다.

Indeed it is.

정말 그래요.

지금까지의 내용을 그림으로 정리하면 아래와 같다. 검은색 박스 안에 있는 대화는 NPC가 하는 말이고, 화살표 옆 대화는 플레이어 캐릭터가 하는 말이다.

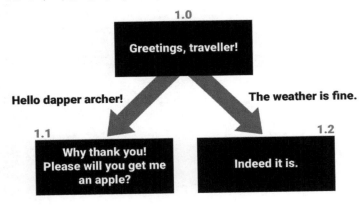

실제 유니티에서 위의 대화를 넣어 게임이 동작하게 만들어 보자.

1) 하이어라키 뷰에서 NPC 객체를 선택한다.

2) 인스펙터 뷰에서 Conversation Script 컴포넌트를 찾을 수 있다. Conversation Script 컴포넌트는 플레이어 캐릭터와 NPC 간의 대화를 가능하게 만든다.

3) 기본 Conversation Script Item (A1)을 클릭하고 [-] 버튼을 클릭한다. [-] 버튼을 클릭하면 Hello! 스크립트 아이템이 지워진다.

4) [+] 버튼을 클릭해 새 스크립트 아이템을 추가한다. [+] 버튼을 클릭하면 New Conversation Piece 대화상자가 나타난다.

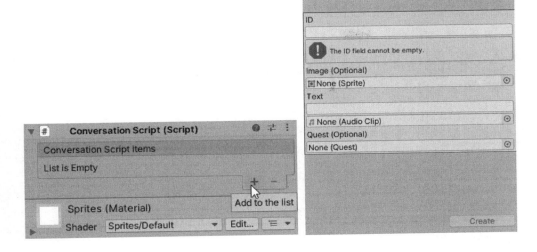

5) 첫 대화를 만드는 것이기 때문에 ID 필드에 1.0이라고 입력한다. ID 값은 특정 대화에서만 사용하고 그 대화에서만 유일하다. 따라서 다른 NPC와의 대화에서는 이미 사용했던 ID 값을 다시 사용해도 된다.

6) Text 필드에 NPC가 할 말인 Greetings, traveller! 을 입력한다.

7) Create 버튼을 클릭해 대화를 추가한다.

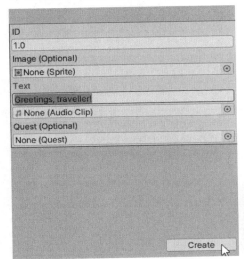

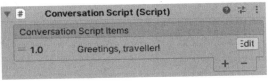

8) 플레이 버튼을 클릭해 게임을 시작한다. 플레이어 캐릭터가 NPC에 접근하면 이 대화가 화면에 표시된다.

9) 같은 방식으로 NPC의 대화를 추가한다. ID와 Text 필드에 입력해야 할 내용은 아래와 같다.

1.1: Why thank you! Please will you get me an apple?

1.2: Indeed it is.

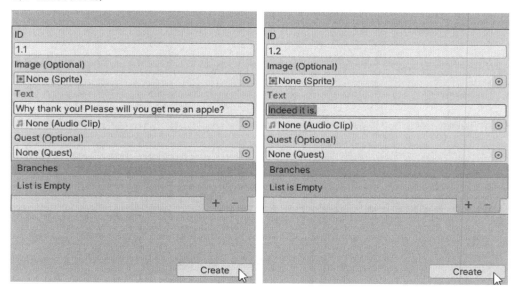

486

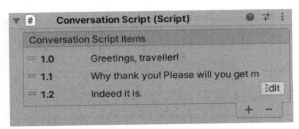

3개의 대화를 입력했지만 아직은 게임 상에서 1.1과 1.2의 대화를 볼 수 없다.

18.1.4 플레이어 캐릭터 대화 만들기

NPC의 대화에 반응하여 플레이어 캐릭터가 선택할 수 있는 대화를 추가해 보자.

1) 하이어라키 뷰에서 NPC 객체를 선택하고 인스펙터 뷰에서 Conversation Script 컴포넌트를 찾는다. Conversation Script 아이템 리스트에서 스크립트 아이템 1.0 Greetings, traveller!를 선택하고 옆의 [Edit] 버튼을 클릭한다.

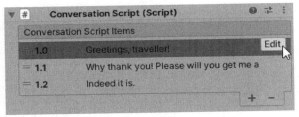

2) 나타나는 창에서 Branches 필드 아래 부분에 있는 [+] 버튼을 클릭한다. 드롭다운 ID 메뉴에서 1.1을 선택한다.

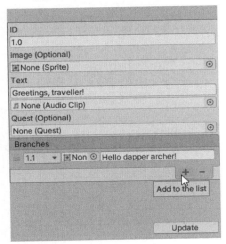

3) 오른쪽 텍스트 박스에 플레이어 캐릭터의 첫 대화 메시지를 추가한다.

Hello dapper archer!

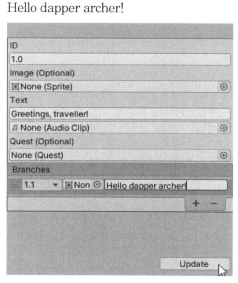

게임 상에서 만약 플레이어 캐릭터가 이 대화를 선택하면 Branches ID가 1.1인 대화를 표시할 것이다. ID가 1.1인 대화는 사과 아이템을 가져다 달라는 것이다.

4) 플레이어 캐릭터가 선택할 수 있는 두번째 대화를 추가하기 위해 Branches 필드 아래 부분의 [+] 부분을 누른다. 드롭다운 ID 메뉴에서 1.2를 선택하고 텍스트 박스에 "The weather is fine."을 입력한다.

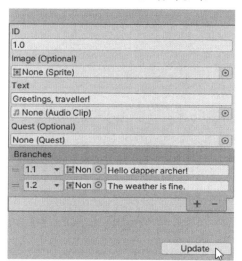

플레이어 캐릭터는 위 1.1과 1.2 두 대화 중 하나를 선택할 수 있다.

5) Update 버튼을 클릭한다.

6) 씬 내용을 저장한다.

7) 플레이 버튼을 클릭해 게임을 시작한다. 플레이어 캐릭터를 움직여 NPC에
접근해보자. 좌우 방향키를 눌러 원하는 대화를 선택한다. 먼저 Hello dapper archer!
대화를 선택해보자. 선택은 스페이스바 키를 누르면 된다.

플레이어 캐릭터가 Hello dapper archer!를 선택하면 Why thank you! Please will you
get me an apple? 대화가 표시된다.

플레이어 캐릭터를 NPC에서 조금 멀어지게 하고 다시 NPC에 접근해보자. 이번에는 The weather is fine. 대화를 선택한다. NPC는 Indeed it is.를 답할 것이다.

지금까지의 대화를 다시 한번 정리하면 아래와 같다.

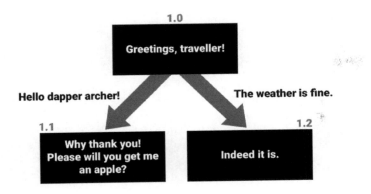

18.2 퀘스트

18.2.1 NPC에 퀘스트 추가하기

1) 하이어라키 뷰에서 NPC 객체를 선택하고 마우스 오른쪽 버튼을 클릭해 메뉴에서 [Create Empty] 메뉴를 선택한다.

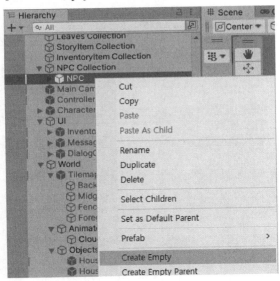

2) 생성된 객체의 이름을 Quest로 바꾼다. NPC 객체 아래에 퀘스트 객체를 만든 것이다.

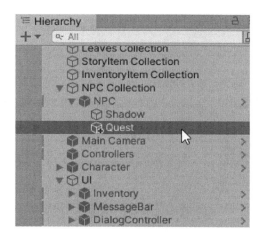

3) 인스펙터 뷰에서 Add Component 버튼을 클릭한다.

4) Quest를 입력하고 아래 나타나는 항목 중 Quest script 컴포넌트를 선택하여
추가한다.

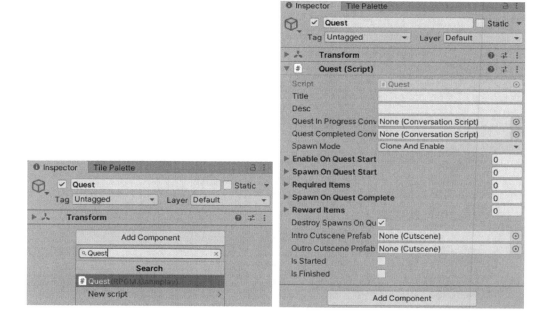

5) 타이틀 필드에 "Apple Quest" 라고 입력한다.

6) Desc 필드에 퀘스트에 대한 간단한 설명을 입력한다. 여기서는 "Fetch an apple for the archer." 라고 입력했다.

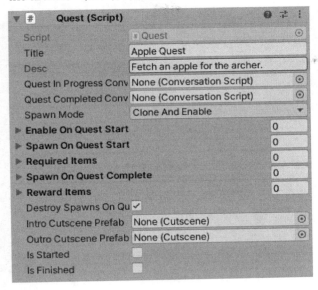

18.2.2 퀘스트에 필요한 NPC 대화 만들기

퀘스트는 NPC의 특정 대화와 연관지을 수 있다. 여기서는 NPC의 대화에 퀘스트를 연결하려 한다.

1) 하이어라키 뷰에서 Quest 객체를 선택한다.

2) 인스펙터 뷰에서 Add Component 버튼을 클릭하고 Conversation Script 컴포넌트를 찾아 추가한다.

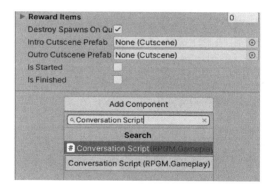

3) Conversation Script에서 [+] 버튼을 클릭해 Conversational Script 아이템을 하나 추가한다. 아래 그림과 같이 ID와 Text를 입력하고 [Create] 버튼을 클릭한다.

ID: 1.1.1

Text: Please, fetch me an apple.

4) Add Component 버튼을 다시 클릭한다. 검색바에 Conversation Script 입력하고 두번째 Conversation Script 컴포넌트를 Quest 객체에 추가한다.

5) 두번째 Conversation Script 컴포넌트에서도 [+] 버튼을 클릭해 Conversation Script 아이템을 추가한다. 마찬가지로 ID와 Text를 입력하고 [Create] 버튼을 클릭한다.

ID: 1.1.2
Text: Thank you for the tasty apple.

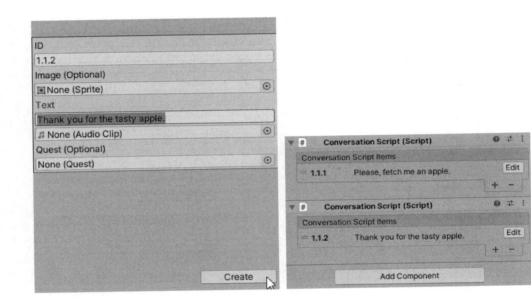

모든 Conversation Script Item의 ID는 각 Conversation Script 컴포넌트 내에서 중복 사용하지 않도록 주의한다.

6) 첫번째 Conversation Script 컴포넌트의 헤더를 클릭해서 Quest 객체의 Quest 컴포넌트 내의 Quest In Progress Conversation 칸에 드래그 앤 드롭한다. 이 대화는 플레이어 캐릭터가 퀘스트에서 제시한 아이템을 구하지 못한 상태로 NPC에게 돌아오면 제시된다.

7) 두번째 Conversation Script 컴포넌트의 헤더를 클릭해서 Quest 객체의 Quest

컴포넌트 내의 Quest Completed Conversation 칸에 드래그 앤드 드롭한다. 이 대화는 플레이어 캐릭터가 퀘스트에서 요구한 아이템을 가지고 NPC에 돌아올 때 제시된다.

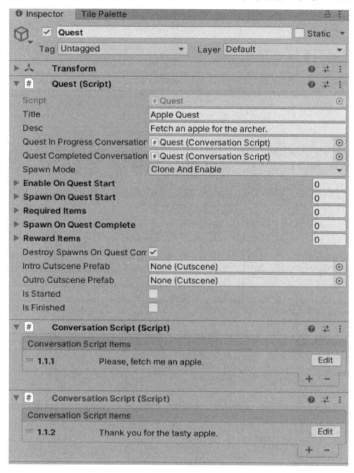

다시 정리하면 퀘스트를 위해 총 3개의 컴포넌트를 추가했다.

- Quest script 컴포넌트 - 퀘스트 이름과 설명을 입력했다. 퀘스트가 진행 중일 때와 퀘스트가 완료되었을 때 제시할 대화를 저장했다.
- Quest In Progress Conversation - 퀘스트가 진행 중일 때의 대화를 입력했다.
- Quest Completed Conversation - 퀘스트가 완료되었을 때의 대화를 입력했다.

8) 변경된 내용을 저장한다.

18.2.3 퀘스트 아이템 만들기

플레이어 캐릭터가 퀘스트를 시작할 때 필요한 아이템을 만들어보자.

1) 씬 뷰에서 아이템이 놓일 위치에 마우스 오른쪽 버튼을 클릭해 메뉴에서 [Gameplay Prefabs / Add InventoryItem Here] 메뉴를 선택한다. 인벤토리 아이템이 그 위치에 만들어 질 것이다.

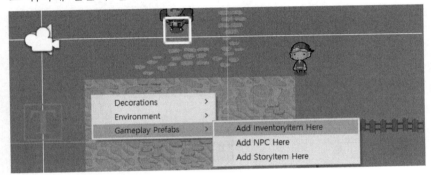

2) 하이어라키 뷰에서 새로 추가된 객체의 이름을 적당한 이름으로 변경한다. 여기서는 "Golden Apple"로 변경했다. 인벤토리 아이템은 퀘스트 임무를 수행하기 위해 필요하다.

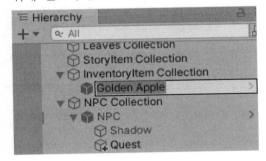

3) 인스펙터 뷰에서 Inventory Item 컴포넌트를 찾아 Count 파라미터 값을 3으로 변경한다. 플레이어 캐릭터가 이 아이템을 주우면 플레이어 캐릭터에게 3개의 Golden

Apples이 주어질 것이다.

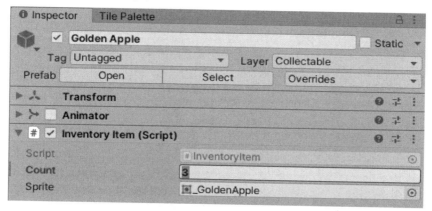

18.2.4 퀘스트에 Golden Apple 추가하기

이제 인벤토리 아이템을 생성했고 이것을 NPC 퀘스트와 연결시켜야 한다.

1) 하이어라키 뷰에서 Quest 객체를 선택한다. Quest 객체는 현재 NPC 객체의 자식이다.

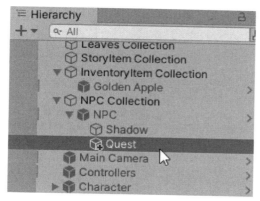

2) 인스펙터 뷰에서 Enable on Quest Start 부분의 왼쪽에 있는 회색 화살표를 클릭해서 내용을 확장시킨다. [+] 부분을 클릭한다.

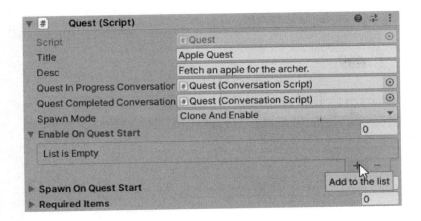

3) 오른쪽에 1이 보이고 Element 0인 필드가 아래에 나타난다.

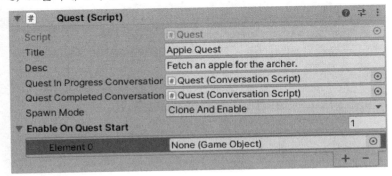

4) 하이어라키 뷰에 있는 Golden Apple 객체를 Element 0으로 드래그 앤 드롭한다.
Golden Apple 객체는 평소에 보이지 않다가 조건이 충족되면 화면에 나타난다.
플레이어 캐릭터가 NPC 와 대화 중에 퀘스트를 선택했을 때에만 게임 상에 Golden
Apple 객체가 나타난다.

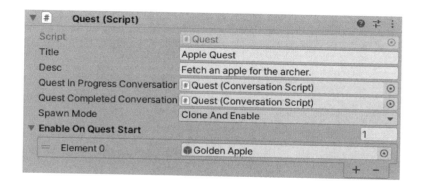

5) Required Items 부분을 확장시키고 [+] 부분을 클릭한다. 오른쪽에 1이 보이고 아래 부분에 Element 0이 나타난다.

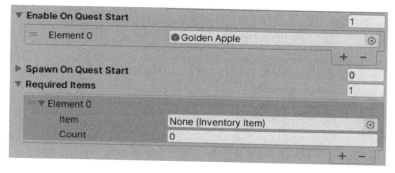

6) 하이어라키 뷰의 Golden Apple 객체를 Element 0의 Item 부분에 드래그 앤드 드롭한다.

7) Count 필드 값을 1로 수정한다. Count 필드 값은 퀘스트를 완수하는데 필요한 아이템 수를 의미한다.

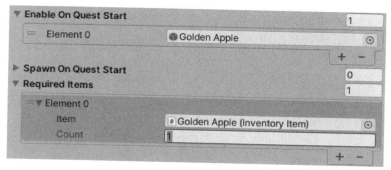

지금까지의 내용을 정리하면 아래와 같다.

하이어라키 뷰에서 NPC 객체의 자식인 Quest 객체를 선택하고 작업한다. 인스펙터 뷰의 Quest 스크립트 컴포넌트에서 2가지 속성을 설정한다.

- Enable on Quest Start
퀘스트가 시작되면 게임 상에 아이템(Golden Apple)이 나타나도록 설정했다. 현재 우리 게임에서는 3개의 아이템을 한 번에 획득할 수 있다.

- Required Items
퀘스트를 완료하기 위해 필요한 아이템과 그 개수를 설정했다. 여기서는 필요한 아이템이 Golden Apple이고 그 개수는 1개이다.

18.2.5 퀘스트를 NPC 대화에 연결하기

지금까지 퀘스트 설정 작업을 수행했다. 이제 NPC 대화 중 하나에 퀘스트를 연결시킬 수 있다. 플레이어 캐릭터가 퀘스트가 할당된 대화를 선택하면 퀘스트가 활성된다.

1) 하이어라키 뷰에서 NPC 객체를 선택한다.

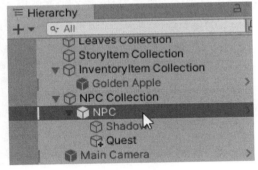

2) 인스펙터 뷰의 Conversation Script 컴포넌트 내의 Conversation Script Item 1.1을 클릭한다. 아이템 1.1을 오픈하기 위해 Edit 버튼을 클릭한다.

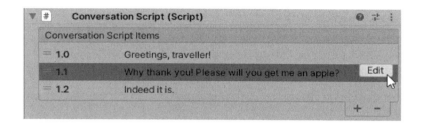

3) 하이어라키 뷰에서 Quest 객체를 Quest (Optional) 필드로 드래그 앤드 드롭한다.
이 작업은 해당 대화(Why thank you! Please will you get me an apple?)를 선택할 때
퀘스트를 할당한다.

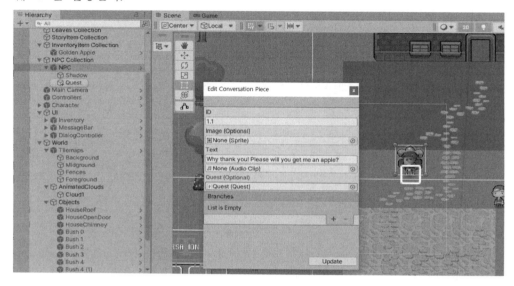

4) Update 버튼을 클릭한다.

5) 플레이 버튼을 클릭하여 게임을 시작한다. 게이머가 NPC 대화 옵션에서 해당
대화(Why thank you! Please will you get me an apple?)를 선택하면 Golden Apple
퀘스트가 시작된다.

게임을 시작하고 플레이어 캐릭터를 움직여 NPC에게 접근한다. 접근하면 대화가
시작된다. NPC가 인사를 할 때 플레이어 캐릭터가 왼쪽 대화를 선택하면 사과를 하나

가지고 오라는 퀘스트가 제시되면서 시작된다.

퀘스트가 시작됨과 동시에 지정된 위치에 사과가 표시된다. 사과 위치로 다가가면 사과를 얻을 수 있는데 이때 3개의 사과를 얻을 수 있다. 사과를 구해서 NPC에게 가져다 주면 사과 하나가 NPC에게 전달되고 플레이어 캐릭터가 보유한 사과 개수는 하나 줄어든 2개가 된다.

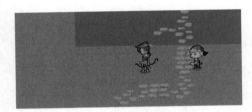

NPC에게 접근

NPC 대화 중 왼쪽 대화를 선택

퀘스트가 시작되고 지정된 위치에 아이템 표시

아이템에 접근 후 획득

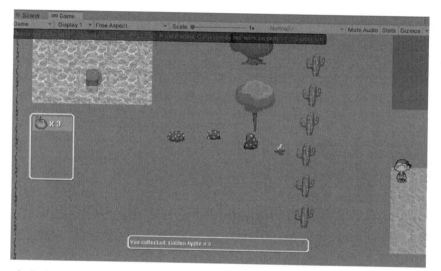

아이템 3개 획득 표시

NPC에게 접근, 아이템 하나를 주고 퀘스트 완료

18.2.6 퀘스트 수행에 따른 보상 만들기

1) 씬 뷰에서 NPC 근처의 빈 공간을 마우스 오른쪽 버튼을 클릭해 메뉴에서 [Gameplay Prefabs / Add InventoryItem Here] 메뉴를 선택한다.

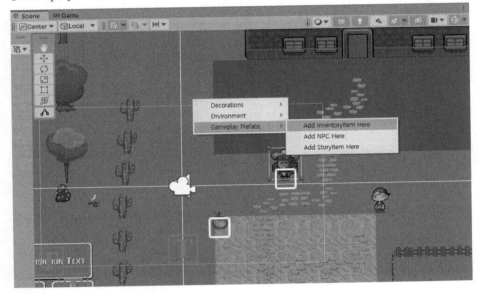

2) 해당 위치에 인벤토리 아이템 객체가 나타날 것이다. 인벤토리 아이템을 위해 사용되는 기본 스프라이트는 Golden Apple이다. 물론 다른 스프라이트로 변경 가능하다. 현재 NPC 위쪽에 아이템이 표시되었다.

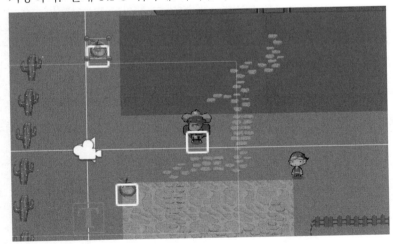

3) 하이어라키 뷰에서 InventoryItem 객체를 선택하고 인스펙터 뷰에서 InventoryItem 컴포넌트를 찾는다. Sprite 필드 오른쪽 작은 원을 클릭하고 _Chicken 스프라이트를 선택한다.

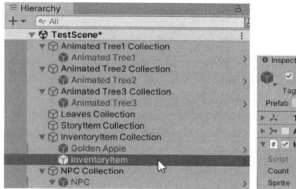
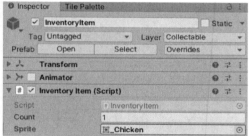

4) 인스펙터 뷰에서 Animator 컴포넌트 앞에 있는 체크박스에 체크 표시가 되어 있는지 확인한다. 체크박스에 체크되어 있어야 치킨 스프라이트가 애니메이트된다.

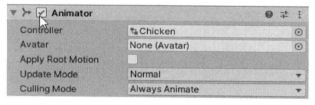

5) 하이어라키 뷰에서 InventoryItem(보상 아이템) 객체를 마우스 오른쪽 버튼으로 클릭하고 이름을 변경한다. 여기서는 Chicken으로 변경했다.

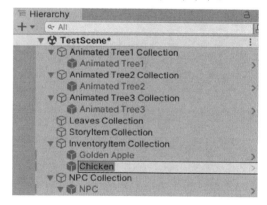

6) 하이어라키 뷰에서 Quest 객체를 선택하고 인스펙터 뷰에서 Reward Items 부분을 확장한다.

7) [+] 부분을 클릭하면 오른쪽에 1이 보이고 Element 0이 아래 부분에 나타날 것이다.

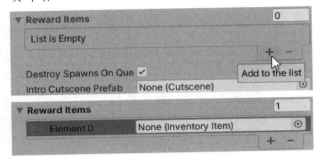

8) 하이어라키 뷰에 있는 Chicken 객체를 Element 0 필드로 드래그 앤드 드롭한다.

9) 하이어라키 뷰에서 Chicken 객체를 선택하고 인스펙터 뷰에서 Chicken 객체 앞의 체크박스를 언체크한다.

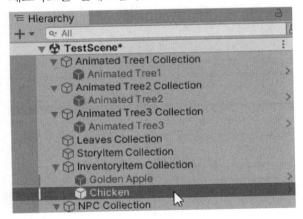

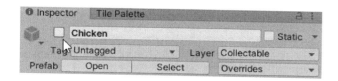

이렇게 해야 게임 중에 치킨 아이템이 보이지 않는다. 게이머가 퀘스트를 완료하고 보상으로 치킨 아이템을 받을 수 있을 때 인벤토리 창에 치킨 아이템이 보인다.

10) 씬을 저장하고 플레이 버튼을 클릭해 게임을 시작한다. 플레이어 캐릭터를 움직여 NPC에 접근한다. 나타나는 대화에서 왼쪽 대화를 선택한다. 왼쪽 대화를 선택하면 사과를 하나 가져다 달라는 퀘스트가 시작되고 동시에 지정된 위치에 사과가 표시된다.

플레이어 캐릭터를 사과가 있는 곳으로 움직인다. 사과에 접근하면 3개의 사과를 얻었다는 인벤토리 창이 표시된다. 사과를 들고 다시 NPC에게 접근한다. NPC는 고맙다는 말과 함께 사과를 하나 가져가고 퀘스트에 대한 보상으로 플레이어 캐릭터에게 치킨을 준다. 플레이어 캐릭터는 최종적으로 사과 2개, 치킨 1개를 가지고 있다.

플레이어 캐릭터가 NPC에게 접근한다.

NPC의 대화 중 왼쪽 대화를 선택한다.

퀘스트가 시작되고 아이템이 표시된다.

플레이어 캐릭터가 아이템을 향해 간다.

아이템을 얻으면 메시지와 인벤토리 창이 표시된다.

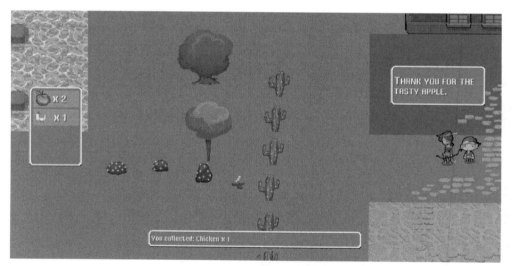

NPC에게 다시 접근한다. NPC에게 사과 하나를 주고 치킨 하나를 받는다.

18.3 스토리 아이템

18.3.1 스토리 아이템 만들기

스토리 아이템은 게이머가 특정 위치로 이동하면 정보를 공유하기 위해 나타나는 텍스트이다. 어떤 정보를 전달하거나 특정 장소에 대한 방향을 가르쳐 줄 때 사용할 수 있다. 스토리 아이템은 아래와 같은 순으로 추가한다.

1) 씬 뷰에서 스토리 아이템이 표시될 위치에 마우스 오른쪽 버튼을 클릭해 나타나는 메뉴에서
[Gameplay Prefabs / Add StoryItem Here] 메뉴를 선택하면 그 위치에 스토리 아이템이 표시된다.

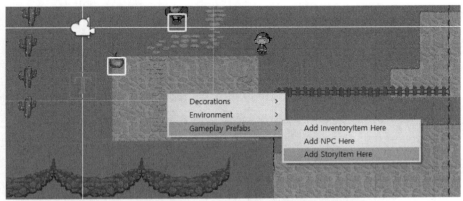

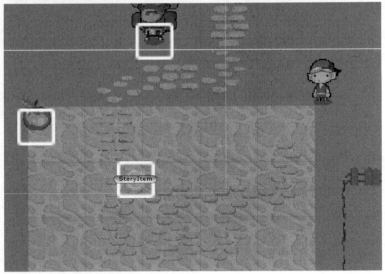

2) 스토리 아이템의 위치를 옮기고 싶으면 유니티의 이동 툴을 이용해 원하는 위치로

옮기면 된다.

3) 스토리 아이템을 선택해서 줌 인하면 configuration 윈도우가 나타난다. 마우스 휠을 위로 움직이면 줌 인된다. 이 윈도우는 아래의 3개의 탭을 가지고 있다.

- Config : 게이머가 볼 핵심 정보를 추가한다.
- Story : 스토리 아이템들 사이의 종속성을 정할 수 있다.
- Inventory : 스토리 아이템에 접근하기 위해 필요한 인벤토리를 만들 수 있다.

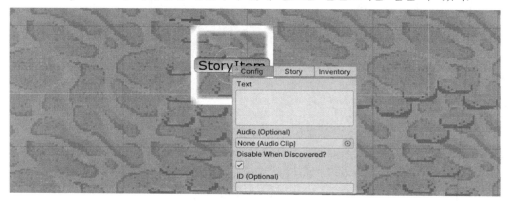

4) Config 탭을 클릭한다.

5) Text 필드에 아래와 같은 텍스트를 입력한다.

There is a strange person nearby…

텍스트를 입력하면 스토리 아이템 객체의 타이틀이 위 텍스트로 변한다.

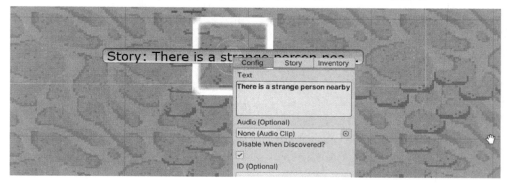

6) 저장하고 플레이 버튼을 클릭해 게임을 시작한다. 플레이어 캐릭터를 방향키를 이용해 스토리 아이템이 있는 곳으로 움직인다. 게임을 시작하면 스토리 아이템이 보이지 않으니 위치를 잘 기억해야 한다. 플레이어 캐릭터가 스토리 아이템을 지나가면 입력한 메시지가 아래에 보여진다. 게이머가 한번 확인하면 스토리 아이템은 다시 나타나지 않는다.

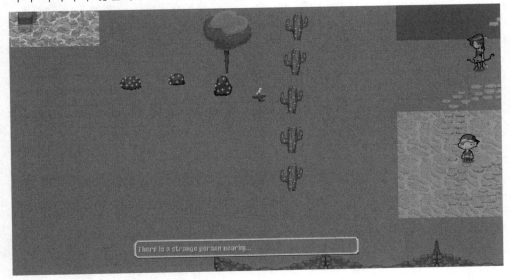

18.3.2 연결된 스토리 아이템 만들기

일단 스토리 아이템을 만들면 다른 종속된 아이템을 추가할 수 있다. 연결된 스토리는 게이머의 게임 활동을 재미있게 만들어 준다. 다음의 스토리를 게임에 넣어 보자.

There is a strange person nearby…
근처에 수상한 사람이 있어요.

Oh, just an archer! That's not so strange after all.
아, 궁수말이군요. 그 분은 수상한 사람이 아니에요.

종속된 스토리 아이템을 추가하기 위해 다음 순으로 작업한다.

1) 씬 뷰에서 처음 스토리 아이템 가까운 곳에 스토리 아이템을 만든다.

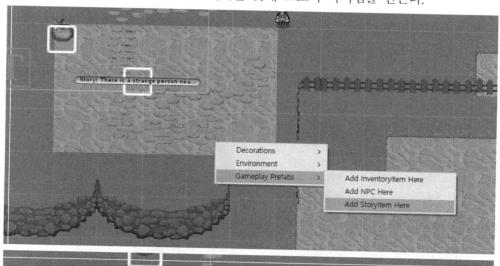

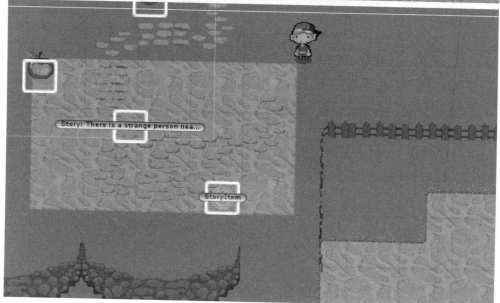

2) configuration 윈도우가 나타날 때까지 스토리 아이템을 줌 인한다. 마우스 휠을 위로 움직이면 줌 인된다.

3) configuration 윈도우의 텍스트 필드에 아래 텍스트를 추가한다.

Oh, just an archer! That's not so strange after all.

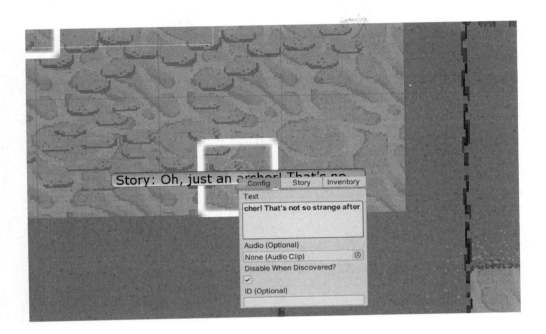

4) Disable When Discovered? 체크박스가 체크되어 있는지 확인한다. 체크되어 있으면 스토리 아이템이 처음 발견될 때만 보이고 한 번 발견되고 나면 더는 보이지 않는다.

5) Story 탭을 클릭해서 Add Required Story Item 버튼을 클릭한다.

6) 스토리 아이템 리스트에서 There is a strange person nearby… 문장을 선택한다.

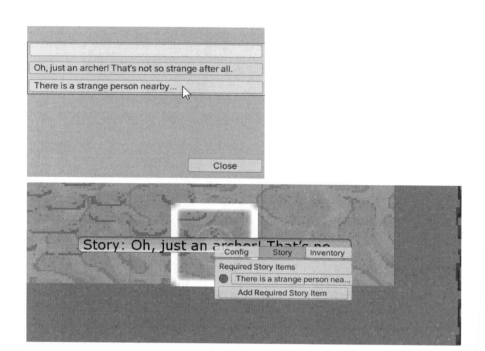

7) 씬 뷰에서 다시 줌 아웃을 한다. 2개의 스토리 아이템이 보인다.

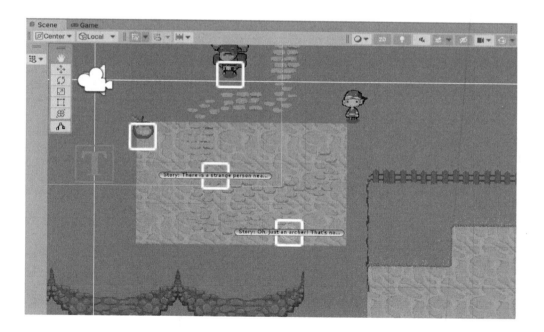

8) 변경된 사항을 저장하고 플레이 버튼을 클릭해 게임을 시작한다. 두번째 스토리 아이템은 첫번째 스토리 아이템이 표시된 다음에만 나타난다.

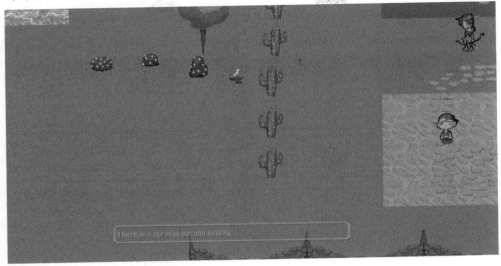

첫 번째 스토리가 표시된다.

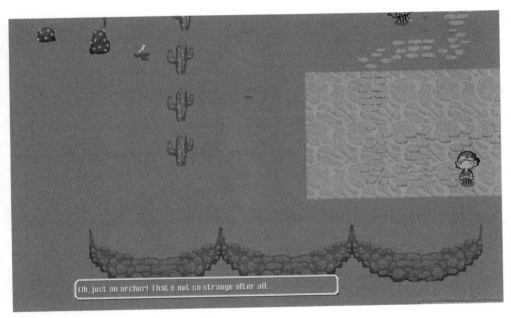

두 번째 스토리가 표시된다.

지금까지 작업한 내용을 모두 저장해보자. 유니티를 닫으면 아래와 같은 대화상자가 나타난다. 우리가 작업하는 D:\Unity Project 폴더에 저장하기 위해 [Keep] 버튼을 클릭한다.

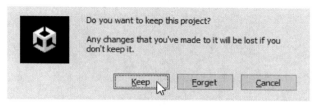

D:\Unity Project 폴더를 찾아 파일이름 칸에 CreatorKitRPG 이라고 입력하고 [저장] 버튼을 클릭한다.

저장이 완료되면 유니티 허브에서 [열기 / 디스크에서 프로젝트 추가]를 선택한다.

D:\Unity Project\CreatorKitRPG를 선택하고 [프로젝트 추가] 버튼을 클릭한다.

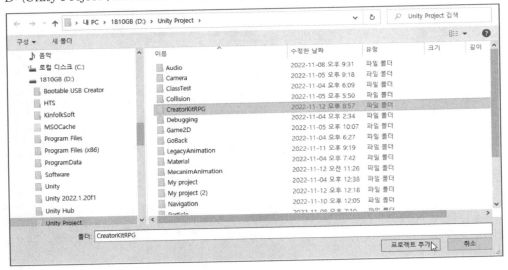

유니티 허브 프로젝트 리스트에 CreatorKitRPG가 보여진다. CreatorKitRPG를 더블클릭해서 유니티를 실행해보자.

지금까지 우리가 작업했던 프로젝트가 다시 실행되는 것을 확인할 수 있다.

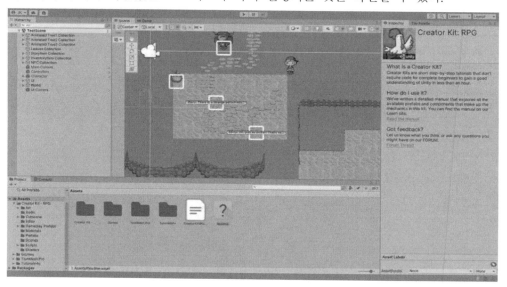

저자 소개

김정훈
서울시립대학교 전산통계학과 졸
연세대학교 대학원 컴퓨터과학과 졸
현재 용인예술과학대학교 컴퓨터게임과 교수
정보관리기술사(52회)
정보시스템 수석감리원
한국산업기술평가관리원 평가위원
한국콘텐츠진흥원 평가위원

㈜현대전자 소프트웨어 연구소
㈜현대정보기술 인터넷 사업부
㈜엔씨소프트 리니지토너먼트 개발팀장
㈜소프트젠 모바일 게임 사업부 이사

관심분야 : 온라인게임, 모바일게임